BIBLIOTHÈQUE MÉLUSINE

CECI N'EST PAS UN TABLEAU

BIBLIOTHÈQUE MÉLUSINE

animée par Henri BÉHAR

1. Michel CARASSOU: *Jacques Vaché et le groupe de Nantes*. Préface d'Henri Béhar. Éditions Jean-Michel Place, 1986. 19 x 25, 256 p.

2. Pascaline MOURIER-CASILE: *De la chimère à la merveille*. Recherches sur l'imaginaire fin de siècle et l'imaginaire surréaliste. Éditions L'Age d'Homme, 1986. 15,5 x 22,5, 304 p.

3. Yves BRIDEL: *Miroirs du surréalisme*. Essai sur la réception du surréalisme en France et en Suisse française (1916-1939). Préface d'Henri Béhar. Éditions L'Age d'Homme, 1988. 15,5 x 22,5, 203 p.

4. Henri BÉHAR, Roland FOURNIER, Maryvonne BARBÉ: *Les Pensées d'André Breton*. Éditions L'Age d'Homme. 15,5 x 22,5, 362 p.

5. *André Breton ou le surréalisme même*. Études réunies par Marc SARPOTA avec le concours d'Henri BÉHAR. Éditions L'Age d'Homme, 1988. 15,5 x 22,5, 200 p.

6. Henri BÉHAR: *Littéruptures*. Éditions L'Age d'Homme, 1988. 15,5 x 22,5, 255 p.

7. Marcel JEAN et Arpad MEZEI: *Genèse de la pensée moderne*. Préface d'Henri BÉHAR. Éditions L'Age d'Homme, 2001. 15,5 x 22,5, 332 p.

8. *Mélusine moderne et contemporaine*. Études réunies par Arlette BOULOUMIÉ avec le concours d'Henri BÉHAR. Éditions L'Age d'Homme, 2001. 15,5 x 22,5, 368 p.

9. Thierry AUBERT, *Le Surréaliste et la mort*. Éditions L'Age d'Homme, 2001. 15 x 21, 324 p.

10. Paolo SCOPELLITI, *L'Influence du surréalisme sur la psychanalyse*, Éditions L'Age d'Homme, 2002. 15 x 21, 246 p.

11. André BRETON et Paul ÉLUARD, *L'Immaculée Conception,* édition fac-similé du manuscrit du Musée Picasso, transcription de Paolo SCOPELLITI, préface d'Henri BÉHAR. Éditions L'Age d'Homme, 2002. 27,5 x 35,5, 228 p.

12. Henri BÉHAR, *Les Enfants perdus, essai sur l'Avant-garde,* Éditions L'Age d'Homme, 2002. 15,5 x 21,5, 288 p.

13. Ferdinand ALQUIÉ, *Cahiers de jeunesse,* présentés par Paule Plouvier, Éditions L'Age d'Homme, 2002. 15,5 x 21,5, 288 p.

ELZA ADAMOWICZ

CECI N'EST PAS UN TABLEAU
Les écrits surréalistes sur l'art

*Publié avec le concours du Centre National du Livre
et Queen Mary College, University of London.*

L'AGE D'HOMME

Abréviations utilisées

CCR   Joan Miró et Georges Raillard, *Ceci est la couleur de mes rêves*, Seuil, 1977.

EAM   Louis Aragon, *Écrits sur l'art moderne*, Flammarion, 1981.

EE   Joan Miró, *Écrits et entretiens,* présentés par Margit Rowell, Daniel Lelong, 1975.

EP   Robert Desnos, *Écrits sur les peintres*, Gallimard, 1984.

OCI   André Breton, *Œuvres complètes* I, Gallimard, Bibliothèque de la Pléiade, 1988.

OCII   André Breton, *Œuvres complètes* II, Gallimard, Bibliothèque de la Pléiade, 1992.

OCIII   André Breton, *Œuvres complètes* III, Gallimard, Bibliothèque de la Pléiade, 1999.

SP   André Breton, *Le Surréalisme et la peinture*, Gallimard, 1965.

Maquette et réalisation : Sophie Béhar.

Une peinture, il ne faut pas se soucier qu'elle demeure telle quelle, mais plutôt qu'elle tisse des germes, qu'elle répande des semences d'où naissent d'autres choses.

Joan Miró

Il paraît que tout ça n'a rien à voir avec la peinture.

André Breton

INTRODUCTION : UN ŒIL À L'ÉTAT SAUVAGE ?

Voir de l'autre côté de l'œil.

Salvador Dali

« L'œil existe à l'état sauvage[1] ». Dans l'aphorisme qui ouvre « Le Surréalisme et la peinture », André Breton fait l'éloge du regard sans entrave, censé donner directement sur l'objet de la vision, un regard qui se veut non médiatisé, débarrassé de la grille des conventions esthétiques (« l'aveugle représentation réaliste » SP335) ou des codes de l'imitation (« que m'importe que les arbres soient verts ? » SP2). Dans cette optique, Breton fera l'éloge de l'art des enfants, des fous et des artistes dits naïfs – un Joseph Crépin plombier-zingueur ou un Aloys Zötl ouvrier-teinturier, un Facteur Cheval ou un Douanier Rousseau ; il s'enthousiasme pour les Antillais Hector Hippolyte et Wifredo Lam (« un esprit libéré de toute influence » SP172) ; il admire Picasso et Miró qui, faisant fi de toute contrainte esthétique, porteraient un regard toujours neuf sur les choses du monde ; il évoque toute une iconographie *sauvage* allant des dessins de Nadja à l'armoire de Wölffli.

L'œil du peintre surréaliste, dit-il, préfère le visionnaire au visible, la représentation mentale à la perception physique, un *« modèle purement intérieur »* (SP4) au modèle extérieur. S'il se *voile* c'est pour *révéler* (SP176), et lorsqu'il se ferme c'est pour mieux *écouter*. L'œil de l'artiste peut être ouvert ou fermé, nous dit Chirico : « il n'y a que ce que mes yeux voient ouverts et plus encore fermés » (SP18). Pour Robert Desnos l'artiste avance « les yeux bandés[2] » et Paul Éluard affirme qu'« [o] n ne voit ce qu'on veut que les yeux fermés[3] ». Ils font ainsi écho à l'affirmation du peintre romantique Caspard-David Friedrich : « Clos ton œil physique afin de voir d'abord ton tableau avec l'œil de l'esprit. Ensuite fais mon-

---

1. André Breton, « Le Surréalisme et la peinture », *La Révolution surréaliste*, n° 4, 15 juillet 1925, p. 26 ; repris dans *Le Surréalisme et la peinture*, Gallimard, 1965, p. 1. Les références à cet ouvrage seront indiquées dans le texte par l'abréviation SP suivie de la page.

ter au jour *ce que tu as vu dans ta nuit*[4] ». On retrouvera le même *topos* jusque dans les années 1950, lorsque par exemple Breton écrira à propos du peintre Duvillier : « bien loin de vouloir retenir l'apparence, il faut longtemps fermer les yeux – se *re*cueillir est bien le mot – sur ce qu'on a *vu* » (SP340), pour évoquer la priorité de la vision intérieure sur les apparences du monde réel.

Le regard du peintre, en contrant l'automatisme passif de la perception habituelle, chercherait à restituer (à fabriquer) une innocence du regard. C'est un regard supposé être pré-rationnel et pré-discursif, comme surgi de l'inconscient, qui pratiquerait une sorte d'automatisme visuel, approfondissement (ou régression) vers une origine, un parti pris de *sauvagerie* qui serait l'équivalent de l'écriture automatique (censée être la parole originelle), surgissant avant toute codification, permettant à l'artiste de jongler avec les objets de la réalité perceptuelle pour créer des assemblages sans précédent, ou de faire un pied de nez aux codes esthétiques traditionnels pour promouvoir le libre parcours du crayon ou du pinceau. Dans cette perspective, Max Morise affirme, sur un ton péremptoire : « Tranchons-en délibérément : il n'y a pas de Technique, il n'existe pas une science du bien peindre[5] ». La main de l'artiste n'est pas ligotée par des considérations techniques : « la main du peintre s'aile véritablement » (SP66), observe Breton à propos de l'activité picturale de Masson. Le mythe de « l'œil sauvage » ne se limite pas aux années 1920, il perdure jusque dans les années 1950. « Décrassons la vue », demande le critique d'art Charles Estienne, qui collabore avec les surréalistes dans les années d'après-guerre[6]. Selon le sociologue Pierre Bourdieu, il s'agit d'un mythe répandu dans la culture occidentale contemporaine. Il définit « l'idéologie […] de l'œil neuf », que ce soit chez l'artiste ou chez le spectateur, comme « l'idéologie charismatique qui oppose l'expérience authentique de l'œuvre d'art comme ‹ affec-

---

2. Robert Desnos, *Écrits sur les peintres*, Flammarion, Coll. « Textes », 1984, p. 213. Les références à cet ouvrage seront indiquées dans le texte par l'abréviation EP suivie de la page.
3. Paul Éluard, « Physique de la poésie », *Minotaure*, n° 6, hiver 1935, p. 12 ; *Œuvres complètes* I, Gallimard, Bibliothèque de la Pléiade, 1968, p. 938.
4. Cité par Breton, *L'Art Magique*, Club Français du Livre, 1957, p. 35.
5. Max Morise, « À propos de l'exposition Chirico », *La Révolution surréaliste*, n° 4, juillet 1925, p. 31.
6. Cité par José Pierre, « Les Prunelles sont mûres », *Médium* ns, n° 4, janvier 1955, p. 56.

tion› du cœur ou compréhension immédiate de l'intuition » à la connaissance proprement culturelle de l'œuvre[7].

Privilégiant donc l'impact de l'image sur toute considération technique, Breton escamote cavalièrement la question de la médiatisation de la peinture, que ce soit du point de vue du producteur – l'artiste muni de compétences techniques picturales – ou de celui du commentateur – le critique ou poète filtrant sa perception à travers ses références culturelles. Il arrive même au peintre d'exploiter les codes honnis du réalisme pour réaliser la reproduction méticuleuse des images mentales. Toutefois, le caractère onirique ou hallucinatoire des représentations se mesure moins à l'aune des techniques engagées – que celles-ci soient dénigrées comme « expédient lamentable » (SP6) ou sublimées comme « pouvoir magique de figuration » (SP4) – qu'à l'illusion d'évidence et d'immédiateté des procédés de la représentation. Ce parti pris de transparence explique chez les surréalistes le rapprochement entre la peinture (et l'automatisme verbal) et les procédés photographiques qui assurent la supposée *instantanéité* de l'image. Breton, à propos de la peinture de Dali, fait allusion à « la photographie en trompe-l'œil des images de rêve[8] ». Dali lui-même définit la peinture comme « ‹ Photographie › à la main et en couleurs de l'‹ irrationalité concrète › et du monde imaginatif en général[9] », comme si la peinture était effectivement l'empreinte directe de l'inconscient.

Cependant, le regard que porte le poète sur la peinture semble être oblique plutôt que direct, grillagé avant d'être originel, cultivé plus que sauvage. Il est significatif que l'incipit « L'œil existe à l'état sauvage », loin de signaler une origine absolue, artistique ou existentielle, soit lui-même une parole médiatisée, car il fait écho à la première phrase de la préface par Claudel aux œuvres de Rimbaud : « Arthur Rimbaud fut un mystique *à l'état sauvage*[10] ». Sous-jacente au texte sur la peinture se trouve la poésie, tout comme en amont de l'expression picturale se trouve-

---

7. Pierre Bourdieu et Alain Darbel, *L'Amour de l'art. Les musées européens et leur public*, Minuit, Coll. « Le sens commun », 1966, p. 108.
8. Breton, *Entretiens 1913-1952*, *Œuvres complètes* III, Gallimard, Bibliothèque de la Pléiade, 1999, p. 528. Les références à cet ouvrage seront indiquées dans le texte par l'abréviation OCIII suivie de la page.
9. Dali, « Derniers Modes d'excitation intellectuelle pour l'été 1934 », *Documents 34*, n° 1, 1934, p. 34; *Oui 2. L'Archangélisme scientifique*, Denoël-Gonthier, « Bibliothèque Médiations », 1971, p. 40.

raient Rimbaud, Lautréamont ou Baudelaire. Le *jamais vu* pictural est filtré à travers un *déjà lu*. Ainsi Breton voit les tableaux de Max Walter Svanberg à travers la poésie de Rimbaud:

> *Voici vraiment la femme au centre de l'univers, sous toutes les flèches du « jamais vu ». Elle rivalise avec le plus beau nu qui en fut jamais tracé : « L'étoile a pleuré rose au cœur de tes oreilles… »* (SP241)[11]

De même, il lit la peinture de Max Ernst à la lumière de Baudelaire (SP66) ou Giacometti dans la filiation de Novalis et Nerval (SP73). Avant de voir, l'œil du poète *écoute, reconnaît, rapproche, dérive*. Le poète chausse volontiers les « jumelles pour yeux bandés » de Picabia (SP221) qui lui permettent de voir au-delà, à côté ou en amont du tableau. Comme l'écrit Artaud : « nous avons une taie sur l'œil du fait que notre vision oculaire actuelle est *déformée*, réprimée, opprimée, revertie et suffoquée, revertie et suffoquée par certaines malversations sur le principe de notre boîte crânienne[12] ». Le regard, subissant l'impact du mental, est opaque. Pour Martin Jay, en effet, voir est déjà une activité discursive : « L'œil ne devrait pas être uniquement dans le texte, les surréalistes semblent dire, le texte doit également être dans l'œil[13] ». Les surréalistes ne chaussent pas uniquement les jumelles de la poésie pour voir la peinture, celle-ci est également filtrée à travers les jumelles de la politique (Max Ernst rejeté par un Aragon marxiste après avoir été admiré par un Aragon surréaliste) ou de la polémique (Dali lu à travers le prisme du « bas matérialisme » de Bataille par opposition à la transposition poétique de Breton).

---

10. Paul Claudel, préface, *Rimbaud*, NRF, 1912 ; *Œuvres en prose*, Gallimard, Bibliothèque de la Pléiade, 1965, p. 514. Cette allusion intertextuelle a été relevée par Jennifer V. Mundy, « Surrealism and Painting: Describing the Imaginary », *Art History*, vol 10, n° 4, décembre 1987, p. 493.
11. Breton cite Rimbaud, *Poésies, Œuvres complètes*, Gallimard, Bibliothèque de la Pléiade, 1972, p. 53.
12. Antonin Artaud, *Cahiers de Rodez, avril – 25 mai 1946, Œuvres complètes* XXI, Gallimard, 1985, pp. 236.
13. « The eye should not only be in the text, the surrealists seem to be saying, the text must also be in the eye ». Martin Jay, *Downcast Eyes. The Denigration of Vision in Twentieth-Century French Thought*, University of California Press, 1993, p. 247. Voir aussi Bernard Vouilloux, *La Peinture dans le texte. XVIIIᵉ-XXᵉ siècles*, CNRS Éditions, 1994, p. 67.

« LA PEINTURE SURRÉALISTE N'EXISTE PAS »

Dans le premier numéro de *La Révolution surréaliste*, Max Morise s'interroge sur la possibilité d'une « plastique surréaliste[14] ». Il esquisse les grandes lignes d'une esthétique « authentiquement surréaliste » qui serait l'équivalent du « flux de la pensée » de l'écriture automatique, où « les formes et les couleurs se passent d'objet, s'organisent selon une loi qui échappe à toute préméditation ». Il oppose expression verbale et expression plastique : « le mot s'identifiant pour ainsi dire à la pensée, les traces du pinceau au contraire ne traduisent que médiatement les images intellectuelles ». Les mots seraient ainsi une pensée non-médiatisée alors que l'image picturale, fondée sur des contraintes picturales, est une expression médiatisée, déformant la « dictée de l'inconscient ». Pierre Naville reprendra le débat dans le numéro suivant de la revue surréaliste en affirmant dès les premiers mots de son texte : « Plus personne n'ignore qu'il n'y a pas de *peinture surréaliste*. Ni les traits du crayon livré au hasard des gestes, ni l'image retraçant les figures du rêve, ni les fantaisies imaginatives, c'est bien entendu, ne peuvent être ainsi qualifiés[15] ». Si esthétique surréaliste il y a, elle se trouverait dans les « *spectacles* » dans les rues de Paris, il s'agirait d'une esthétique de la modernité :

> *La mémoire et le plaisir des yeux : voilà toute l'esthétique. […]*
>
> *Le cinéma, non parce qu'il est la vie, mais le merveilleux, l'agencement d'éléments fortuits.*
>
> *La rue, les kiosques, les automobiles, les portes hurlantes, les lampes éclatant dans le ciel.*
>
> *Les photographies : Eusèbe, l'Étoile, le Matin, Excelsior, La Nature, — la plus petite ampoule du monde, chemin suivi par le meurtrier. La circulation du sang dans l'épaisseur d'une membrane.*
> *S'habiller, — se dévêtir[16].*

Cette énumération borgésienne atteste que l'esthétique surréaliste,

---

14. Morise, « Les Yeux enchantés », *La Révolution surréaliste*, n° 1, avril 1924, pp. 26-7.
15. Pierre Naville, « Beaux-arts », *La Révolution surréaliste*, n° 3, 15 avril 1925, p. 27.
16. Dans une lettre à Denise Lévy (30 avril 1925), Naville affirme : « Il [Breton] prétend que j'ai écrit ces notes […] rien que pour l'emmerder ! ». *Le Temps du surréel*, vol 1 *L'Espérance mathématique*, Éditions Galilée, Coll. « écritures/figures », 1977, p. 109.

loin d'être limitée au domaine artistique, prend toute son ampleur dans ses rapports à un réel des plus hétéroclites. Il s'agit bien d'une conception du surréalisme fondée sur la non-spécialisation de ses activités : « Le surréalisme, tel qu'à plusieurs nous l'aurons conçu durant des années, n'aura dû d'être considéré comme existant qu'à la non-spécialisation *a priori* de son effort », déclare Breton[17]. Pour Bernard Vouilloux les premiers textes de théorisation du surréalisme s'inscrivent dans une « logique de *déspécification* des pratiques poétiques et artistiques », celles-ci étant subordonnées à un « projet existentiel global[18] ».

Dans les premiers temps du surréalisme se manifeste en effet une certaine méfiance à considérer l'art comme une catégorie distincte de l'activité surréaliste. Dans le premier *Manifeste du surréalisme* (1924), parmi ceux qui « ont fait acte de SURRÉALISME ABSOLU », on note l'absence des peintres. Malkine y est cité en sa qualité de poète ; Chirico, Klee, Man Ray, Max Ernst et Masson sont énumérés avec d'autres peintres dans une note en bas de page[19]. Pourtant les peintres – André Masson, Man Ray, Max Ernst (dont l'exposition de 1921 a été pour Breton un événement révélateur qui l'incitera à présenter dans sa préface les fondements de ce qui deviendra une esthétique surréaliste), Joan Miró, Pierre Roy, et d'autres – font bien partie du groupe en 1925. Ils participent aux réunions, ils exposent leurs tableaux, leurs œuvres sont reproduites dans *La Révolution surréaliste*. Bien que la presse désigne dès 1925 Miró de « peintre surréaliste » à l'occasion de sa première exposition à Paris à la galerie Pierre, les textes des surréalistes eux-mêmes récusent résolument une telle désignation[20]. Les premières préfaces d'exposition et les essais sur la peinture sont ludiques, absurdes, poétiques, esquivant toute allusion aux qualités esthétiques des

---

17. Breton, *Les Vases communicants* (1932), *Œuvres complètes* II, Gallimard, Bibliothèque de la Pléiade, 1992, p. 164. Les références à cet ouvrage seront indiquées dans le texte par l'abréviation OCII suivie de la page.

18. Vouilloux, « Manifester la peinture », *André Breton, L'Herne*, n° 72, 1998, p. 186.

19 Breton, *Manifeste du surréalisme* (1924), *Œuvres complètes* I, Gallimard, Bibliothèque de la Pléiade, 1988, pp. 328 et 330. Les références à cet ouvrage seront indiquées dans le texte par l'abréviation OCI suivie de la page.

20. Extraits de presse de l'exposition Miró. *L'Aventure de Pierre Loeb, la galerie Pierre, Paris 1924-1964*, Musée d'Art Moderne de la Ville de Paris, 1979, p. 115. En 1927 Maurice Raynal ira jusqu'à déclarer Miró « chef de l'École surréaliste », *Anthologie de la peinture en France de 1906 à nos jours*, Éditions Montaigne, 1927, p. 238.

œuvres. Ceci non seulement à l'époque dada, mais également à l'époque de l'élaboration du surréalisme (1923-26) où les surréalistes cherchaient par ailleurs à définir avec une précision qui se voulait toute scientifique les paramètres du surréalisme, ceux de l'inconscient, du rêve, de l'automatisme. Dans *Une Vague de rêves*, Aragon énumère bien les peintres – Picasso et Chirico, Masson, Man Ray, Ernst, ou encore Savinio – mais il les évoque en utilisant un langage poétique qui passe sous silence la spécificité picturale de leur activité :

> *André Masson à tous les carrefours préside aux lâchers des colombes : les beaux couteaux qu'il aura vus partout sont prêts à être enfin saisis [...] Man Ray, qui a apprivoisé les plus grands yeux du monde, rêve à sa façon avec des porte-couteaux et des salières : il donne un sens à la lumière [...] Les tremblements de terre, c'est où Max Ernst, peintre de cataclysmes comme d'autres de batailles, se retrouve avec le plus d'aise et de plaisir : il est curieux que la terre ne soit pas toujours en train de trembler*[21].

Avant d'être peintre l'artiste est tout d'abord prestidigitateur ou magicien, dans ce texte où la poésie occulte la peinture. La référence à celle-ci est esquivée également par un ton ludique. Pour l'exposition Miró de 1925 – le groupe surréaliste (25 signataires) cosigne le carton d'invitation au vernissage – Benjamin Péret rédige une préface cocasse, où il raconte avoir été abordé sur les Champs-Élysées par « un monsieur obèse » qui cherche « l'arbre à sardines », occasion pour le poète d'énumérer toutes sortes d'arbres – « l'arbre à saucisson, l'arbre à serrure, l'arbre à vinaigre », et bien d'autres – avant d'envoyer l'homme à l'exposition de Miró[22]! Tout aussi ludique est la préface rédigée par Breton et Desnos en novembre 1925 pour le catalogue de la première exposition collective surréaliste à la même galerie Pierre[23]. Le texte est fabriqué à partir des titres des œuvres exposées, assemblés en un vague récit. Le choix d'un ton ludique pour une préface qui, loin de fournir au lecteur des clés pour la compréhension des tableaux exposés, en prolonge l'effet déroutant, répond à la prescription de Breton, « préparer pour cette exposition une préface humoristique et absurde[24] ». Il s'a-

---

21. Louis Aragon, *Une Vague de rêves* (1924), Seghers, 1990, pp. 23-5.
22. Benjamin Péret, « Les Cheveux dans les yeux », préface à l'exposition Joan Miró (galerie Pierre 1925), *Cahiers d'art*, vol 9, n° 1-4, 1934, p. 26 ; *Œuvres complètes* VI, Corti, 1992, p. 298.
23. Breton et Desnos, « La Peinture surréaliste » (OCI915-6, EP80-1).

git avant tout, comme dans le texte de Péret sur Miró, d'éluder la question de l'esthétique en déniant à la peinture toute spécificité picturale. Il est vrai que l'hétérogénéité des œuvres exposées rendait difficile la formulation d'une esthétique cohérente. Aragon ira jusqu'à parodier le genre dans sa préface à l'exposition de Pierre Roy en 1928[25]. Il la désigne comme « comptine », un texte – absurde ou automatique – rédigé dans l'esprit dada :

> *Tout est miroir à celui qui attend chaque femme, chaque ombre qui pénètre dans le café chauffé au rouge fait pour le Pénélope préfacier un bruit de clefs à chavirer les loups Chaque femme qui Pénélope dans la chauffe au rouge à lèvres le préfacier sent en lui des trousseaux de clefs qui se révoltent.*

Au lieu des informations qu'on pourrait s'attendre à trouver sur le peintre et son œuvre, le texte tourne autour de références répétées au préfacier, « Pénélope préfacier » qui n'arrive pas à construire la trame de son discours, dont la syntaxe même finit par s'effilocher.

La peinture surréaliste en tant que catégorie distincte est récusée également dans les expositions, qui combinent souvent tableaux de peintres surréalistes et objets ethnographiques. Dans la première exposition de la galerie Surréaliste en mars 1926, « Tableaux de Man Ray et objets des îles », les toiles de Man Ray côtoient des masques océaniens qui proviennent de la collection de Breton, provoquant un questionnement sur la spécificité de l'art surréaliste. La galerie Surréaliste abritera aussi en 1927 l'exposition « Yves Tanguy et objets d'Amérique », qui juxtapose des tableaux de Tanguy et des objets indiens d'Amérique des collections de Breton et Éluard, dans un accrochage qui fait vaciller le concept d'objet ethnographique tout comme celui d'objet d'art surréaliste.

La question de l'existence d'une peinture surréaliste continue à être posée, même après la publication du « Surréalisme et la peinture » dans *La Révolution surréaliste*[26]. En 1926 Desnos écrit à ce propos :

24. *Vers l'Action politique*, juillet 1925-avril 1926, *Archives du surréalisme 2*, présenté et annoté par Marguerite Bonnet, Gallimard, 1988, p. 49.
25. Aragon, « Celui qui s'y colle », préface à l'exposition Pierre Roy (galerie Pierre 1928), *Écrits sur l'art moderne*, Flammarion, 1981, pp. 22-5. Les références à cet ouvrage seront indiquées dans le texte par l'abréviation EAM suivie de la page.
26. Breton, « Le Surréalisme et la peinture », *La Révolution surréaliste*, n° 4, juillet 1925, pp. 26-30 ; n° 6, mars 1926, pp. 30-2 ; n° 7, juin 1926, pp. 3-6 ; n° 9-10, octobre 1927, pp. 36-43. Le texte paraît en volume chez Gallimard en 1928.

> *On a souvent reproché au surréalisme d'être inapplicable à la peinture. C'est qu'en effet le grand problème de la peinture surréaliste a été l'application de la définition du surréalisme aux procédés picturaux. Problème stérile qui l'a paralysé pendant plusieurs mois[27].*

Par ailleurs, si Breton hésite sur le titre à donner à la publication en volume de ses textes chez Gallimard en 1928, il n'y a aucune trace d'hésitation dans ce qu'il écrit à Masson: « Il n'y a pas de peinture surréaliste. Il y a des surréalistes qui font de la peinture comme il y a des surréalistes qui écrivent, comme des surréalistes pourraient tout aussi bien être vanniers ou forgerons[28] ». En 1928 encore, le carton d'invitation à l'exposition surréaliste tenue à la galerie Au Sacre du Printemps porte la question: « La peinture surréaliste existe-t-elle? »

Plutôt qu'une réponse à la question, « Le Surréalisme et la peinture », paru dans le numéro 4 de *La Révolution surréaliste* (dont Breton avait pris la direction) semble apporter une nouvelle esquive. Loin de trancher le débat engagé dans les textes de Morise et Naville de 1924, l'intervention de Breton le relance. Il esquisse les grandes lignes d'une esthétique surréaliste tout en refusant de discuter de la peinture en tant que telle. En effet, il resitue le problème de l'automatisme en le déplaçant vers une poétique des effets, sans le résoudre au niveau d'une pratique. C'est dans cette perspective que Breton, suivant le discours sur l'art avant-garde des années 1920, applique résolument des critères non-picturaux pour parler de la peinture: les critères révolutionnaire et poétique.

Pour ce qui est du premier, la peinture est instrumentalisée comme un moyen de révolutionner la perception, position fondée sur sa capacité à subvertir la représentation du monde réel et de créer de nouvelles visions, réalisant concrètement le *jamais vu* de Rimbaud. Dans une perspective plus large, l'œuvre d'art doit « répondre à la nécessité de révision absolue des valeurs réelles », ceci aux dépens des considérations formelles ou picturales des œuvres:

> *La portée révolutionnaire d'une œuvre, ou sa portée tout court, ne saurait dépendre du choix des éléments que cette œuvre met en jeu. De là, la dif-*

---

27. Desnos, « Surréalisme », *Cahiers d'art,* vol 1, n° 8, 1926, p. 213 (EP31).

28. Voir le commentaire de Naville: « Reconnaître qu'il ne pouvait y avoir ni littérature, ni peinture surréalistes, ni vannerie surréaliste, ç'aurait été envisager que toutes ces activités, dans la forme ordinaire de leur manifestation, devaient disparaître devant les obligations d'une véritable révolution ». *Le Temps du surréel*, p. 227.

> *ficulté d'obtention d'une échelle rigoureuse et objective des valeurs plastiques en un temps où l'on est sur le point d'entreprendre une révision totale de toutes les valeurs et où la clairvoyance nous oblige à ne reconnaître d'autres valeurs que celles qui sont de nature à hâter cette révision.* (SP8)

Assimilée à la visée révolutionnaire, l'activité artistique est non pas un enjeu, mais un simple moyen, un outil parmi d'autres – mais guère plus important que l'action politique ou la production de tracts – pour réaliser le programme révolutionnaire des surréalistes. De même, dans le procès-verbal de la préparation de la première exposition surréaliste en 1925, le groupe surréaliste donne explicitement une direction révolutionnaire aux activités artistiques: « L'art surréaliste est le seul révolutionnaire en France; cette exposition groupe des forces révolutionnaires, infléchit l'art dans ce sens, et contribuera à la destruction de l'art bourgeois et même de l'art au sens accepté jusqu'ici[29] ».

Le critère révolutionnaire est souvent étroitement lié au critère poétique, notamment dans les textes d'Éluard, qui assimile la poésie littérature et la poésie éthique dans une visée révolutionnaire:

> *La poésie véritable est incluse dans tout ce qui affranchit l'homme de ce bien épouvantable qui a le visage de la mort. Elle est aussi bien dans l'œuvre de Sade, de Marx ou de Picasso que dans celle de Rimbaud, de Lautréamont ou de Freud. Elle est dans l'invention de la radio [...] dans la révolution des Asturies [...][30].*

Tout comme le mot *révolution*, la *poésie* est une notion qui permet d'englober l'activité artistique dans une activité qui nie sa spécificité picturale. La notion de poésie se rapporte à une pratique littéraire et à une phénoménologie. D'une part, elle situe la peinture surréaliste dans la filiation de Rimbaud et compagnie; d'autre part, dans son sens plus étendu, elle porte sur une esthétique de l'effet.

Les nombreux amalgames entre poésie et peinture dans les textes des surréalistes attestent que celles-ci sont considérées comme des activités parallèles. Breton accouple souvent les deux termes: « dans l'ordre de la peinture comme de l'écriture » (SP46), « en peinture comme en poésie » (SP70). Pour Breton, qui rappelle que Hegel plaçait la poésie au-dessus de la peinture, « la poésie n'a pas cessé, dans l'é-

---

29. *Vers l'Action politique, juillet 1925-avril 1926*, p. 49.
30. Éluard, « L'Évidence poétique » (1937), *Œuvres complètes* I, p. 521.
31. Breton, *Position politique du surréalisme*, Sagittaire, 1935 (OCII477).

poque moderne, à dater de sa grande émancipation romantique, d'affirmer son hégémonie sur les autres arts, de les pénétrer profondément[31] ». Dès les premières pages du « Surréalisme et la peinture », il déclare que les poètes ont devancé les peintres (« Lautréamont, Rimbaud et Mallarmé, dans le domaine poétique, ont été les premiers à douer l'esprit de ce qui lui faisait tellement défaut [...] » SP4), et que les peintres – surgissant longtemps après, à la fin d'une très longue phrase – ne font que suivre la trace des poètes. La critique des années 1920 reprend souvent la notion de la subordination de la peinture à la poésie lorsqu'elle affirme par exemple que le surréalisme est un mouvement essentiellement littéraire. Parmi les critiques, Maurice Raynal évoque l'« esprit nettement antipictural » des surréalistes, affirmant : « Quoi qu'il en soit, si le mouvement n'a en lui-même aucune valeur picturale, il garde un intérêt au point de vue littéraire et illustratif[32] ». De même, Christian Zervos déclare :

> *Nous sommes absolument convaincus que le surréalisme existe par les seuls talents d'Aragon, de Breton et d'Éluard. Et nous sommes non moins convaincus qu'il n'y a pas de peinture surréaliste, les peintres de cette « école » étant dépourvus de véritables qualités picturales[33].*

Cependant, pour Breton les réalisations picturales de Picasso sont censées se situer au-delà de la littérature :

> *On a dit qu'il ne saurait y avoir de peinture surréaliste. Peinture, littérature, qu'est-ce là, ô Picasso, vous qui avez porté à son suprême degré l'esprit, non plus de contradiction, mais d'évasion ! [...] Et ils viennent nous parler de la peinture, ils viennent nous faire souvenir de cet expédient lamentable qu'est la peinture !* (SP6)

Loin d'être des activités distinctes, peinture et littérature seraient subordonnées à une idée de la *poésie* comprise ici dans son sens le plus large. Par conséquent l'exclamation de Breton souligne le refus de considérer la peinture et la littérature comme catégories distinctes. La *poésie* dans ce sens élargi fait allusion à une expérience subjective où l'émotion, privilégiée aux dépens de la raison, est le critère principal de l'expérience esthétique. L'assimilation de la peinture à la poésie, celle-ci comprise dans son double sens, littéraire et émotionnel, se retrouve dans les

32. *Anthologie de la peinture en France de 1906 à nos jours*, pp. 37 et 238.
33. Christian Zervos, « Max Ernst », *Cahiers d'art*, vol 3, n° 2, 1928, p. 69.

textes sur l'art des années 1920 et 1930. Le critique d'art Tériade notera à ce propos :

> *La peinture, à un moment donné, désespérant de retrouver en elle-même une matérialité fraîche et sûre d'un nouveau pouvoir créateur, s'était mise résolument au service de la poésie. La peinture surréaliste était née [...] Fruits d'une réaction nécessaire, les peintures surréalistes de qualité sont des poèmes subtils[34].*

Cette notion plus large de la *poésie* est liée à celle du *lyrisme*, autre notion que l'on retrouve dans la littérature critique de l'époque pour définir un discours centré sur la subjectivité du spectateur. Pour Dali, le lyrisme « naît de l'approche de la réalité ; et nous savons, par Bergson, qu'il nous est possible de l'approcher seulement par l'instinct et nécessairement par les facultés les plus irrationnelles de notre esprit[35] ». Le lyrisme est compris ici comme l'expression d'une émotion – devant un tableau tout comme devant un paysage ou un objet. Il se manifeste dans l'écrit par le discours fusionnel qu'est le langage poétique, et se mesure à l'aune d'un *dépassement* :

> *J'entends à ce moment, par « lyrisme », ce qui constitue un dépassement en quelque sorte spasmodique de l'expression contrôlée. Je me persuade que ce dépassement, pour être obtenu, ne peut résulter que d'un afflux émotionnel considérable et qu'il est aussi le seul générateur d'émotion profonde en retour.* (OCIII451)

Les essais d'après-guerre de Breton attestent d'une continuité de sa pensée. Dans « Comète surréaliste » (1947), texte de consolidation des valeurs essentielles du surréalisme, Breton affirme encore l'interdépendance, la confusion, entre démarches poétiques et plastiques :

> *C'est aussi que, pour la première fois sans doute avec le surréalisme la poésie n'a cessé de fournir à la plastique son appui. [...] jamais encore dans leur ensemble les deux démarches poétiques ne s'étaient ainsi montrées volontairement confondues.* (OCIII754)

Cette idée du tout-poétique risque de devenir une notion dépourvue de

---

34. Édouard Tériade, « La Peinture surréaliste », *Minotaure*, n° 8, 15 juin 1936, p. 5 ; *Écrits sur l'art*, Adam Biro, 1996, p. 476.
35. Dali, « Documentaire – Paris 1929 », *La Publicitat*, 26 avril 1929, p. 1 ; *Oui 1. La révolution paranoïaque-critique*, Denoël-Gonthier, « Bibliothèque Médiations », 1971, p. 125.

sens. Dans une enquête sur l'art de 1954, dirigée par le critique d'art Charles Estienne et le jeune surréaliste José Pierre, les surréalistes anglais Simon Watson Taylor et George Melly commentent avec humour cette notion passe-partout, avec un clin d'œil en direction de la déclaration de Morise citée plus haut :

> *Un élément poétique peut exister dans un gendarme ou un clown. Le sur-réaliste peut se rendre compte de cet élément, mais la seule reconnaissance ne transforme pas nécessairement le gendarme ou le clown en surréaliste*[36].

La réticence de Breton devant la spécificité picturale, voire devant la matérialité de la peinture, s'expliquerait non seulement par la valorisation de la poésie sur toute autre forme d'expression, mais également par une certaine méfiance envers l'activité des peintres qui, contrairement aux poètes, sont compromis par leur insertion dans le marché de l'art, « ces messieurs les employés de l'Épicerie » (SP9), au service de la « bête grotesque et puante qui s'appelle l'argent » (SP20). Sa défense du poète qui, lui, serait resté pur et pauvre, explique son exclamation en janvier 1925 : « Est-il juste [...] qu'à talent égal, les peintres s'enrichissent sur le sol même où les poètes pourraient mendier[37] ? » En 1927 Aragon et Breton lanceront une « Protestation » contre la collaboration d'Ernst et de Miró aux décors du ballet de Diaghilev *Roméo et Juliette*, déclarant : « Il n'est pas admissible que la pensée soit aux ordres de l'argent[38] ».

À la lumière de ce résumé des premières positions surréalistes sur la peinture on serait tenté de conclure que les textes ont précédé et donné

---

36. Charles Estienne et José Pierre, « Situation de la peinture en 1954 », *Médium* ns, n° 4, janvier 1955, p. 48.
37. Breton, « La Dernière Grève », *La Révolution surréaliste*, n° 2, janvier 1925, p. 2 (OCI893).
38. Aragon et Breton, « Protestation », *La Révolution surréaliste*, n° 7, 15 juin 1926, p. 31 (OCI922). Sur la position de Breton à l'égard des compromissions commerciales de l'artiste surréaliste, voir Norbert Bandier, *Sociologie du surréalisme 1924-1919*, La Dispute, 1999 ; Mohamed Aziz Daki, « André Breton et la valeur marchande des œuvres plastiques », *Réalisme-surréalisme, Mélusine*, n° 21, 2001, pp. 235-44.
39. Selon Bandier, « l'écrit d'écrivains-théoriciens précède, puis accompagne, un art qu'il s'agit de montrer mais aussi de faire ‹ parler ›. Or la parole surréaliste, défendue par l'écrit comme «dictée de la pensée» semble à l'origine inaccessible à l'expression picturale. Comment l'écrit surréaliste a-t-il pu donner naissance à la peinture surréaliste dans ces conditions ? » Pour Bandier, l'analyse du discours surréaliste de 1924 à 1929 permettrait au critique de « saisir la logique qui engendre la peinture surréaliste, et les contradictions de ses écrits tutélaires ». « Les Mots gagnent. À l'origine de l'art surréaliste était l'écrit », *in L'Écrit et l'art* II, Villeurbanne : Le Nouveau Musée/Institut d'Art Contemporain, 1996, p. 16.

naissance à la « peinture » surréaliste, et en effet les débats qui perdurent tout au long des années 1920 sur la possibilité d'existence d'une peinture surréaliste semblent bien conforter ce point de vue[39]. Par ailleurs, dans le bilan du surréalisme que dresse Breton en 1946 à Port-au-Prince, c'est bien en tant que « mouvement poétique puis artistique » qu'il le présente (OCIII54). Pourtant, la grande activité picturale (proto-)surréaliste qui devait être – si malaisément – annexée au surréalisme se fait parallèlement à ces débats, malgré et contre ceux-ci. Les collages de Max Ernst, les dessins automatiques et les tableaux de sable d'André Masson, les tableaux oniriques de Joan Miró, contemporains de la rédaction du *Manifeste du surréalisme* ou du « Surréalisme et la peinture », attestent de ses diverses possibilités techniques. En amont et en aval des textes qui tentent de délimiter le champ théorique, il y a une *praxis* picturale qui les déborde et les dépasse. En fait, avant la théorisation du surréalisme, les essais sur la peinture – les préfaces de Breton pour les expositions de Max Ernst (1921) ou de Francis Picabia (1922) (voir le chapitre I), l'essai sur Ernst d'Aragon (1923) (discuté au chapitre V) – témoignent chez Breton et d'autres d'une ouverture à la peinture et d'une réceptivité aux techniques plastiques bien plus grandes que ce qu'on trouve dans les essais écrits dans la foulée du *Manifeste*. En effet, c'est bien la définition restrictive du surréalisme en tant qu'« automatisme psychique » élaborée dans le premier *Manifeste* qui rendait difficile l'annexion par le surréalisme d'une forme d'expression médiatisée telle que la peinture, comme l'attestent les propos de Max Morise cités plus haut. Comment en effet intégrer des styles picturaux si hétérogènes en une cohérence théorique ? En dernière analyse, les textes, qui cherchent à prescrire une pratique surréaliste picturale, ne font que ratifier celle-ci en essayant d'annexer des pratiques artistiques très diverses à un surréalisme défini avant tout comme une activité essentiellement littéraire.

UNE ESTHÉTIQUE DE LA PEINTURE SURRÉALISTE ?

Nous avons constaté l'absence d'un style homogène caractérisant le surréalisme pictural. Pour René Passeron, par exemple, « [i]ls [les peintres surréalistes] forment moins un ‹ groupe ›, dont le style serait homogène, qu'une sorte de constellation mouvante autour d'un noyau dont

40. René Passeron, « Le Surréalisme des peintres », *in* Ferdinand Alquié, ed., *Entretiens sur le surréalisme*, Paris et La Haye, Mouton, 1968, p. 249.

ils apprécient l'éclat[40] ». D'autre part, les surréalistes – non seulement les écrivains mais aussi un grand nombre des peintres – affichent leur indifférence devant la technique picturale. Morise rejette toute considération formelle ou technique dans son analyse de la peinture de Chirico: « une fois analysée la technique d'un tableau, le mystère de sa confection est intact; recettes et formules ne serviront à rien pour rendre compte de la beauté qui y est incluse[41] ». Comment rendre compte alors de cette nébuleuse de peintres qui forment « une sorte de constellation mouvante », ou du « mystère » et de la « beauté » d'œuvres qui ne dépendent aucunement de la technique? Par ailleurs, étant donné la *non-spécialisation* des diverses pratiques surréalistes, ou tout au moins la rigoureuse subordination de la peinture à la poésie, étant donné aussi, le glissement dans nombre de textes surréalistes vers une éthique de la peinture, est-il toujours pertinent de se poser la question d'une esthétique surréaliste qui se rapporterait spécifiquement aux réalisations plastiques?

Que la peinture réponde au critère révolutionnaire ou poétique, sa lecture est fondée sur un dépassement de l'œuvre. D'une part, le critère révolutionnaire vise la subversion de l'ancien ou la prospection du possible, le rejet de l'art comme représentation mimétique du monde extérieur, et l'expérimentation d'un mode d'expression qui prend pour sujet le « modèle intérieur ». Le critère poétique ou lyrique pointe lui aussi un dépassement, celui de l'expression picturale qui table sur un effet émotionnel. Dans les deux cas, « [ç]a va au-delà de la peinture », pour citer une remarque faite par Raymond Roussel à propos de l'exposition de Miró de 1925[42]. Dans le même esprit Ernst choisira pour son essai sur sa production artistique le titre « Au-delà de la peinture[43] ». Par ailleurs, la question de la peinture n'est pas une question picturale, affirme Magritte: « Il faut que la peinture serve à autre chose qu'à la peinture[44] ». C'est bien la notion de dépassement qui va nous permettre de

41. « À Propos de l'exposition Chirico ».
42. Lettre de Raymond Roussel à Michel Leiris, citée par Jacques Dupin, *Miró*, Flammarion, 1992, p. 116.
43. Max Ernst, « Au-delà de la peinture », *Cahiers d'art,* vol 11, n° 6-7, 1937, pp. 149-83; *Écritures*, Gallimard, 1970, pp. 235-69. Ces mots étaient inscrits sur le carton d'invitation de la première exposition à Paris de Max Ernst (galerie Au Sans Pareil 1921).
44. René Magritte, cité par Bernard Noël, *Magritte*, Flammarion, Coll. « Les maîtres de la peinture moderne », 1976, p. 29.

cerner la spécificité de l'esthétique picturale surréaliste. Les qualités – révolutionnaires ou lyriques – pouvant être mesurées à l'aune de l'impact sur le spectateur, il s'agit essentiellement d'une esthétique de l'effet. C'est qu'avant tout l'œuvre picturale interpelle le poète, elle le fascine, le séduit, et le poète répond à l'œuvre en disant sa fascination et en cherchant à séduire à son tour. Les essais surréalistes focalisent moins sur la peinture en tant que référent que sur la subjectivité du poète-spectateur. C'est dans cette perspective que Breton note à propos des dessins de Picabia: « Ici nous avons affaire non plus à la peinture, ni même à la poésie ou à la philosophie de la peinture, mais bien à quelques-uns des paysages intérieurs d'un homme parti depuis long-temps pour le pôle de lui-même » (OCI298).

Peut-on cerner les caractéristiques de cette esthétique? Notons tout d'abord que Breton – dans son commentaire le plus développé sur la fonction de la critique d'art – rejette la critique d'art de l'historien au profit de la critique poétique:

> *Qu'on n'aille chercher ci-après rien qui ressemble à la critique d'art: nulle tentation explicite de situation de l'œuvre considérée ou d'analyse des moyens qui lui sont propres. Exclue a priori de ces pages toute intention didactique. Elles se présentent comme une suite d'échos et de lueurs que cette œuvre a su éveiller chez un seul à des moments assez éloignés les uns des autres: d'où les formes disparates qu'elles revêtent. Leur unité profonde vient de ce qu'elles jalonnent une quête ininterrompue d'émotions auprès de cette œuvre et, par-delà ces émotions mêmes, tendent à la relève d'une série d'indices susceptibles d'éclairer quoique d'un feu vacillant la route actuelle de l'homme. Dans la mesure où cette quête se poursuit ici au fur et à mesure que l'œuvre se déroule et que le témoin « change », c'est-à-dire en pleine vie, l'interprétation n'évite pas, chemin faisant, un minimum de dérive. Telle quelle, on la croit capable de balayer d'un mince projecteur un fragment du devenir et – à tout le moins – de trouver grâce du fait qu'elle ne transgresse en rien le principe: la critique sera amour ou ne sera pas[45].*

Il s'ensuit que l'écrit sur l'art est rarement descriptif. Bien que le tableau soit considéré comme une fenêtre ou une porte, ouvrant sur une perspective – souvent, il est vrai, à *perte de vue* – un espace de représentation, il est rare que le texte fasse allusion à ce qui y est représenté. Une exception notable serait le texte rédigé par Magritte, Marcel Mariën et

---

45. Breton, « Avant-dire », *Yves Tanguy*, New York: Pierre Matisse Edition, 1946.

Paul Nougé décrivant en détail une série de tableaux de Magritte :

> *LES FLEURS DU MAL. La statue de chair d'une jeune femme*
> *nue tient à la main une rose de chair. L'autre main s'appuie sur une-*
> *pierre.*
>
> *Les rideaux s'ouvrent sur la mer et un ciel d'été.*
>
> *LA VIE INTÉRIEURE. Une femme nue est couchée en plein air.*
> *Dans le fond, le château et la forêt se sont mêlés [...]* [46]

Peu d'autres textes, toutefois, manifestent une telle transparence. Si ekphrasis il y a, celle-ci est souvent parodique, comme dans l'essai de Raymond Queneau sur une exposition de Chirico en 1928. Tout en affirmant que « nous devons tenter de donner une idée précise de l'œuvre », les onze micro-récits n'ont aucun rapport apparent avec les tableaux qu'ils sont censés désigner :

> *« LE CERVEAU DE L'ENFANT » – Ce tableau représente une*
> *coupe histologique des deux hémisphères cérébraux. Dans un coin, sept cent*
> *mille cheveux blancs attendent leur « heure » ; quelques-uns pieds nus mon-*
> *tent la garde. Certains exégètes ont cru voir là une carte, poétiquement*
> *déformée, de l'Italie : il n'en est rien* [47].

Toutefois, la plupart des textes ont une épaisseur poétique (« un minimum de dérive ») qui entrave la traversée du texte vers l'œuvre, attirant au contraire l'attention du lecteur sur l'énonciation. Ceci correspond à la distinction qu'établit Michael Riffaterre entre « l'ekphrasis critique », celle de l'historien ou du critique d'art qui est essentiellement un discours mimétique ou une analyse formelle, et « l'ekphrasis littéraire », celle du poète, apparentée à « un blason de l'œuvre picturale », donc essentiellement métaphorique : « Énoncé pour l'historien et le critique

---

46. Magritte, *Dix tableaux de Magritte*, Bruxelles, Le Miroir infidèle, 1946 ; *in* Marcel Mariën, *L'Activité surréaliste en Belgique (1924-1950)*, Bruxelles : La Lettre volée, Coll. « Le Fil Rouge », 1979, p. 379.

47. Raymond Queneau, « À Propos de l'exposition Giorgio de Chirico à la galerie Surréaliste (15 février – 1ᵉʳ mars 1928) », *La Révolution surréaliste*, n° 11, 15 mars 1928, p. 42. Le ton parodique s'explique par le fait que les surréalistes avaient rejeté la peinture récente de Chirico (qui s'était mis à peindre dans un style pompier), lui préférant les tableaux de l'époque « métaphysique ».

48. Michel Riffaterre, « L'Illusion d'ekphrasis », *in* Gisele Mathieu-Castellini, ed., *La Pensée de l'image. Signification et figuration dans le texte et dans la peinture*, Presses Universitaires de Vincennes, 1994, pp. 213 et 221.

d'art, l'ekphrasis reste énonciation pour l'écrivain », affirme Riffaterre[48]. Par conséquent, à la langue transparente du critique d'art, le surréaliste préfère l'opacité du langage poétique. D'autre part, la description formelle des tableaux est rejetée (« nulle tentation […] d'analyse des moyens qui lui sont propres »). En vérité, si description il y a, il s'agit moins de ce que représente que de ce qu'évoque le tableau.

Par ailleurs, le texte du poète n'ouvre pas nécessairement sur une meilleure compréhension des œuvres. S'il est vrai que les éléments picturaux sont souvent considérés comme des signes qui seraient à déchiffrer, que pour Breton la peinture de Matta est *déchiffrable* (SP186) et les paysages de Gorky sont des *cryptogrammes* (SP200), ou que pour Queneau les signes picturaux de Miró demanderaient « un dictionnaire miroglyphique (et ‹ *mihiéroglyphique* ›)[49] » il est rare toutefois que les surréalistes procèdent à un véritable déchiffrement du tableau surréaliste, et ce malgré la volonté d'un Breton, affichée notamment dans *Les Vases communicants*, de soumettre tout texte – onirique, verbal, graphique ou pictural – à une analyse qui révélerait une signification. Il est vrai que Breton espère que les collocations d'objets dans les toiles de Chirico seront un jour explicitées (OCI650). De même, considérant les composantes des tableaux de Tanguy comme les mots d'un langage encore inconnu, il compte être bientôt en mesure de les interpréter :

> je suis persuadé que les éléments manifestes de la peinture de Tanguy qui demeurent ininterprétés et entre lesquels, par suite, la mémoire parvient malaisément à choisir, s'élucideront à la faveur des prochaines démarches de l'esprit. Ce sont les mots d'une langue qu'on n'entend pas encore, mais que bientôt on va lire, on va parler, dont on va constater qu'elle est la mieux adaptée aux échanges nouveaux. (SP147-8)

Cependant, si Breton se réfère à l'interprétation des toiles c'est bien dans un futur conditionnel du déchiffrement. Et si pour Roger Vitrac le signe pictural est un cryptogramme, il s'agit d'un « cryptogramme fuyant[50] ». Car le poète-spectateur surréaliste préfère la contemplation du mystère des signes à leur déchiffrement. Pourtant, il existe une catégorie de textes d'artistes qui livrent des commentaires sur leurs propres tableaux. Citons à titre d'exemple : Max Ernst commentant pour

---

49. Queneau, « Joan Miró ou le poète préhistorique » (1949), *Bâtons, chiffres et lettres*, Gallimard, Coll. « Idées », 1965, p. 313. Ce texte est analysé au chapitre III.
50. Roger Vitrac, « André Masson », *Cahiers d'art*, vol 5, n° 10, 1930, p. 528.

Breton *Les Hommes n'en sauront rien* (1923) dans un texte inscrit au dos de la toile (Tate Gallery); le poème de Dali, « La Métamorphose de Narcisse » (1937), conçu comme « mode d'observer le cours de la métamorphose de Narcisse représentée dans mon tableau[51] ». Cependant, plutôt que de constituer une explication des tableaux, de tels commentaires révèlent surtout les préoccupations de l'artiste – l'intérêt d'Ernst pour l'alchimie ou de Dali pour le narcissisme freudien. Lorsqu'il y a interprétation, elle est souvent ludique, plurielle ou provisoire, et la plupart du temps le poète rejette les savantes gloses, la lecture détachée et objective de l'œuvre, qui en entravent l'approche sensible. D'ailleurs, on constatera que très souvent le poète a *mal vu* les tableaux, c'est-à-dire qu'il les a vus – yeux fermés ou ouverts, voilés, avec une taie – avec le regard de l'imagination, du désir, ou de la polémique.

Avant tout, se défendre contre l'exégèse c'est privilégier le mystère ou la fascination, c'est faire vivre l'œuvre en tant qu'objet énigmatique. Les poètes cherchent moins à déchiffrer l'énigme du tableau qu'à en prolonger l'effet: car l'œuvre d'art semble *séduire*, *subjuguer* ou *fasciner* le poète. Dans cette optique, Breton affirme qu'une « œuvre plastique ne saurait avoir pour nous d'intérêt vital qu'autant qu'elle nous séduit ou nous subjugue bien avant que nous ayons élucidé le processus de son élaboration[52] ». Au lieu de *signe* pictural, le mot *signal* serait peut-être plus apte à cerner la fascination et la séduction que semblent exercer les objets sur le spectateur. Comme le remarque Pierre Albouy à propos des objets qui sollicitent Breton dans *Nadja*: « Le signe demande à être traduit, le signal, à être obéi[53] ». Dans « Situation surréaliste de l'objet » Breton évoque cette interpellation du poète par l'œuvre d'art: « Ces perceptions, de par leur tendance même à s'imposer comme objectives,

51. Dali, « La Métamorphose de Narcisse », Éditions surréalistes, 1937; *Oui 2*, pp. 95-100. Dali projetait d'enregistrer le poème pour accompagner la vision du tableau. Voir Ian Gibson, *The Shameful Life of Salvador Dali,* Londres: Faber and Faber, 1997, p. 371.
52. Breton, *Perspective cavalière,* Gallimard, 1970, p. 222.
53. Pierre Albouy, « Signe et signal dans Nadja », *Europe*, n° 483-84, juillet-août 1969, p. 237. Voir l'excellente analyse de Georges Raillard sur les signes de Miró: « Répondre à ces signes, ce n'est pas les déchiffrer mais les travailler ». « Breton en regard de Miró: *Constellations* », *Littérature*, n° 17, février 1975, p. 4.
54. Roger Vitrac, « Georges de Chirico » (1927), Georges de Chirico, Mercure de France, Coll. « Le petit mercure », 1999, p. 12. Voir aussi Georges Raillard: « Ce désir d'appropriation est fondé sur la provocation qu'exerce un objet fascinant parce qu'il

présentent un caractère bouleversant, révolutionnaire en ce sens qu'elles appellent impérieusement dans la réalité extérieure, quelque chose qui leur réponde » (OCII496). Le poète, se faisant l'objet de la séduction, de l'appel de l'objet plastique, répond à cette sollicitation à son tour par un acte de séduction. C'est bien cette réciprocité de la démarche qui est soulignée par Roger Vitrac dans un essai sur les toiles de Chirico :

> *le spectateur se doit d'apparaître aux apparitions qu'il reconnaît. C'est le processus même de toute séduction. Séduit, l'observateur cherche à séduire l'objet de sa séduction, or, il se trouve que son émotion naît d'une sorte de choc en retour de sa séduction première[54].*

Dans les études sur la perception, cette apparente sollicitation de l'œuvre est considérée comme la plus forte dans des œuvres dont les procédés picturaux sont visibles ou dont les signes sont ambigus[55]. Grâce à leur caractère elliptique – ellipse figurative chez Masson, ellipse narrative chez Magritte, ellipse syntaxique chez Ernst – les images surréalistes en tant qu'objets de fascination réveillent chez le poète le désir d'une réponse verbale. Le poète répond donc au tableau non par un travail de déchiffrement mais par un jeu de figuration.

Cette réponse, qui est prolongement du tableau par la parole, se fait souvent dérive à partir d'un tableau ou d'un groupe de tableaux. Dans un article publié dans *Minotaure*, Jean François-Wittmann affirme que « l'œuvre d'art servira de tremplin » pour le spectateur qui devient lui-même créateur, au même titre que l'artiste, selon le « principe de plai-

est irréductible à tout ce que l'on dit, à tout ce que je dis. Cependant, il ne peut se reconnaître que dans la constitution d'un autre objet que je reconnaisse comme mon propre, non parce que je l'ai bricolé, mais parce qu'il y est fait allusion ‹ sournoisement › à l'objet qui m'a séduit et à cette séduction même […] Un objet louche est au bout de ce chemin, est ce chemin. Qui requiert que nous louchions ». « Breton en regard de Miró.

55. Voir Umberto Eco, *L'œuvre ouverte* (1962), Seuil, Coll. « Points Essais », 1965, p. 133.

56. Jean-Frois Wittmann, « L'Art moderne et le principe de plaisir », *Minotaure*, n° 3-4, 1933, pp. 79. Voir aussi Pascaline Mourier-Casile : « Il [le critique] se fait lui aussi producteur d'images, producteur d'effets d'art dans le domaine qui est le sien, celui du langage ». « Histoire de l'art surréaliste ou histoire surréaliste de l'art ? », *Mélusine*, n° 1, 1979, p. 247. Sur l'esthétique de la réception surréaliste, voir Hans T. Siepe, *Der Leser des Surrealismus. Untersuchungen zur Kommunikationsästhetik*, Stuttgart : Klett-Cotta, 1977.

57. Wolfgang Paalen, « Paysage totémique », *Dyn*, n° 1, avril-mai 1942, p. 46.

sir[56] ». Dans cette perspective, l'artiste Wolfgang Paalen considère ses *Paysages totémiques* comme des « points d'embarquement » : « pas un paysage de rêve, mais le dernier arrêt sur la terre – les mâts sont les tremplins ; le prochain arrêt n'est plus dans un paysage terrestre mais dans un paysage d'étoiles[57] ». Le poète pratique une poétique de l'effet ou de l'affect, comme dans le test de Rorschach où l'image constitue un point de départ pour une élaboration verbale qui se déploie ensuite sous sa propre impulsion, loin de son point d'origine. Ce procédé est thématisé dans le texte de Paalen par le passage d'un « paysage terrestre » à « un paysage d'étoiles ». Le texte répond bien à l'image de départ, mais en la transgressant, en la déplaçant, tout comme Barthes le remarque par référence à l'artiste Cy Twombly (TW) : « On dit : cette toile de TW, c'est ceci, cela ; mais c'est plutôt quelque chose de très différent, à partir de *ceci*, de *cela* : en un mot, ambigu parce que littéral et métaphorique, c'est *déplacé*[58] ». De plus, cette dérive peut même mimer les procédés du peintre en explorant l'analogue verbal du processus pictural. Les analyses montreront que les textes des surréalistes constituent de véritables trajectoires qui prolongent l'effet du rapprochement insolite d'images (par un mimétisme de l'activité artistique) ou revivent par l'imaginaire l'activité du peintre (dans des dérives verbales). Dans cette perspective la peinture est considérée par les surréalistes moins comme un objet pictural que comme générateur d'un texte qui serait avant tout un geste performatif. Le geste verbal, intransitif, répond à l'image par un parcours qui lui est propre ; il fonctionne comme supplément de l'image picturale[59]. Le poète mime souvent les procédés plastiques de l'artiste. Un stimulus visuel, par exemple, peut donner lieu à un texte automatique, comme dans les textes écrits par Artaud et d'autres à partir (en partant) des dessins automatiques de Masson[60]. Ou encore, le texte-collage peut répondre à l'assemblage visuel par un assemblage verbal, comme la préface à l'exposition sur-

58. Roland Barthes, « Cy Twombly ou Non multa sed multum », *L'Obvie et l'obtus, Essais Critiques III*, Seuil, 1982, p. 145.
59. Voir encore Barthes : « Qu'est-ce qu'un geste ? Quelque chose comme le supplément d'un acte. L'acte est transitif, il veut seulement susciter un objet, un résultat ; le geste, c'est la somme indéterminée et inépuisable des raisons, des pulsions, des paresses qui entourent l'acte d'une atmosphère ». « Cy Twombly ou Non multa sed multum », p. 148.
60. Voir par exemple le texte automatique d'Artaud, « Texte surréaliste », *La Révolution surréaliste*, n° 2, 15 janvier 1925, pp. 6-7.

réaliste de 1925 rédigée par Desnos et Breton, citée plus haut. En troisième lieu, le texte peut constituer un prolongement narratif de tableaux – ceux de Chirico et de Magritte notamment – qui évoquent le fragment d'un rêve ou le moment figé d'une histoire. Le texte, imaginant aussi bien ce qui précède que ce qui suit le moment capté dans l'image, met celle-ci en mouvement. Ces écrits font donc moins allusion à l'objet pictural lui-même qu'à ses procédés, ses effets ou ses prolongements.

Y A-T-IL DES TEXTES SURRÉALISTES SUR L'ART ?

Un manifeste, une préface d'exposition, le texte d'une conférence, un poème automatique ou un collage verbal, voire une lettre ou un « cadavre » : à première vue, il semblerait qu'il n'existe pas de catégorie spécifique d'écrits que l'on puisse libeller « textes surréalistes sur l'art ». L'établissement d'un corpus est rendu encore plus difficile par le fait que les textes en question sont essentiellement hybrides – polémiques, lyriques, ludiques ou narratifs autant que théoriques ou critiques – brouillant les frontières traditionnelles entre les genres. Par ailleurs, le travail du taxonome des écrits sur l'art n'est pas facilité par le fait que des propos sur la peinture se rencontrent au détour d'une lecture, là où le lecteur s'y attendait le moins. Par exemple, dans *L'Amour fou* (1937), Breton évoque la série des tableaux de Max Ernst, *Jardins gobe-avions*, là où le texte promettait une description du parc Orotova à Ténérife (OC II, 757). Autre détour, dans *Martinique charmeuse de serpents* (1941), la description du paysage antillais se fait par le biais des tableaux de jungles imaginées par le Douanier Rousseau[61]. Qui plus est, le corpus ne se limite pas à des textes, il comprend aussi diverses pratiques discursives, stratégies qui fournissent à l'œuvre artistique un cadre critique qui s'impose alors comme grille de lecture : ainsi la mise en page des reproductions de tableaux dans les revues surréalistes (dans *Documents*, par exemple, un tableau de Dali est juxtaposé avec la couverture du feuilleton populaire *L'Œil de la police*[62]) ; ou la conception des expositions surréalistes (l'itinéraire « alchimique » est imposé au

---

61. Dans une lettre à Léon Pierre-Quint (1946), Breton écrit au sujet de Lorient, ville haïe, qui a été bombardée par les Anglais : « C'est fascinant comme les premiers Braque ». Cité par Henri Béhar, *André Breton, le grand indésirable*, Calmann-Lévy, p. 379.
62. *Documents,* vol 1, n° 4, juin 1929.

visiteur de l'exposition « Le surréalisme en 1947 ») ; ou encore le voisinage des tableaux (juxtaposés avec des masques océaniens sur les murs
de l'atelier de Breton ou dans l'exposition « Man Ray et objets des îles »
en 1926), voire le cadrage, l'éclairage, et le grain des photos des œuvres
surréalistes (Brassaï photographe des assemblages de Picasso dans son
atelier de Boisgeloup, Man Ray photographe des sculptures de
Giacometti).

De plus, dans un grand nombre des textes sur l'art, le tableau, loin
d'en être le sujet principal, constitue souvent un simple point de départ
(tableaux de Tanguy pour les récits de voyages imaginaires de Desnos,
ou tableaux de Miró pour les dérives poétiques de Hugnet), une « illustration » (Éluard illustrant les dessins de Man Ray, *Les Mains libres* en
1937, ou de Max Ernst, *À l'Intérieur de la vue, 8 poèmes visibles* en 1948),
voire un champ de bataille (tableaux de Dali ou de Picasso pour l'af-
frontement polémique entre Breton et Bataille). L'œuvre d'art se
réduit-elle donc à un pré-texte pour une élaboration philosophique,
poétique ou polémique ? Selon Philippe Soupault, à l'exception du
Surréalisme et la peinture de Breton, « on ne connaît que des ratiocinations
et des exploitations des œuvres des peintres surréalistes[63] ». On court
ainsi le risque, soit de perdre la spécificité de notre corpus, et de revenir au principe, si souvent défendu par les surréalistes, d'un « texte surréaliste » impossible à classer parce qu'essentiellement hétérogène, soit
d'accorder au domaine pictural un rôle secondaire par rapport à la poésie aussi bien que par rapport à la philosophie ou la politique, comme
on l'a constaté plus haut dans les textes de Breton ou Éluard, ou encore comme le fait Aragon qui, appliquant des critères marxistes, juge
John Heartfield supérieur à Ernst (« John Heartfield et la beauté révolutionnaire » 1935). Le danger serait alors de considérer le corpus
comme une sous-catégorie de textes politiques ou poétiques, abolissant
du coup les frontières entre le poétique et le politique, ou le polémique
et le lyrique. Par ailleurs, les nombreuses allusions intertextuelles qui
émaillent les écrits surréalistes sur l'art pourraient bien décourager
toute recherche d'un corpus cohérent. En effet, la désignation du discours surréaliste comme étant essentiellement intertextuel – « trouvaille

63. Philippe Soupault, « Surréalisme, écriture et peinture » (1973), *Écrits sur la peinture*,
Lachenal et Ritter, 1980, p. 280.
64. Robert Belton, *The Beribboned Bomb. The Image of Woman in Male Surrealist Art*,
University of Calgary Press, 1995, pp. 35, 169 et 203.

des puces », « fourre-tout psychique » ou simplement « allusions à la mode » – atteste des réserves d'une certaine critique quant à la spécificité, voire au sérieux, d'un discours si pénétré par la voix de l'autre[64]. Cependant, on ne peut nier la présence de textes – qu'ils soient poétiques, politiques ou philosophiques – qui interrogent les œuvres plastiques surréalistes, même si c'est pour ensuite rebondir ailleurs, loin de leur point de départ. Il s'agit de textes essentiellement polémiques, dont la spécificité réside précisément – et c'est là tout leur intérêt – dans leur hétérogénéité, leur plurivocité, leurs dérives et leurs dévoiements.

Certes, un grand nombre des textes des surréalistes sur l'art ont été publiés (souvent à titre posthume) sous forme d'anthologies : *Écrits sur l'art moderne* et *Collages* d'Aragon, *Le Surréalisme et la peinture* de Breton, *Écrits sur les peintres* de Desnos, *Écritures* d'Ernst, le volume six des *Œuvres complètes* de Péret. Cependant une lecture anthologique risque d'annexer les textes sur l'art au corpus de l'ensemble des écrits surréalistes ou à la trajectoire individuelle, esthétique ou idéologique, d'un poète, concentrant l'attention sur les débats intérieurs au surréalisme. Ou encore elle risque d'inviter à l'élaboration d'une poétique basée sur l'étude des stratégies rhétoriques (narrative, métaphorique, génératrice) mises en œuvre dans les textes surréalistes dans leur ensemble, et qui rejoindrait ainsi la grande poétique surréaliste[65]. Dans les deux cas, la publication en anthologies pourrait encourager le critique à attribuer à ces textes une fallacieuse homogénéité. Plus fondamentalement, l'approche anthologique tend à masquer le fait que ces écrits ont été publiés d'abord comme textes de circonstance – préface de catalogue d'exposition, texte de conférence, article de journal, journal intime, « cadavre » – textes souvent ponctuels, donc toujours datés, participant autant aux grands débats contemporains sur l'art qu'aux petites querelles d'école, textes donc situés historiquement, faisant partie d'un réseau discursif où ils fournissent la réplique à d'autres textes. Leur portée dramatique, leur dimension dialogique, dépassent largement le cadre – souvent monologique, voire monolithique – exclusivement surréaliste.

L'objectif de cette étude est de relire ces textes – et tout particulièrement les textes qui interpellent les œuvres elles-mêmes (et non les hommages rendus aux amis peintres, ni les collaborations entre peint-

---

65. Voir notamment Riffaterre, « Ekphrasis lyrique », *Lire le Regard. André Breton et la peinture*, *Pleine Marge*, n° 13, juin 1991, pp. 133-49.

res et poètes) – moins dans la perspective unifiante d'une « écriture surréaliste », que dans leur contexte historique immédiat – idéologique, littéraire, intertextuel, voire interdiscursif – c'est-à-dire dans le contexte
des rapports de force qui les ont suscités, où ils dialoguent non seulement avec le tableau ou l'objet d'art, mais avec d'autres textes tout
aussi ponctuels, qui forment ensemble la trame d'un débat sur l'art
historiquement situé qui constitue *une* des histoires de l'art du XXᵉ siècle. Il s'agit donc de réévaluer ces textes en les lisant dans le contexte de leur production, de la critique et de la théorie artistiques des
années 1920 à 1960, nourries par les discours psychanalytique, ethnologique, idéologique, philosophique ou scientifique de leur époque,
car ces écrits constituent des interventions calculées dans les débats
contemporains. Il s'agit de délimiter l'espace polémique ou intertextuel où ils furent produits, et de leur rendre l'immédiateté qui les
caractérisait lors de leur parution.

En effet, l'art surréaliste fut continuellement re-défini *contre* l'ennemi : celui-ci a été identifié à différents moments comme l'art académique, l'abstraction géométrique, le réalisme (socialiste ou autre) ou le
formalisme, ou encore comme Chardin ou Cézanne, Mondrian ou
Fougeron. La présente étude a pour objectif de faire entendre ces voix
ennemies, ces esthétiques contre lesquelles les surréalistes ont défini et
redéfini les contours de l'art surréaliste au cours de plus de quarante
ans. On propose donc de rendre aux écrits des surréalistes leur vitalité
d'origine en les traitant comme des écrits en situation.

Cet ouvrage propose une série d'analyses ponctuelles, inscrites dans
une histoire du surréalisme basée sur la notion que les écrits sur l'art des
surréalistes, loin de puiser uniquement aux sources poétiques d'incon-
scients personnels, sont aussi profondément ancrés dans les réseaux
discursifs de leur époque. Les travaux de Gérard Genette sur la poly-
phonie discursive nous permettront de mettre au jour le « palimpseste.[66] » des textes analysés, à savoir les présupposés culturels et idéologiques qui les informent, directement ou indirectement : le discours
transgénérique des années 1920, le paradigme ethnologique et le débat
sur l'art figuratif et le réalisme socialiste des années 1930, le débat sur
abstraction et figuration des années 1940 et 1950, entre autres. En premier lieu, on démontrera que le code littéraire informe un grand nom-

---

66. Gérard Genette, *Palimpsestes. La littérature au second degré*, Seuil, 1982.

bre d'écrits surréalistes. Si bien que les pratiques radicales d'un Ernst ou d'un Miró dans le domaine pictural sont filtrées et expliquées par référence aux poètes élus : Lautréamont et Rimbaud surtout, Baudelaire et Apollinaire aussi, constituent les modèles paradigmatiques de l'innovation dans les arts visuels, à travers des intertextes implicites ou explicites. En deuxième lieu, les écrits surréalistes participent aux débats contemporains sur la critique et la théorie de l'art contemporain. Dans les revues d'avant-garde des années 1920 (*Cahiers d'art*) la critique d'art est dominée par la référence aux qualités *poétiques* ou *lyriques* de l'œuvre d'art, à la fois prolongement du projet symboliste du *Gesamtwerk* et, plus radicalement, élaboration d'un concept esthétique moderniste, transgénérique et homogénéisant, qui escamote la spécificité matérielle de l'œuvre d'art. Au tournant des années trente, dans les pages de *Documents*, et plus tard dans *Minotaure*, les œuvres artistiques sont appropriées dans des textes où se croisent le langage de la mentalité dite primitive et le langage freudien de *Totem et tabou*. À partir de 1935 la référence au réalisme socialiste domine les débats : promu ouvertement par Aragon, il sera rejeté par Breton, mais sera présent en creux dans ses écrits sur l'automatisme (1935) ou sur la liberté artistique (1938). Les textes du groupe surréaliste rédigés à New York (1940-1945) sont nourris par, et nourrissent à leur tour, les débats de l'avant-garde américaine : ils font allusion d'une part à une lecture jungienne des tableaux, et d'autre part au grand combat entre abstraction et figuration. Ce dernier débat est repris dans le Paris d'après-guerre, quoique les implications idéologiques de la guerre froide lui donnent une tout autre impulsion. La promotion par la nouvelle génération surréaliste, dont Jean Schuster et José Pierre, de peintres de la mouvance de « l'abstraction lyrique » se veut un renouvellement, un élargissement, de l'esthétique surréaliste, ainsi qu'un rempart contre l'assaut intérieur des réalismes d'après-guerre de droite ou de gauche, de même que contre l'assaut, de l'extérieur, de l'expressionisme abstrait américain brandi comme arme idéologique pendant les années de la guerre froide.

Chaque chapitre présentera une analyse focalisant sur un moment historique particulier, les paradigmes intertextuels engagés, et les procédés rhétoriques mis en œuvre dans le corpus. Ainsi, le chapitre I reprend les grandes lignes de l'histoire intertertextuelle qui vient d'être esquissée afin de dégager les principes essentiels des écrits de Breton sur la peinture. L'intérêt critique porté à l'art surréaliste a souvent été filtré par les grands textes « orthodoxes » sur l'art qui constituent le discours *manifeste* de Breton, discours qui promeut un art essentiellement figuratif, où les images oniriques remplacent les trois pommes de la nature morte académique. Il sera démontré que Breton reprend pour la subvertir la métaphore du tableau comme variante de la fenêtre chère à l'esthétique de la Renaissance, où le « modèle intérieur » remplace le modèle extérieur de l'art classique. On décèlera un deuxième discours, latent celui-ci, qui semble contredire la promotion du mimétisme du rêve, et qui révèle un intérêt pour l'art en tant que procédé plutôt que produit. Cet intérêt est présent dans des textes souvent marginaux, écrits avant ou après la grande élaboration théorique du surréalisme et les grandes lignes d'une poétique surréaliste. La deuxième partie de ce chapitre analysera les prolongements narratifs et métaphoriques dans les essais de Breton. Dans une analyse des procédés rhétoriques du poète, on montrera comment d'une part les récits suspendus, partiels ou elliptiques des tableaux de Chirico et de Magritte semblent à la fois solliciter et refuser des prolongements verbaux, et comment, d'autre part, Breton prolonge le tableau par des associations métaphoriques. En conclusion, l'analyse montrera que Breton dépasse le débat contemporain où se confrontent adhérents de l'abstraction et de la figuration, au profit de la promotion de tableaux, qu'ils soient de facture abstraite ou figurative, qui constituent des œuvres « ouvertes ».

Dans le chapitre II, « Écrire Miró: des contes encore presque bleus », l'analyse portera sur les nombreux textes écrits *à partir* des tableaux de Miró dans les années 1920-1930 par les surréalistes et leurs proches. On démontrera que l'œuvre de Miró fonctionne comme tremplin à des associations libres générées par des signes picturaux aux significations multiples, potentielles. Parmi les associations évoquées on retiendra les références fréquentes au conte de fées, à la fois dans le contexte spécifique du merveilleux surréaliste, et dans celui plus général des écrits sur l'art des années 1920, où « l'enfant » s'allie au « primitif » dans l'élaboration d'une esthétique de la spontanéité et de la libération. L'analyse portera sur les liens entre les *topos* du conte de fées et ceux du récit érotique chez un Desnos ou un Breton, réalisant le désir cher à ce dernier de fabriquer des « contes à écrire pour les grandes personnes, des contes encore presque bleus » (OCI321). La dernière partie du chapitre portera sur une autre lecture de Miró, menée par le groupe surréaliste dissident regroupé autour de la revue *Documents* (Leiris, Bataille). La douce ambiance de charmants magiciens et de bestiaires ludiques y est ébranlée par une analyse plus radicale du peintre basée sur la matérialité de sa peinture et la violence de ses procédés picturaux.

Le chapitre III, « Cartes du monde surréaliste : au-delà de l'exotique ? » développe la question des rapports fluctuants entre discours esthétique, ethnographique et psychanalytique esquissée dans le chapitre précédent. Ces rapports sont mis en évidence dans une analyse des langages de l'altérité dans des textes signés Desnos, Leiris, Hugnet, Limbour parmi d'autres. L'imaginaire topographique des surréalistes est exploré dans la carte du monde surréaliste (1929) dont les frontières cavalières témoignent de la recherche d'espaces *autres* où élire un domicile souvent malaisé, toujours fluctuant. On interrogera ensuite les pages des revues surréalistes et d'avant-garde sur la question de l'altérité, que celle-ci soit temporelle (l'art préhistorique), géographique (les masques dogon ou océanien) ou mental (les dessins d'aliénés ou d'enfants). On montrera que deux esthétiques s'opposent dans ces revues : d'une part une altérité récupérée dans la notion d'universalité culturelle (manifeste dans le programme esthétique de Christian Zervos, directeur de *Cahiers d'art*) ; d'autre part, une altérité irrécupérable, soutenue par Bataille et le groupe *Documents*. Dans la deuxième partie du chapitre, le *topos* et le *telos* du discours exotique qui médiatise l'altérité sont balisés dans les textes sur l'art de Desnos. S'y révélera une réécriture parodique de l'exotique, comme signe performatif qui pointe l'impossibilité de récupérer les images picturales surréalistes par le langage. Par ailleurs, les textes de Desnos marquent une évolution : celui-ci passe de l'analyse d'un supposé au-delà de la peinture grâce au paradigme de l'exotique (faisant écho aux textes de Breton), à un intérêt – vers la fin des années 1920 lorsqu'il quitte le groupe de Breton pour se rapprocher de Bataille – pour la peinture en tant que matière picturale et pour l'artiste dans son milieu.

Le chapitre IV, « Matière ou métamorphose : Dali et Picasso » analyse la polémique entre Breton et Bataille en étudiant le motif de l'excrément, de sa matérialité ou de sa transposition poétique. Tandis que Breton esquive le motif pictural de l'excrément dans son analyse du *Jeu lugubre* de Dali, ou le sublime dans une ébauche de tableau de Picasso,

Bataille quant à lui célèbre le matérialisme du premier et le réalisme du second. Si bien que, à la focalisation sur l'image matérielle chez Bataille, Breton répond par l'affirmation de la métamorphose de la matière. L'analyse rhétorique des textes des « frères ennemis » opposera le refus de la métaphore de l'un au rôle central de la pensée métaphorique chez l'autre.

« Aragon et le collage : Ernst ou Heartfield ? » (chapitre V) poursuit la discussion sur le passage du surréel au réel dans les écrits de Desnos (chapitre III) ainsi que sur la polarisation entre réel et surréel initiée au chapitre IV, cette fois-ci dans le contexte des écrits sur l'art d'Aragon, et plus particulièrement dans les rapports fluctuants entre collage/photomontage et surréalisme tout au long de ses écrits, en tenant compte des fondements esthétique, éthique et idéologique de sa position. Aragon oppose d'abord les papiers collés cubistes comme stratégie essentiellement formelle ou réaliste, aux collages surréalistes (et notamment ceux de Max Ernst) qui sont considérés comme procédé poétique (1923) ou comme moyen de créer le merveilleux (1930). Dans son analyse des photomontages de John Heartfield (1935), le « jeu » de Max Ernst est rejeté en faveur du « sérieux » de Heartfield, marquant ainsi l'abandon par Aragon d'une position surréaliste au profit d'un projet réaliste. Il propose une lecture matérialiste des photomontages de Heartfield, intégrant celui-ci par la suite dans la grande tradition réaliste française. Dans ses écrits et ses interventions publiques des années quarante et cinquante, Aragon mettra l'accent sur le retour aux valeurs figuratives traditionnelles. S'il fait allusion alors au collage, c'est pour le rejeter vers le pôle « inachevé » de l'art, pour privilégier le pôle « achevé » de la peinture réaliste. Les textes sur Hoffmeister (1960), Ernst (1968) et Kolar (1969) marquent un retour à la promotion du collage/photomontage comme activité politique et manifestation de la liberté de l'expression artistique. L'histoire du surréalisme telle qu'elle est racontée par Aragon s'oppose à l'histoire de Breton analysée au chapitre I dans la mesure où les critères de sa fabrication en sont distincts et souvent opposés ; pourtant elle lui fait aussi écho dans la mesure où les considérations techniques et formelles y sont subordonnées aux préoccupations idéologiques.

Le chapitre VI, « Le surréalisme après 1945 : le chaud et le froid » s'ouvre sur l'analyse de l'exposition « Le surréalisme en 1947 » qui marque le retour des surréalistes à Paris. Son contexte alchimique est considéré presque unanimement par la critique de l'époque comme des plus rétrogrades. Cela n'empêche pas les surréalistes de continuer à participer aux grands débats du Paris de l'après-guerre. L'opposition entre art abstrait et figuratif qui dominait les débats de l'avant-garde new-yorkaise dans les années 1940 se poursuit dans les années d'après-guerre. C'est la jeune génération des surréalistes et des compagnons de route qui cherche à ouvrir les activités du groupe à une nouvelle dynamique. L'analyse des écrits de deux générations de surréalistes soulignera la façon dont ceux-ci ont négocié une position souvent ambiguë sur la scène artistique des années 1950, cherchant autant à établir une continuité avec les activités d'avant-guerre qu'à ouvrir le surréalisme aux tendances artistiques les plus récentes, et notamment à l'abstraction lyrique. On analysera l'importance de la métaphore alchimique, non seulement comme grille de lecture de l'exposition surréaliste de 1947, mais également au niveau des microtextes, articles et préfaces d'exposition.

Cet ouvrage ne constitue pas une histoire de l'art surréaliste. D'une part les analyses ne suivent pas toutes un développement chronologique, d'autre part elles sont sélectives plus qu'exhaustives. Avant tout, elles ont pour objet non pas les tableaux d'un Tanguy ou d'un Masson, mais la fabrication de récits à partir de ces tableaux, récits qui à l'occasion, tout simplement, perdent de vue le tableau qui les aurait occasionnés. Par conséquent une constante de nos analyses est que celles-ci portent sur la « peinture » et non pas sur la peinture – sur « Miró » et non pas Miró, « Max Ernst » et non pas Max Ernst[67] – c'est-à-dire sur des fabrications discursives et non pas une praxis, sur des récits et des légendes, des métaphores ou des dérives verbales. Ceux-ci ont bien leur source dans un tableau vu ou aperçu, imaginé ou remémoré, mais ils filent des récits qui outrepassent le tableau, qui passent outre, qui passent ailleurs. Ces récits seront l'objet de nos analyses, qui ont comme présupposé essentiel la non-coïncidence de « l'art surréaliste » et de l'art surréaliste.

---

67. Cette distinction entre pratique discursive et tableau est empruntée à l'analyse de Mieke Bal, qui établit une opposition entre le peintre Rembrandt et la fabrication discursive « Rembrandt ». *Reading Rembrandt. Beyond the Word-Image Opposition,* Cambridge University Press, 1992.

I. BRETON ET LA PEINTURE : « JUMELLES POUR YEUX BANDÉS »

Il est difficile de concevoir la non-figuration. Ce qui est intéressant, dans un dessin, ce ne sont pas les lignes, mais ce qui est entre les lignes.

Jacques Hérold

« DEUX SYSTÈMES DE *FIGURATION* »

Métaphores éblouissantes déclenchées par les couleurs de Kandinsky ou jugements hâtifs figeant les compotiers de Cézanne, lucide démontage des collages de Max Ernst ou obscur bavardage devant les papiers collés de Picasso, éloge d'une peinture de l'objet chez Magritte, dénigrement d'une peinture des formes chez Braque : les écrits d'André Breton sur la peinture constituent un discours exubérant et hyperbolique, souvent obscur ou paradoxal. Ces textes éclectiques et hybrides charrient des registres multiples, où la déclaration programmatique, l'effusion lyrique ou l'anecdote l'emportent souvent sur l'élaboration critique. Par ailleurs, à différentes époques Breton porte son attention sur les images fixes (éléments du collage) ou les images dynamiques (automatisme gestuel), sur la peinture-fenêtre ou la peinture-geste. Dans sa préface pour l'exposition du peintre Enrico Donati à New York (galerie Passedoit 1944), Breton fait allusion à une polarisation entre « deux systèmes de *figuration* » :

> *l'un qui entend garder le contact direct avec le monde extérieur et, à quelque bouleversement qu'il le soumette, y prend manifestement ses repères, l'autre qui rompt avec toutes les apparences au moins immédiates, à la limite prétend s'affranchir même de la soumission à l'espace conventionnel et exige du tableau qu'il tire sa vertu objective de soi seul.* (SP197)

Tandis que le premier « système » prend son point de départ dans la représentation du monde réel, le second s'en affranchit pour se manifester avant tout comme donnée picturale ou gestuelle, le trait d'une plume ou une tache de couleur. Bien qu'il fustige dans son essai les pro-

tagonistes de la lutte entre « académisme » et « abstractivisme » comme
étant engagés dans « une vaine violence polémique », Breton revendique dans son texte de 1944 – *a posteriori*, il est vrai – la coexistence des
deux tendances tout au long du surréalisme : « Il y va de formes peut-
être complémentaires de la tentation humaine en matière d'expression
[…] Durant ces vingt dernières années, elles ont d'ailleurs réussi à coe-
xister sans trop d'ombrage dans le surréalisme » (SP 197).

Il y aurait chez Breton, ainsi que chez nombre de ses commenta-
teurs, une valorisation du premier « système » aux dépens du second[1].
Masson se moque ouvertement de cette opposition lorsqu'il désigne les
protagonistes de ce récit comme une lutte entre les peintres « orthodoxes » (Magritte, Dali) et les peintres « rebelles » (Miró, Masson lui-
même), ou encore « peintres de droite » et « peintres de gauche[2] ». À
partir de cette polarisation s'est construite une histoire de la peinture
surréaliste où se confrontent peintres « calqueurs de rêve », œuvrant
dans la tradition illusionniste, et « diversités plastiques », « imagiers »
et « peintres », « peinture du rêve » et « automatisme de la tache[3] ». Dans
ces récits oppositionnels, le deuxième groupe, s'empêtrant quelque peu
dans la matière picturale, tend à être marginalisé, car trop souvent relé-
gué à un *addendum*, à une salle voisine en marge du courant majeur du
surréalisme, voire à une récupération tardive qu'aurait faite Breton de
la nouvelle peinture[4].

Ce chapitre analysera la polarisation apparente dans les écrits de
Breton entre la peinture figurative et la peinture non-figurative, entre le
tableau valorisé pour ses qualités iconographiques et le tableau appré-
hendé pour sa figuration libre, ou encore entre l'œuvre en tant que produit et l'œuvre en tant que processus. Breton élabore une double poétique de l'art plastique surréaliste, poétique de la coupure et poétique
de la coulée. D'une part, une poétique du collage, fondée sur le choc

1. Pour Françoise Py, par exemple, Breton met l'accent « sur la toute-puissance de la
représentation, le fétichisme de la figuration ». « Les Pigments et les mots », *in* Marc
Saporta et Henri Béhar, eds., *André Breton ou le surréalisme, même,* Lausanne, L'Âge
d'Homme, « Bibliothèque Mélusine », 1988, p. 103.
2. Georges Charbonnier, « Entretien avec André Masson », *Le Monologue du peintre.
Entretiens,* Neuilly, Guy Durier, 1980, p. 196.
3. René Passeron, *Histoire de la peinture surréaliste,* Livre de Poche, 1968 ; William
S. Rubin, *Dada and Surrealist Art,* New York : Harry N. Abrams, 1968 ; Christopher
Green, *Cubism and its Enemies,* Yale University Press, 1987, p. 98.
4. Georges Mathieu, *La Réponse de l'abstraction lyrique,* La Table Ronde, 1975, p. 103.

des rencontres entre objets ou images insolites, issue des propos sur l'image surréaliste élaborée dans le premier *Manifeste* (métaphores de l'étincelle). D'autre part, une poétique de l'automatisme, fondée sur les procédés et les réseaux d'associations (métaphores de la germination). On montrera que – pour le poète-spectateur de l'art qu'est Breton, tout au moins – cette polarisation apparente est dépassée dans la notion de l'œuvre plastique « ouverte », que celle-ci soit de facture abstraite ou figurative.

Dans son discours *manifeste*, Breton, tout en se positionnant contre l'art réaliste (« le peintre à l'école du perroquet » (SP103), s'érige en défenseur d'une peinture illusionniste, où « *la représentation mentale pure* » (OCII490) – objets énigmatiques, images du rêve et des fantasmes, objets construits ou détournés – remplace le modèle mimétique du réalisme. Peu importe pigment, taches, lignes ; la question de la facture du tableau est occultée. Quant aux paysages, objets et personnages représentés, ils possèdent la même réalité qu'un objet rêvé, un paysage raconté ou un personnage rencontré. L'indifférence de Breton à l'égard de l'art réaliste, voire le mépris affiché pour la spécificité picturale de la peinture, se manifeste dans le leitmotiv des pommes représentées dans les natures mortes, « le cantique idiot des ‹ trois pommes › » (OCII306) de la peinture réaliste. Matisse, qui admirait Cézanne, se déplaçait partout avec un dessin de ces trois pommes. Breton, lui, a du mal à les digérer. Il ne veut même pas la croquer, cette pomme emblématique du « mysticisme-escroquerie à la nature morte » (OCI246), ni même la couper en deux, comme le fait Matta pour y voir la représentation du sexe féminin, « The Apple we know[5] ». Pourtant, parmi la production picturale des années 1920, ce sont bien les tableaux de facture traditionnelle ou tableaux *orthodoxes* qui sont privilégiés par Breton. Les tableaux qu'il achète comprennent *Terre labourée* (1924) de Miró et *Les Quatre Éléments* (1924) de Masson, tableaux qui figurent (avec ceux de Dali de 1929) parmi ceux qu'il désigne comme ayant eu pour lui un caractère de *révélation* (OCIII528). Breton privilégie donc le tableau en tant que représentation, affirmant dès « Le Surréalisme et la peinture » que le tableau est l'équivalent du produit verbal dans la mesure où tableaux et textes surréalistes correspondent au « modèle intérieur ».

Dans sa promotion d'une certaine peinture illusionniste, Breton

5. Charles Duits, *André Breton a-t-il dit passe*, Denoël, 1969, p. 40.

reprend, pour mieux les détourner, deux clichés de l'art comme imitation. En premier lieu, dans sa préface à l'exposition des collages de Max Ernst en 1921, il rejette la peinture-photographie du réel (« L'invention de la photographie a porté un coup mortel aux vieux modes d'expression ») pour promouvoir une expression artistique qui serait une « véritable photographie de la pensée » (OCI245). Le modèle extérieur de l'art classique est remplacé par un modèle intérieur : « L'œuvre plastique […] se référera donc à un *modèle purement intérieur* ou ne sera pas » (SP4). En second lieu, il reprend la métaphore de la peinture comme fenêtre, affirmant : « Il m'est impossible de considérer un tableau autrement que comme une fenêtre dont mon premier souci est de savoir sur quoi *elle donne* » (SP3). Dans l'esthétique réaliste, en effet, le tableau était considéré comme une fenêtre donnant sur la réalité. Grâce au naturalisme des codes picturaux, l'attention n'était pas attirée sur la facture du tableau, qui était par conséquent pourvu d'une qualité de transparence. Cependant les surréalistes récusent la référence extérieure du réalisme. Les tableaux sont des « fenêtres mentales » (OCII308) donnant sur des paysages intérieurs ou des « pays fabuleux » (SP154). Breton peut alors faire la critique du réalisme tout en adoptant son esthétique du naturalisme, ce qui lui permet d'occulter toute discussion de technique. La peinture s'engage ainsi dans une réhabilitation partielle de la fonction représentative de l'art, une démarche qui pourrait paraître surprenante en vue des avant-gardes cubiste, futuriste ou orphiste qui s'éloignent toutes de la *mimesis*.

La pomme des peintres réalistes, à la réalité purement optique pour Breton, est simplement donnée à voir – critique qui avait déjà été faite de l'impressionnisme et que Breton lancera également contre le réalisme socialiste des années 1930. Cependant, même la pomme cézannienne peut à l'occasion donner à rêver. Dans cet ordre d'idées, Breton fera allusion au *halo* de la pomme en tant que signe ouvrant sur un au-delà de l'espace représenté[6] (OCII773). De même, il ressent une fascination toute particulière pour le cœur de l'artichaut de Chirico (voir *La Conquête du philosophe* 1914), car cet artiste « visait à tout autre chose qu'à grouper dans un tableau, d'une manière abusive, une tête en plâtre, sur un décor en carton-pâte, devant des fruits en gomme à effacer » (SP18). Pour Breton, l'artichaut, qu'il soit peint ou non, possède une charge

6. D'autres images et objets à *halo* sollicitent le poète, par exemple du même Cézanne le tableau *La Maison du Pendu* (OCII772), ou un masque océanien (OCIII839).

symbolique censée révéler un secret au sujet duquel Breton a hâte d'interroger le peintre : « On n'aura rien dit de Chirico tant qu'on n'aura pas rendu compte de ses vues les plus subjectives sur l'artichaut, le gant, le gâteau sec ou la bobine » (OCI650). De tels objets se situent au point d'intersection entre le monde extérieur et le désir subjectif, servant de tremplin à un processus associatif. Par ailleurs, les tableaux de Chirico, libérés des rapports conventionnels entre objets – pomme et poire dans un compotier – juxtaposent l'artichaut avec d'autres objets, dans un travail syntaxique fondé sur la disjonction des éléments mis en rapport[7].

L'esthétique de Breton dans les années 1920 est tributaire non seulement du mimétisme du rêve, images oniriques soigneusement détaillées, mais avant tout de la poétique de l'image verbale élaborée dans le premier *Manifeste*, fondée sur le choc de la rencontre d'éléments hétérogènes. Il rejette ainsi la spécificité d'un mode d'expression pictural en définissant la peinture, tout comme l'écriture, comme *choc, collision, rencontre* d'éléments disparates. Il est vrai que Breton avait dès 1921 formulé une esthétique de l'image plastique à propos des collages de Max Ernst, basée sur le rapprochement d'éléments disparates. Dans sa préface, il avait fait allusion, dans des termes encore reverdiens, à « la faculté merveilleuse, sans sortir du champ de notre expérience, d'atteindre deux réalités distantes et de leur rapprochement de tirer une étincelle » (OCI246). Il développera la même métaphore dans son analyse de l'image surréaliste du premier *Manifeste* :

> *C'est du rapprochement en quelque sorte fortuit des deux termes qu'a jailli une lumière particulière, lumière de l'image, à laquelle nous nous montrons infiniment sensibles. La valeur de l'image dépend de la beauté de l'étincelle obtenue ; elle est, par conséquent, fonction de la différence de potentiel entre les deux conducteurs.* (OCI337-8)

Le lexique employé par Breton ne porte sur aucune forme d'expression spécifique – exemple de la *déspécification* de l'art plastique relevée dans l'introduction – tant en ce qui concerne les matériaux (*réalités, images, éléments, objets*), que l'effet de leur rencontre (*étincelle, lumière, illumination, la nuit des éclairs*). L'artiste, tout comme le poète, cherche à créer des ren-

7. Pour André Mercier, la subversion des codes de représentation traditionnels est effectuée essentiellement par une « syntaxe seconde » qui rapproche images insolites. « André Breton et l'ordre figuratif dans les années vingt », *in Le Retour à l'ordre dans les arts plastiques et l'architecture, 1919-1925*, St Etienne : C.I.E.R.E.C., Travaux VIII, 1975, p. 290.

contres inédites génératrices d'illumination. Breton brasse, dans une même visée, procédés plastiques et verbaux. Par ailleurs, il utilise un langage métaphorique pour parler des collages d'Ernst, ce qui lui permet d'esquiver leur spécificité plastique :

> *Il apportait avec lui les morceaux irréconstituables du labyrinthe [...] toutes les pièces, invraisemblablement distraites les unes des autres, ne se connaissant plus aucune aimantation particulière les unes pour les autres, cherchaient à se trouver de nouvelles affinités.* (SP34-5)

Malgré la remise en question fondamentale des rapports entre objets ou images, mise en relief chez un Ernst ou un Chirico, Breton, qui reste dépendant dans les années 1920 du concept de l'image comme *Gestalt*, considère l'art plastique en fonction de ses qualités iconographiques. Si les arts plastiques, en tant que formes médiatisées de l'expression, se rangent sous la définition du surréalisme comme « automatisme psychique », c'est dans le sens d'un automatisme mental, comprenant la libre association d'images toutes faites, et non pas dans celui d'un automatisme du geste. La théorisation du surréel fournit à Breton une grille pour parler de la peinture, mais l'empêche de *voir* celle-ci, et notamment les œuvres de Masson, Miró ou Ernst parmi d'autres qui pratiquaient l'automatisme gestuel dès les années 1920. Les historiens de l'art attestent de ce décalage entre la « peinture » en tant que réalité discursive chez Breton et la peinture telle qu'elle est pratiquée par les peintres. Ainsi Rubin souligne la prédominance entre 1924 et 1928 de la tendance « abstraite » dans le surréalisme, tandis que Green définit la peinture surréaliste des années 1924-1926 essentiellement comme « l'automatisme de la tache[8] ». Breton, alors occupé à faire la promotion de l'image figurative, choisit de ne pas rendre compte de ces expériences picturales.

En dehors des écrits de la *doxa* surréaliste, on décèle chez Breton un autre regard porté sur la peinture. Par opposition à la promotion des images oniriques ou du « jeu de patience » des images du collage, un deuxième type de discours – que l'on pourrait appeler *latent* par opposition au discours *manifeste* – confronte la peinture des formes et des couleurs. Cet intérêt se manifeste dans des écrits souvent marginaux, ou marginalisés par les prescriptions (et proscriptions) bretoniennes, datant d'avant ou d'après la grande élaboration théorique du surréalis-

---

8. *Dada and Surrealist Art*, p. 150 ; *Cubism and its Enemies*, p. 255.

me des années 1924-1935, à des époques où Breton n'a pas la volonté de subordonner à tout prix la peinture à une visée surréaliste totalisante où l'image prime sur la matière, le mot sur l'image. On s'attachera à analyser trois moments de cet intérêt : avant la rédaction du *Manifeste du surréalisme* de 1924, à une époque où le regard du jeune poète, ouvert à toute nouveauté, ne porte pas encore la *taie* de la théorisation ; à partir de 1935, lorsque le surréalisme, courant le risque d'être récupéré par l'*establishment* culturel, cherche à élargir le concept de l'automatisme ; et après la guerre de 1939-1945 lorsque, de retour à Paris, Breton tente de donner une nouvelle impulsion au surréalisme en cours d'être supplanté par d'autres mouvements artistiques. (L'analyse de cette troisième époque, qui concerne non seulement Breton, mais aussi la deuxième génération des surréalistes, fera l'objet du chapitre VI).

Au début des années 1920, avant même la formulation de la théorie surréaliste, Breton est sensible aux couleurs et aux courbes dans la peinture de Derain et de Picabia, indépendamment de ce qu'elles représentent, comme l'attestent des remarques éparses dans ses écrits. Les « Carnets 1920-1921 » notent les réflexions de Derain à propos de son activité artistique lors de visites à l'atelier du peintre par Breton, Aragon et d'autres dadaïstes. À la suite d'une de ces visites, Breton rapporte les propos du peintre : au sujet d'une des *œuvres-injures* de Derain, il remarque que « le passage du rouge au noir est si brusque, si barbare qu'il n'y a plus rien à faire » (OCI622). Plus loin, il note que Derain « me fait assister à la formation de cette vie du blanc[9] » (OCI623). Suite à cette visite, Derain critique l'intérêt que portent Breton et Aragon aux qualités formelles des tableaux et leur « horreur du convenu », et déclare que « [l] les formes n'existent pas sans enthousiasme » (OCI622) – faisant allusion au désir du peintre de transcender la matière et la forme. Dans « Idées d'un peintre[10] », Breton reprend les propos de Derain, rapportant notamment ses observations à propos de la matière picturale : « N'oublions pas que nous sommes obligés d'en passer par la matière. Celle-ci vaut avant tout parce qu'elle nous désespère et parce que seul le désespoir n'est pas stérile. (Nous ne choisissons l'art que comme un moyen de désespérer.) ». Derain y réaffirme son indiffé-

9. Pour une sélection des propos de Derain, voir les *Cahiers du Musée National d'Art Moderne*, n° 5, 1980, pp. 348-62.
10. Breton, « Idées d'un peintre », *Littérature*, n° 18, mars 1921, pp. 13-15 (OCI247-50).

rence devant la forme ainsi que la matière et son intérêt pour la fonction représentative de la peinture : « Il nie qu'un ensemble de traits quelconques puisse paraître beau. Les trois courbes que voici ne m'émeuvent que parce qu'elles forment le signe zodiacal du Lion ». Qui parle, de Derain ou Breton ? Breton navigue entre la première et la troisième personne sans indiquer la provenance des propos. Cette hésitation quant au sujet de l'énonciation témoigne d'une part du conflit chez Derain entre « [l]e rationalisme et le mysticisme » (SP27) – c'est-à-dire un intérêt tout cézannien pour les formes plastiques et une « métaphysique » inspirée par Gauguin – et d'autre part, de l'ouverture chez Breton aux idées du peintre et de l'absence d'une position personnelle bien arrêtée[11]. Il semble bien que ce soit la peinture-peinture plus que la peinture-représentation qui intéresse le jeune poète à cette époque. Ce n'est qu'en 1926 que le désir de transcender la peinture des traits et des couleurs, transcendance que rapportent les propos de Derain – « Derain admet que le langage (pictural ou autre) est une convention mais il croit pouvoir passer outre » (OCI249) – deviendra un principe déterminant de l'esthétique de Breton. Derain devait bientôt perdre tout intérêt aux yeux de Breton, comme celui-ci l'affirme dans la première partie du « Surréalisme et la peinture ». Anciens « Fauves » qui hantaient les espaces libres des déserts et des forêts, Derain et Matisse sont devenus « ces vieux loups décourageants et découragés », jouant sur une minuscule piste de cirque, derrière les barreaux (SP9). Breton critique avec ironie l'attachement de Derain à un réalisme étroit en le citant : « Je tiens de Derain que c'eut été pour lui un mensonge de peindre une femme ‹sans nichons et sans fesses› ». Puis il se tourne vers Max Ernst qui « [f]ort heureusement » se préoccupe d'un tout autre problème soulevé par la peinture (SP23).

L'intérêt que porte Breton aux qualités plastiques de la peinture se manifeste dans sa préface au catalogue de l'exposition de Picabia à Barcelone (galerie Dalmau 1922[12]). Quarante-sept aquarelles y sont exposées, dont des œuvres « mécanomorphes » (tels *Chambre-forte* 1921-1922), la série de portraits des « belles Espagnoles » de facture traditionnelle (*Femmes espagnoles,* 1922), ainsi que des œuvres abstraites récen-

11. Selon Adélaïde Russo, Breton n'aurait pas compris tous les propos de Derain. « André Breton et les dispositifs du jugement : spéculaire, spéculatif », *Lire le Regard. André Breton et la peinture*, p. 118.
12. Breton, « Francis Picabia » (OCI280-3).

tes (*Presse hydraulique, Volucelle I, Fixe, Phosphate*)[13]. Breton admire les œuvres de 1922 pour leur tendance vers l'abstraction, se déclarant sensible avant tout aux « valeurs plastiques, pures de toute intention représentative ou symbolique ». Faisant allusion à des œuvres plus anciennes, il note le décalage entre le titre qui suppose une figuration et le tableau qui est d'abord ligne ou cercle (ici Breton schématise à l'extrême leur composition complexe) : « On se souvient que c'est Picabia qui naguère eut l'idée d'intituler des ronds : *Ecclésiastique*, une ligne droite : *Danseuse étoile*[14] ». La qualité innovatrice des aquarelles de Picabia tient à « la distribution des éléments colorés sur la feuille, cette émouvante apparence de disjonction chimique que présentent certaines d'entre elles ». Ces compositions seraient plus productrices de mystère que simples reflets : « pour la première fois, une peinture devient source de mystère après n'avoir été longtemps que spéculation sur le mystère ».

Alors que la préface de Breton laisse apparaître une sensibilité pour les qualités picturales des aquarelles de Picabia, la conférence « Caractères de l'évolution moderne et ce qui en participe[15] », qu'il prononce à l'Ateneo de Barcelone la veille du vernissage de l'exposition de Picabia, préfigure la position qu'il défendra dans « Le Surréalisme et la peinture ». Il y déclare :

> *Et qu'on comprenne bien qu'il ne s'agit plus ici de peinture [...] On conçoit dès lors combien il serait illogique, pour juger l'exposition de dessins de Picabia qui s'ouvre demain à la galerie Dalmau, de faire appel aux références ordinaires. Ici nous avons affaire non plus à la peinture, ni même à la poésie ou à la philosophie de la peinture, mais bien à quelques-uns des paysages intérieurs d'un homme parti depuis longtemps pour le pôle de lui-même.*

Les *paysages* qu'il évoque n'appartiennent à aucun genre pictural, mais

---

13. *Phosphate* est reproduit en couleurs dans *Littérature*, n° 6, novembre 1922.
14. Marcel Duchamp, qui possédait plusieurs tableaux abstraits de Picabia de 1922, les évoque à la lumière de ses propres « Rotoreliefs », observant que Picabia explore « l'illusion d'optique avec des moyens presque ‹ noir et blanc ›, la spirale, les cercles qui jouent sur la rétine ». Il fait allusion notamment à l'affiche de l'exposition à la galerie Dalmau. Marcel Duchamp (signé Rrose Sélavy), « 80 Picabias », dans le catalogue de vente de l'Hôtel Druot (8 mars 1926) ; *Duchamp du signe*, Flammarion, 1975, p. 245.
15. Breton, « Caractères de l'évolution moderne et ce qui en participe » (OCI291-308).
16. « Les Yeux enchantés »

plutôt à l'espace mental d'une exploration intérieure, dont la matière picturale – « puisqu'il faut en passer par là » – ne serait que la trace extérieure. Le langage métaphorique permet au poète de passer sous silence le fait qu'il s'agit ici d'œuvres plastiques tout autant que d'expériences existentielles.

L'intérêt pour le fait pictural, on l'a dit, disparaît pendant la haute époque de l'élaboration d'une théorie surréaliste, où la peinture comme activité distincte est subordonnée à un concept globalisant ou poétisant du surréalisme. Il est significatif dans ce contexte que lorsque Breton fait allusion aux expériences plastiques de Max Ernst – notamment aux frottages (tel le frontispice pour *le Manifeste du surréalisme* de Breton publié chez Kra en 1924 ou la série de 1926 intitulée *Histoire naturelle*) et les grattages de 1925-26 – il observe bien que le peintre se met « à interroger la substance des objets », mais concentre son attention sur la figuration des formes :

> *Il naît sous son pinceau des femmes héliotropes, des animaux supérieurs qui tiennent au sol par des racines, d'immenses forêts vers lesquelles nous porte un désir sauvage, des jeunes gens qui ne songent plus qu'à piétiner leur mère.* (SP30)

La référence aux qualités proprement picturales refait surface pourtant au milieu des années 1930. À cette époque, la jonglerie surréaliste avec les objets s'est quelque peu banalisée, et la peinture surréaliste a besoin d'un nouveau souffle. Alors que dans les années 1920, l'automatisme se rapportait essentiellement, pour Breton tout au moins, à une activité mentale, il lui apparaît désormais aussi comme un procédé graphique ou pictural. Grâce au contact renouvelé avec Masson dès 1935, ainsi qu'à l'apport de nouveaux peintres qui se joignent au groupe – Dominguez et Paalen en 1935, Matta et Onslow-Ford en 1936 – l'automatisme gestuel est mis en avant, correspondant en fait à la promotion par Max Morise en 1924 d'une peinture automatique dont « les formes et les couleurs se passent d'objet, s'organisent selon une loi qui échappe à toute préméditation[16] ». Cette réflexion élargie sur l'automatisme est amorcée dès 1935 dans « Situation surréaliste de l'objet » où Breton, se proposant d'élargir la définition de 1924, se réfère à « *l'automatisme psychique* sous toutes ses formes (au peintre s'offre un monde de possibilités qui va de l'abandon pur et simple à l'impulsion graphique jusqu'à la fixation en trompe-l'œil des images du rêve) » (OCII491). C'est surtout dans l'essai « Des Tendances les plus récentes de la peinture surréaliste » (1939) que Breton développe le concept de l'automatisme en tant que procédé pictural[17]. La peinture renouerait ainsi avec les forces vives du surréalisme :

> *La peinture surréaliste [...] opère un retour marqué vers l'automatisme. Alors que jusqu'ici une certaine prudence, sinon défiance, avait présidé aux diverses démarches ayant pour objet déclaré de le mettre en avant, c'est seulement quinze ans après le* Manifeste *du surréalisme concluant à la nécessité de sa mise en œuvre passionnée que l'automatisme absolu fait son apparition sur le plan plastique.*

La *prudence* et la *défiance* seraient à mettre au compte de Breton lui-même plus qu'au compte des peintres. Par ailleurs, la rhétorique excessive prônant « l'automatisme *absolu* » atteste moins un changement de direction soudain de la peinture – après tout Ernst, Masson et Miró œuvraient dans cette voie depuis fort longtemps déjà – qu'un choix effectué en fonction de la conjoncture artistique et politique, tant il est vrai qu'il s'agit ici de fictions plus que de pratiques picturales. Le regard de Breton marque alors une nouvelle direction car il est désormais sensible aux diverses techniques automatiques : « *frottage* » (Ernst), « *fumage* » (Paalen), « *grattage* » (Esteban Francès), « *coulage* » (Gordon Onslow-Ford), « *décalcomanie sans objet* » (Matta Echaurren), « *lithochronisme* » (Kurt Seligmann) sont répertoriés. Détaillant le mouvement du bras, la coulée des couleurs, l'action d'une lame de rasoir sur le pigment, Breton s'intéresse aux images en formation plus qu'aux images finies. La mise en relief du processus créateur correspond à l'esprit du discours esthétique de *Minotaure* qui privilégie les aux procédés artistiques sur l'œuvre achevée. L'importance qui y est accordée à l'esquisse ou à l'ébauche, aux propos des artistes sur leurs procédés de travail, et aux photos présentant les œuvres dans l'atelier, le lieu où elles ont été créées, témoigne d'un intérêt marqué pour *le work-in-progress*.

Dans son essai de 1939, Breton souhaite présenter le surréalisme comme un mouvement artistique dynamique capable de se renouveler grâce à des techniques inédites, face aux critiques du surréalisme venant aussi bien de l'intérieur que de l'extérieur, et particulièrement face au risque de banalisation du mouvement. Le surréalisme avait acquis une

---

17 Breton, « Des Tendances les plus récentes du surréalisme », *Minotaure*, n° 12-13, mai 1939, pp. 16-17 (SP145-50).

popularité dans le beau monde, le milieu des grands couturiers et celui de la publicité[18]. L'Exposition Surréaliste de 1938 chez Georges Wildenstein (galerie des Beaux-Arts) est fréquentée par « le Tout-Paris élégant ». « Jamais gens du monde ne s'étaient autant piétinés depuis l'incendie du Bazar de la Charité », lit-on dans la presse parisienne[19]. L'installation se voulait provocatrice : le *Taxi pluvieux* de Dali accueillait le visiteur, la salle principale était décorée de sacs de charbon suspendus au plafond, des feuilles mortes tapissaient le sol, des mannequins réalisés par les surréalistes étaient alignés le long d'un couloir. Pourtant l'exposition ne choqua guère. Les critiques témoignent au contraire d'une tendance à la récupération d'un mouvement qui se prétendait toujours révolutionnaire, donc irrécupérable. Le surréalisme est désormais considéré comme une activité inoffensive[20], « une adorable violence »[21]. Raymond Lecuyer y voit même l'activité d'une « petite équipe de gentils garçons » :

> *Derrière la farce du vieil étudiant, le littérateur disparaît, derrière la blague du rapin, le peintre ne se distingue plus [...] Les jours de vacances, lorsqu'il pleuvra, vous pourrez faire du surréalisme au meilleur compte avec les reliquats de la vie courante découverts au grenier [...] Mais inédit et neuf le surréalisme, même pris au sérieux, ne l'est pas.*[22]

Pour ce même critique, les œuvres exposées ne sont que les « fleurs tardives écloses dans les bas-fonds mal asséchés et peu sains du Romantisme ».

En promouvant à cette conjoncture un automatisme gestuel sur une

---

18. Maurice Morel et Jean Bazeine, « Faillite du surréalisme », *Temps présent*, n° 2, 28 janvier 1938, p. 4. Cité par Lewis Kachur, *Displaying the Marvelous. Marcel Duchamp, Salvador Dali and Surrealist Exhibition Installations*, Cambridge MA et Londres : MIT Press, 2001, p. 97. Kachur cite d'autres critiques de l'exposition et reproduit des dessins satiriques (pp. 97-8). Voir aussi le dossier de presse de l'exposition, Fonds Littéraire Jacques Doucet.
19. Cité par Breton, « Devant le rideau » (OCIII740).
20. *Le Journal*, 25 janvier 1938, p. 2 ; cité par Elyette Guiol-Benassaya, *La Presse face au surréalisme de 1925 à 1938*, Éditions du CNRS, 1982, p. 217.
21. Jacques Lassaigne, « Les Adieux du surréalisme », *La Revue hebdomadaire*, 26 février 1938, p. 489.
22. Raymond Lecuyer, « ‹ Des Tendances les plus récentes du surréalisme ›. Le surréalisme en floraison – ‹ une charge d'atelier › », *Figaro littéraire*, 22 janvier 1938, p. 7 ; cité par E. Guiol-Benassaya, *La Presse face au surréalisme de 1925 à 1938*, pp. 240-1.

peinture illusionniste, non seulement Breton renouvelle (avalise) les possibilités artistiques du mouvement, mais il défend aussi une position idéologique. Son essai « Des Tendances les plus récentes de la peinture surréaliste » est rédigé à un moment où la peinture en trompe-l'œil est associée aux tendances du réalisme de droite et de gauche. À Paris, l'Exposition Internationale de 1937 est dominée par l'art académique – décorations murales d'artistes français, tableaux appartenant au courant du réalisme socialiste d'Allemagne et d'Union Soviétique. D'une part, Breton prend ses distances vis-à-vis de Dali dont le vulgaire « divertissement de l'ordre des *mots croisés* » a fini par lasser, et de Chirico, « peintre de ces arcades, de ces tours, de ces cheminées, de ces mannequins, de ces biscuits », qui n'a plus de secrets pour lui. Et dans un essai datant de la même année sur Masson – artiste qu'il semble enfin découvrir ! – Breton rejette l'art de l'imitation d'un Braque : « le problème n'est plus comme naguère de savoir si un tableau ‹ tient › par exemple dans un champ de blé » (SP151). D'autre part, plus circonstanciellement, Breton souhaite se démarquer des défenseurs du réalisme socialiste, et notamment d'Aragon, qui défend en 1935 les photomontages de Heartfield contre les collages d'Ernst (voir notre analyse au chapitre V), et qui fait l'éloge de la nature morte de Cézanne :

> *Au moment aigu de tout art nouveau, de celui qui a le moins l'air de se préoccuper de la réalité, il y a la réalité d'abord. Voyez la pomme chez Cézanne, la pomme qui ne suffisait plus à faire un tableau, comme du temps de Poussin ne suffisait pas encore le paysage. Voyez au début du cubisme le paquet de tabac. De nouveaux objets réels entrent dans la peinture comme lorsque Hugo introduit la poire dans un poème. C'est cela que l'avenir retiendra.*[23]

L'intérêt exprimé par Breton pour l'automatisme graphique en tant que moyen d'expression libéré de toute contrainte technique coïncide également avec l'époque où il rédige avec Trotsky le manifeste « Pour un Art révolutionnaire indépendant » (1938)[24]. Les auteurs s'opposent violemment au réalisme-socialiste au service du régime stalinien, pour revendiquer « toute *licence en art* », la liberté de l'activité artistique. Breton souhaite clairement se distancer ainsi d'une pratique picturale

---

23. Aragon, « Réalisme socialiste et réalisme français » (1937) (EAM62).
24. Breton et Trotsky, « Pour un Art révolutionnaire indépendant » (tract), *Quatrième Internationale*, n° 14-15, novembre-décembre 1938, pp. 239-41.

qui exploite les techniques du trompe-l'œil à des fins purement politiques, au profit de moyens esthétiques qui mettent en valeur la liberté « *absolue* » de la création artistique.

Cette liberté d'expression qu'est censé exprimer l'automatisme se manifeste dans le langage poétique utilisé par Breton. Une seconde poétique s'esquisse ici, une poétique de la coulée qui, fondée sur des réseaux d'associations, contraste avec la poétique de la coupure. Cette recherche de la fluidité des rapports entre éléments hétérogènes, qui est aussi une recherche de la continuité, de l'unité, se retrouve à la même époque au niveau philosophique et idéologique, notamment dans *Les Vases communicants* (1932). En effet, l'œil du peintre, mais surtout le regard du poète, jette « un *fil conducteur* » entre les formes picturales, un fil « de toute ductilité » (SP200), tissant des liens, et le texte se fait alors interrogation portant sur le tissu relationnel entre images ou formes plastiques.

En 1942, pendant son exil à New York, Breton rédige un des textes du catalogue d'ouverture de la galerie de Peggy Guggenheim, Art of this century[25]. Il y fait le bilan du surréalisme et élabore notamment une réflexion sur cette « morphologie nouvelle » qui correspondrait à la deuxième voie, gestuelle, de l'automatisme. Breton souligne les limitations de « la fixation dite en trompe-l'œil (et c'est là sa faiblesse) des images du rêve », et affirme que la grande découverte du surréalisme est l'automatisme graphique, « la plume qui court pour écrire, ou le crayon qui court pour dessiner ». Masson est donné comme modèle :

> *La main de l'artiste s'aile véritablement avec lui : elle n'est plus celle qui calque les formes des objets mais bien celle qui, éprise de son mouvement propre et de lui seul, décrit les figures involontaires dans lesquelles l'expérience montre que ces formes sont appelées à se réincarner.*

Voilà le peintre définitivement réhabilité – les premiers dessins automatiques de Masson, qui datent de 1923-24, avaient été largement ignorés dans les textes de Breton pendant les années 1920, malgré le fait qu'ils avaient été reproduits dans *La Révolution surréaliste*. Ce texte confirme la signification élargie du concept de l'automatisme déjà constatée dans les essais de la fin des années 1930. Breton va jusqu'à affirmer que l'automatisme mental (la représentation d'images oni-

---

25. Breton, « Genèse et perspective artistiques du surréalisme », Art of this Century, New York, 1942, pp. 13-27 (SP51-82). Son texte paraît aux côtés de textes sur l'art abstrait rédigés par Ben Nicholson, Hans Arp et Mondrian parmi d'autres.

riques) apparaît plus limité que l'automatisme graphique. Le renouvellement du débat sur l'automatisme est lié à la polémique qui oppose tenants de l'art figuratif contre tenants de l'art abstrait, et qui domine la critique d'art new-yorkaise des années 1940. Dans cette perspective Sidney Janis définit « deux directions antithétiques » dans la peinture, dont la première serait abstraite et la deuxième surréaliste, et recherche leur synthèse et leur redéfinition dans l'art contemporain, notamment dans les oeuvres de Motherwell[26]. Dans le même esprit, Peggy Guggenheim, qui expose les deux courants à sa galerie, portera deux boucles d'oreille dépareillées, l'une de Calder et l'autre de Tanguy, pour marquer la réconciliation entre ces deux voies de la peinture!

C'est bien de cette époque que datent les propos de Breton sur la distinction établie entre « deux systèmes de *figuration* », cités au début de ce chapitre, et sur la possibilité de leur réconciliation au sein d'une réflexion élargie sur le surréalisme. Il y revient maintes fois dans les textes rédigés pendant le séjour à New York. Il prend la défense des artistes Enrico Donati, Arshile Gorky et Robert Matta, qui œuvrent dans l'interface entre l'art abstrait et figuratif[27]. Le « message d'harmonie » qu'apporterait l'œuvre de Donati, combinant la transformation du réel avec l'automatisme gestuel, est présenté par Breton comme exemple de synthèse des deux tendances artistiques. Tout comme dans les années 1930, et avec encore plus d'urgence dans ces années de guerre où le groupe surréaliste est dispersé en Europe et en Amérique, Breton tient à affirmer la continuité et la vitalité du mouvement surréaliste.

ÉCRIRE LE TABLEAU

« Il m'est impossible de considérer un tableau autrement que comme une fenêtre dont mon premier souci est de savoir sur quoi *elle donne* » (SP3). Une première lecture de l'observation de Breton portait sur l'utilisation élargie que fait celui-ci de la métaphore de la peinture comme fenêtre dans sa fonction d'imitation de la réalité, où la réalité mentale, onirique ou fantastique a remplacé la réalité extérieure (aussi idéalisée soit-elle), sans remettre en cause (parce que passant sous silence) les moyens déployés. Cependant, un deuxième niveau de lec-

---

26. Sidney Janis, *Abstract and Surrealist Art in America*, New York: Reynal and Hitchcock, 1944. Le débat fut également mené dans les pages de *View*.
27. Breton, « Matta » (1944) (SP183-94); « Enrico Donati » (1944) (SP195-8); « Arshile Gorky » (1945) (SP199-201).

ture s'impose, montrant que Breton subvertit ici la métaphore de la fenêtre d'une manière beaucoup plus radicale. La peinture n'est pas uniquement calque du monde du rêve ou rencontre (insolite) d'objets (banals), elle est surtout pour le poète tremplin vers le rêve et l'imagination. Et dans ses écrits, on constate que bien que les tableaux soient censés *donner sur* des paysages oniriques, ce que le poète décrit n'est nullement le paysage peint, mais une hallucination ou une vision au second degré, car le texte donne souvent sur un au-delà du tableau lui-même pour dire – ou donner à voir – l'effet du tableau. Selon Jacqueline Chénieux-Gendron, le regard chez Breton « devient déréalisant et traverse l'objet à la recherche d'un ‹ au-delà › de la perception[28] ». La fenêtre dont il s'agit dans la citation de Breton n'est pas seulement la fenêtre de l'espace représenté du tableau, il s'agit avant tout de la fenêtre ouverte par le tableau dans l'esprit du poète. Tel Alice qui passe de l'autre côté du miroir, le poète se jette par la fenêtre du tableau pour atterrir ailleurs : « le tout est ce qui vaut de se jeter par la fenêtre pour retomber *ailleurs* sur des pattes de chat[29] ». C'est bien « un monde *second* » (SP73), un paysage s'étendant *à perte de vue* (SP3), qu'évoque Breton dans ses textes. L'espace pictural est traversé (transgressé), et c'est un espace imaginaire au-delà du tableau qu'évoque – ou mieux encore, que promet – le texte : « chaque paysage nous trouve dans la même attente qui est celle du lever d'un rideau[30] ».

Le discours sur l'art de Breton, prolongeant le tableau, c'est-à-dire visant l'au-delà ou l'à-côté de la peinture, ou encore visant le cadre, le perd souvent de vue. Il nie la peinture en tant que surface et en tant qu'espace : à l'espace, Breton préfère une temporalité, à la surface, il préfère une profondeur ou une dérive latérale. Les écrits de Breton se feront d'une part récit et d'autre part métaphore. Si le premier ramène souvent l'inconnu au connu, la deuxième se fait surtout échappée vers un ailleurs.

En premier lieu Breton établit une temporalité en faisant des composantes du tableau les syntagmes d'un récit. À partir de la simple juxtaposition d'éléments picturaux il imagine une conjonction, une combinatoire, instaurant ainsi l'amorce – ou tout au moins la possibilité – d'une

---

28. Jacqueline Chénieux-Gendron, « De la Sauvagerie comme non-savoir à la convulsion comme savoir absolu », *Lire le Regard. André Breton et la peinture*, p. 9.
29. Breton, « Petit Colloque initial », *Perspective cavalière*, p. 97.
30. Breton, « Exposition X… Y… » (OCII299-300).

narration. On trouve un exemple d'ébauche de récit dans ce commentaire sur Braque, où Breton interroge le rapport de contiguïté des objets de la toile (il s'agit d'une *Nature morte* de 1921, reproduite SP11) :

> *À quelle plus belle étoile, sous quelle plus lumineuse rosée pourra jamais se tisser la toile tendue de ce paquet de tabac bleu à ce verre vide ?* (SP12)

Les rapports établis entre des objets quotidiens par « le maître des *rapports concrets* » sont évoqués ici par la métaphore. Breton imagine un espace tendu entre les objets représentés, le paquet de tabac et le verre, dans une métaphore jouant sur le double sens de *toile* – celle sur laquelle l'artiste a peint son tableau tout comme celle que tisserait l'araignée, et par extension, le poète qui tisse son texte. La composition picturale est transformée en un espace de flux et de métamorphose, où la *toile* engendre *étoile* par lien phonétique, qui à son tour devient « lumineuse rosée » par association sémantique. La forme interrogative laisse ouvertes les significations possibles (les latences), et par conséquent, le mystère, du tableau. C'est par le biais de la métaphore et du récit que Breton récuse le réalisme de Braque au profit d'une lecture surréaliste de l'œuvre, qui nie l'espace matériel et représentationnel du tableau cubiste pour évoquer une échappée hors du cadre du tableau vers le domaine de l'imagination. Aux valeurs de surface des tableaux cubistes, il préfère la profondeur des procédés métaphoriques, et aux rapports spatiaux fixes de leur composition, il préfère la temporalité du récit.

Un autre exemple de la forme interrogative comme marque du récit futur ou virtuel se trouve dans une des « proses parallèles » de Breton écrites à partir des *Constellations* de Miró. La rencontre de formes hétéroclites dans une des gouaches de Miró donne lieu à une interrogation sur les rapports entre les signes picturaux :

> *Qu'y a-t-il entre cette cavité sans profondeur tant la pente en est douce [...] qu'y a-t-il entre elle et cette savane déroulant imperturbablement au-dessus de nous ses sphères de lucioles*[31] *?*

Le récit potentiel pointé dans cette question qui ouvre le texte sera élaboré dans la suite du texte (voir l'analyse ici, chapitre II). La préface au catalogue de la première exposition surréaliste en 1925 (texte qui a été

---

31. Breton et Miró, *Constellations*, New York : Pierre Matisse, 1959 (22 gouaches de Miró réalisées en 1940-1, et une « Introduction » et 22 « proses parallèles » de Breton) ; *Signe ascendant*, Gallimard, Coll. « Poésie », 1968, p. 137. L'introduction, amputée de deux paragraphes, a été reprise dans SP257-64.

cité au chapitre I), rédigée par Breton et Desnos constitue un autre exemple du récit ébauché. Construite à partir des titres des œuvres exposées, elle commence par des phrase interrogatives :

> *Est-il trop tard encore pour parler de ce paysage ? Qui nous le dira, de la marquise dont la rose et le sourire ornaient la fête jamais commencée à l'homme à la guitare se levant, immense sur le brouillard et dans les gémissements des quais humides ?* (OCI915)

Le texte ne fait que suggérer la possibilité d'un lien entre deux tableaux (en l'occurrence *La Marquise* de Man Ray et *L'Homme à la guitare* de Picasso) sous forme de questions qui pointent un récit encore virtuel. Le texte se développe ensuite en une histoire – ou une suite de micro-récits – qui associe les tableaux entre eux. Le titre du tableau de Masson, *L'Armure,* génère « l'armure de verre », par entrecroisement avec le tableau de Chirico, intitulé *J'irai… le chien de verre*, puis se transforme en un protagoniste, « l'armure jalouse […] amoureuse », dans l'histoire d'un voyage initiatique à travers « cet étrange pays caressé par trop d'ailes[32] ». Il est question au cours du texte de « *la montagne entr'ouverte* », « *deux enfants […] menacés par un rossignol,* d'une petite *maison aux étoiles,* d'un *dialogue d'insectes,* où l'on reconnaît les titres de tableaux de Klee, Ernst, Picasso et Miró.

Une variante de ce processus, selon lequel une collocation d'objets semble inviter le poète à élaborer une histoire, se rencontre dans le récit suspendu, comme dans ce commentaire déclenché par les tableaux de Chirico :

> *C'est là même, nous en sommes toujours aussi sûrs, à l'heure prévue pour l'arrivée de ce train, à cette heure qui ne peut tarder, c'est parmi ces arcades et quand se sera calmé le vent qui monte abominable de la terre à lancer verticalement le rouge des oriflammes, que le livre dont nous avons si longtemps contemplé la reliure muette s'ouvrira au feuillet marqué. C'est seulement alors qu'en signes fulgurants se précisera pour tous le sens […] de notre intervention.* (SP19)

Ces « signes fulgurants » pointent une latence, un récit potentiel, invitant *l'intervention* – interprétative ou poétique – du spectateur. Breton choisit des composantes de plusieurs tableaux de Chirico, dont *Le Cerveau de l'enfant* – dans l'allusion au « livre dont nous avons si long-

---

32. Les tableaux de Chirico et Masson sont reproduits dans *La Révolution surréaliste,* n° 4, 15 juillet 1925, pp. 21 et 22.

temps contemplé la reliure muette » – et imagine le début d'un récit fantastique. Les tableaux ouvrent sur un avenir. Leurs conjonctions énigmatiques sont lues comme les fragments isolés d'une histoire qui déborderait de leur cadre, moments disparates d'un rêve dont la trame serait à reconstituer. Le rôle du poète serait donc de restituer aux tableaux une temporalité – voire l'ébauche d'une signification – par le mouvement même de l'écriture. C'est ce que suggère Desnos qui voit dans les tableaux le décor d'un drame futur ou passé :

> *Pour Chirico les portes fermées s'ouvraient d'elles-mêmes sur de mystérieux paysages. Le cerveau de cet homme était le lieu de rendez-vous d'objets surprenants. Un régime de bananes, un buste antique brisé et la fumée lointaine d'un train, le décor était prêt. On attendait l'arrivée des divinités imprévues. Peut-être leur rencontre était-elle déjà terminée, peut-être étaient-elles déjà reparties sur des routes divergentes. Mais le paysage était lourd de leurs pouvoirs, et quel ciel sur tout cela.* (EP111)

La fascination exercée sur les surréalistes par les tableaux de Chirico peut être considérée dans le contexte de l'esthétique de la beauté convulsive. « Il ne peut, selon moi, y avoir beauté – beauté convulsive – qu'au prix de l'affirmation du rapport réciproque qui lie l'objet considéré dans son mouvement et dans son repos », écrit Breton dans *L'Amour fou* (OCII680). Les toiles de Chirico relient un mouvement à l'arrêt de celui-ci dans une suspension du temps et du sens où s'inscrit le désir. Les tableaux – et leurs commentaires qui en miment la suspension temporelle – mettent spectateur et lecteur en position d'anticipation. Breton écrit dans le même texte :

> *C'est* l'Invitation à l'Attente *que cette ville tout entière comme un rempart, que cette ville éclairée en plein jour de l'intérieur. Que de fois j'ai cherché à m'y orienter, à faire le tour impossible de ce bâtiment, à me figurer les levers et les couchers, nullement alternatifs, des soleils de l'esprit?* (SP13)

Breton essaie en vain de pénétrer dans le paysage urbain pour en ouvrir l'espace (« le tour impossible de ce bâtiment ») et le temps (« me figurer les levers et les couchers »), c'est-à-dire pour *voir* au-delà de l'espace représenté dans le tableau, passant du visible à l'invisible, du physique au *métaphysique*. Il préfère se tenir sur le seuil de tous les récits possibles, dans la temporalité de l'attente, qui est celle du désir.

L'impulsion narrative, pointée plutôt qu'élaborée dans le commentaire de Breton sur la nature morte de Braque, cité ci-dessus, est développée dans un texte qu'il rédige sur Max Ernst, « La Vie légendaire de Max Ernst » (1942). Les composantes des tableaux et collages d'Ernst deviennent les syntagmes d'un récit biographique de l'artiste[33]. Avant Breton, Aragon avait déjà fait allusion aux qualités dramatiques des collages d'Ernst, qui constituaient pour lui de mystérieuses mises-en scènes évoquant des développements dramatiques potentiels :

> *Les acteurs jouent un rôle sur une scène, où sont plantés les portants de plusieurs possibilités. J'ai souvent pensé qu'il y avait un drame immense et merveilleux qui résultait de la succession arbitraire de tous ces tableaux, comme de la juxtaposition des anciens Chirico doit résulter une ville dont on pourrait dessiner le plan[34].*

Breton réalise ce drame en imaginant la vie du peintre en fonction d'un voyage. Partant de Cologne et passant par le Tyrol, le voyage se poursuit par une promenade à Paris qui est aussi un parcours pictural, allant du Châtelet « où nous font la haie les appareils orthopédiques », dans une allusion aux oeuvres « mécanomorphes » de 1919-2020 (*La Grande Roue orthochromatique qui fait l'amour sur mesure*), au « réservoir désaffecté » du côté du canal Saint-Martin, (référence au tableau *Acquis submersus* 1919). Il s'ensuit un épisode plus sinistre – « Mais quelque événement grave est survenu: on emporte des blessés, des rapts se commettent en plein jour, la femme elle-même est murée […] il n'est pas jusqu'au rossignol qui pour la première fois n'apparaisse maléfique » – épisode (rappel de la guerre?) généré par les motifs des (tableaux-) collages de 1922-24 (*Sainte-Cécile* 1923, *Deux Enfants sont menacés par un rossignol* 1924). Surgit ensuite l'épisode de « la grande retraite dans la forêt » – allusion à la première série des *Forêts* de 1927-1928 – où l'artiste est décrit comme « pris avec la femme dans un seul écrin de chair », comme dans le tableau *Pays charmant* (1923). Après son retour à Paris où l'on rencontre Loplop et Perturbation, personnages du roman-collage *La Femme 100 têtes* (1929), Ernst se rend dans un pays imaginaire où « des jardins suspendus ont été plantés de néphentès géants et invisibles […] Les avions futurs s'y engouffreront comme des mouches », évoquant ainsi la série des *Jardins gobe-avions* (1933-34). Puis

---

33. Breton, « Vie légendaire de Max Ernst précédée d'une brève discussion sur le besoin d'un nouveau mythe », *VVV,* vol. 2, n° 1, 1942, pp. 5-7 (SP155-65).
34. Aragon, « La Peinture au défi » (EAM42).

ce sera le retour à la forêt, « la jungle tout court, non plus la jungle humaine », telle qu'on la trouve dans le tableau rousseauesque *La Joie de vivre* (1936). Et dans un dernier épisode « le poteau totémique » qui « continue à regarder la mer » fait allusion à un motif récurrent de la période américaine de Max Ernst (*Napoléon dans le désert* 1941, *Jour et nuit* 1941-42).

Fasciné par le livre d'images que constituent les tableaux de Max Ernst, Breton en « saute les pages » (OCII304) dans un zapping de l'un à l'autre, simulant ainsi le jonglage avec les images qu'affectionne l'artiste dans ses collages, pour fabriquer à partir de fragments iconographiques le récit familier du voyage à travers la vie. En ramenant l'inconnu des oeuvres aux étapes d'une biographie, il semble vouloir en effacer l'incongruité, d'autant plus que le développement syntaxique du récit est clairement articulé – « Peu après… Mais quelque événement… La scène a tourné… » – dotant le récit de repères temporels et donc d'une illusoire cohérence. Toutefois, malgré la présence d'un cadre narratif fixe, les éléments discursifs possèdent peu de cohésion, et bien que le lecteur puisse en reconnaître leur contexte d'origine, ils restent en dernière analyse des fragments irréconciliables.

Une autre manifestation de dérive syntagmatique déclenchée par la peinture chez Breton se trouve dans le roman généalogique. Fascinant paradoxe chez Breton, qui d'une part prône la rupture complète avec l'histoire, dans la série de meurtres rituels de pères que sont les *cadavres* surréalistes, pour valoriser la création artistique autogénératrice; mais qui d'autre part semble se complaire dans le roman familial, comme en témoigne la longue liste de pères dressée dans le premier *Manifeste* (OCI328-9). Ce paradoxe se retrouve dans les essais sur l'art, où l'on trouve un procédé basé sur un double glissement métonymique allant de l'effet à la cause, de la peinture au peintre, puis à ses devanciers. Breton énumère les pères imaginaires du peintre, ce qui le situe dans une filiation historique; et même lorsqu'il déclare qu'une naissance serait autogénératrice, libérant l'artiste de toute filiation chez les peintres ou les poètes, il s'agit toujours d'une fable, d'un conte de fées qui serait la réalisation d'une fantaisie, d'un *wishful thinking*. Picasso est le protagoniste de ces deux types de récit. Dans un premier temps, Breton prend soin de nier toute ascendance artistique au peintre, légende d'ailleurs entretenue par la critique, voire par Picasso lui-même qui aime raconter son apparition sur la scène de l'art comme une sorte d'invasion verticale dans le XXe siècle[35]. L'histoire de l'art est balayée au profit d'une fable qui raconte une généalogie littéraire. C'est ce que suggère Breton lorsqu'il affirme que la route qu'explore Picasso serait celle-là même qu'auraient prise Lautréamont, Rimbaud et Mallarmé dans le domaine de la poésie, le peintre ne faisant que « donner corps » aux images du poète :

> *Les poètes parlaient bien d'une contrée qu'ils avaient découverte, où le plus naturellement du monde leur était apparu « un salon au fond d'un lac », mais c'était là pour nous une image virtuelle. Par quel miracle cet homme [Picasso], que j'ai l'étonnement et le bonheur de connaître, se trouva-t-il en possession de ce qu'il fallait pour donner corps à ce qui était resté jusqu'a lui du domaine de la plus haute fantaisie[36] ?* (SP5)

Lorsque Breton parle d'un tableau de Picasso, c'est en reprenant les mots de Rimbaud : « ‹ L'Homme à la clarinette ›, d'une élégance fabuleuse[37] » (SP5). L'originalité de Picasso se mesure à l'aune de la poésie, qui l'aurait devancé. La poésie précède et donne naissance à la peinture, et réciproquement, dans une généalogie croisée, le peintre donne une véritable substance aux images du poète. Plus tard le faintaisiste se fera plus sage lorsqu'il situera Picasso dans une suite historique, le dotant d'une multiple filiation artistique (SP115). De même il fait de Max Ernst l'héritier de Bosch, mais surtout de Rimbaud, Lautréamont, Jarry et Apollinaire (SP25). Car la poésie devance la peinture : « Ce sera le grand exploit de l'art moderne – la poésie à partir de Lautréamont, Rimbaud, la peinture à partir de Seurat, Gauguin, Rousseau – que d'avoir de plus en plus durement battu en brèche le monde des apparences » (SP341). Dans certains cas un peintre n'est lisible que filtré à travers les poètes : ainsi Tanguy est présenté dans la filiation de Goethe et Nerval (SP177-9), le douanier Rousseau se situe entre Courteline et

35. L'expression est de John Berger, *Success and Failure of Picasso,* Londres : Writers and Readers, 1965, p. 40.

36. « Je m'habituai à l'hallucination simple : je voyais très franchement une mosquée à la place d'une usine, une école de tambours faite par des anges, des calèches sur les routes du ciel, un salon au fond d'un lac ; les monstres, les mystères ; un titre de vaudeville dressait ses épouvantes devant moi. » Rimbaud, « Une Saison en enfer », *Œuvres complètes*, p. 108.

37. « Des bêtes d'une élégance fabuleuse circulaient ». Arthur Rimbaud, « Illuminations », *Œuvres complètes*, p. 123.

Jarry (SP291) [38]. Il arrive que la spécificité de la peinture soit noyée par un déferlement de références à l'écrit. Dans sa préface pour une exposition de Jacques Hérold, Breton cite Novalis, Malcolm de Chazal, Baudelaire, Hegel et les écrits théoriques de Seurat (SP202-6). Mais où est passée l'œuvre de Hérold dans cette surcharge de citations où les belles-lettres donnent leur titre de noblesse à la peinture ? Il est vrai que les peintres eux-mêmes font souvent allusion au code littéraire, faute d'un langage adéquat autre sur la pratique picturale. Max Ernst par exemple, cite les mêmes poètes que Brerton : Rimbaud et ses frères[39]. Métaphores spatiales de l'exploration de l'inconnu, ou figures elliptiques de rencontres imprévisibles, les images plastiques se transposent aisément dans l'ordre verbal. Car il était une fois le verbe, celui de Rimbaud et de Lautréamont surtout, et la peinture ne fait qu'*illustrer, traduire, transposer* les images verbales ou leur donner corps.

Non seulement Breton fait de l'artiste le protagoniste du roman de famille, il le situe également dans un contexte socio-imaginaire, en en faisant un des héros du grand récit surréaliste, dont chaque tableau serait un fragment, une synecdoque du projet total (isant) du mouvement. En intégrant la peinture dans une visée surréaliste globale, Breton restitue l'unité d'une vision qui dépasserait le tableau individuel. Dans cette stratégie annexionniste, des critères d'ordre général permettent de rassembler sous l'étiquette surréaliste des artistes travaillant dans des styles très divers. Dans des formules lapidaires, un tableau ou un artiste reçoit l'imprimatur surréaliste. L'étiquette la plus répandue est celle de la résolution dialectique des contraires : chez Masson par exemple, c'est « la conception dialectique par excellence » qui domine (SP68) ; dans la peinture de Brauner, « tout se résout ici dans le sens de la plus haute harmonie », écrit Breton, assez vaguement d'ailleurs

38. « Que la poésie mène ainsi le jeu pour la peinture semble aller de soi pour Breton qui, au moment d'entrer en contact avec un tableau surréaliste, cite obligatoirement des vers, transformant ainsi le visible et accaparant la peinture grâce aux paroles poétiques d'autrui. Or, l'autonomie d'une critique d'art surréaliste est compromise par ce parti pris qui permet au langage poétique d'empiéter sur le discours critique ». Renée Riese Hubert, « La Critique d'art surréaliste : création et tradition », *La Critique d'art au XIXe et au XXe siècle, Cahiers de l'Association internationale des études françaises*, n° 37, mai 1985, p. 214.

39. Lorsque Ernst analyse la technique du collage, par exemple, il fait allusion à Lautréamont et Rimbaud, reprenant les mêmes citations que Breton. *Écritures*, pp. 235-69.

(SP127); ou encore, chez Hantaï, les « éléments mis en rapport ne pouvaient manquer un jour de s'étreindre jusqu'à fusionner et l'on touche ici, en effet, à un univers qui réalise leur parfaite conjugaison » (SP237). Ces exemples – tout comme les nombreuses affirmations où le peintre est censé avoir résolu le conflit entre trait et couleur, abstraction et figuration, perception et représentation – constituent un escamotage de la véritable résolution des contraires, trait caractéristique de la pensée bretonienne dont le mouvement relève souvent du court-circuit des idées, de leur étincelle ou leur illumination, c'est-à-dire du paradoxe assumé plutôt que d'un processus véritablement dialectique. Un satisfecit annexionniste est accordé aussi à la peinture qui se réfère au « modèle intérieur » – le passage à la quatrième dimension chez Brauner (SP149) ou le « paysage intérieur » chez Tanguy (SP179). Ce critère fait du tableau le calque ou le tremplin du rêve ou de l'hallucination, dont le rapprochement de deux réalités distantes est le signe et la recette – au même titre que le rapprochement d'éléments disparates dans l'esquisse d'une poétique surréaliste qu'entreprend Breton dans le *Manifeste* de 1924. Cette annexion de la peinture au projet surréaliste global tend souvent à gommer l'altérité, voire la matérialité du tableau, qui devient ainsi simple *exemplum* du grand récit surréaliste.

Alors que la narrativation, dont quelques variantes viennent d'être évoquées, tend souvent à conjurer l'altérité du tableau, en le réduisant au simple syntagme d'un récit, le deuxième processus auquel il a été fait allusion, celui de la métaphorisation, tend, quant à lui, à prolonger la différence.

Le tableau sert souvent au poète de tremplin à des dérives analogiques. « Je dis que l'œil n'est pas ouvert tant qu'il se borne au rôle passif de miroir », écrit Breton à propos d'Arshile Gorky (SP199). L'œil – du peintre d'abord, du poète spectateur de l'œuvre ensuite – jette « un *fil conducteur* » entre les formes picturales, créant de nouveaux rapports entre celles-ci. C'est dans cette perspective que les toiles de Gorky constituent « la grande porte ouverte sur le monde analogique » (SP200). Car l'œil, poursuit Breton,

> *ne saurait être fait, en dernier recours, pour inventorier comme celui des huissiers [...] Il est fait pour jeter un linéament, pour faire passer un fil conducteur entre les choses d'aspect le plus hétérogène. Ce fil, de toute ductilité, doit permettre d'appréhender, en un minimum de temps, les rapports*

qui enchaînent, sans solution possible de continuité, les innombrables structures physiques et mentales. Ces rapports n'ont cessé d'être brouillés par les fausses lois du voisinage conventionnel – la poire appelant la pomme dans le compotier [...] La clé de la prison mentale ne peut être trouvée qu'en rupture avec ces façons dérisoires de connaître : elle réside dans le jeu libre et illimité des analogies. (SP199-200)

Ce jeu analogique se révèle tout d'abord dans les formes hybrides créées par l'artiste. Breton est sensible à ces métaphores plastiques : « Techniquement le moyen de progression, de propulsion est ici fourni par la métaphore plastique à l'état pur, je veux dire littérairement intraduisible ». Il donne à ce sujet l'exemple du mannequin imaginé par Masson pour l'Exposition Internationale du Surréalisme (1938), comme étant la réalisation concrète du « bâillon vert à bouche de pensée » (SP154). Breton note d'autres images doubles : un « insecte-feuille » chez Tanguy (SP46), ou encore chez Brauner « une femme bise dont le double profil se conjugue avec la tête du lion » (SP127) (référence au *Lion du double* reproduit SP126). Breton affirme que ce type d'image est « littérairement intraduisible », c'est-à-dire que la métaphore plastique, une fois transposée dans le langage, devient littérale, car le langage ne fait que décrire une transformation qui s'effectue littéralement au niveau du référent plastique. Paul Nougé souligne, dans son analyse de la métaphore plastique dans les tableaux de Magritte : « C'est au pied de la lettre qu'il convient de saisir, comme un souhait de l'esprit que ce qu'il exprime existe en toute réalité [...] Ainsi des mains d'ivoire, des yeux de jais, des lèvres de corail[40] ». Toutefois, contrairement à Aragon (voir chapitre V), Breton s'intéresse moins aux procédés métaphoriques de l'artiste qu'à ceux du poète. On trouve souvent dans ses essais sur l'art, le passage de la métaphore plastique à la métaphore purement langagière. Par exemple, mis en présence des formes polyvalentes des mobiles de Calder, il observe :

Banni tout élément anecdotique, l'objet de Calder, réduit à quelques lignes simples découpant les couleurs élémentaires, par la seule vertu du mouvement – du mouvement non plus figuré mais réel – est miraculeusement rappelé à la vie la plus concrète et nous restitue les évolutions des corps céles-

40. Paul Nougé, « Les Images défendues », *Le Surréalisme au service de la révolution*, n° 5, 1933, p. 28.

tes et le frémissement des feuillages aussi bien que le souvenir des caresses. (SP72)

Le processus métaphorique est mis en train par des analogies d'ordre visuel – entre formes mobiles de Calder et mouvement de planètes ou de feuillage – puis il bascule vers un rapprochement (« le souvenir des caresses ») qui ne peut être mis au compte de l'énoncé visuel, mais qui s'est forgé au niveau de l'énonciation. À première vue Breton semblerait encore tributaire du *ut pictura poesis* de l'iconographie classique, lorsqu'il décrit les formes hybrides de Calder. Toutefois, la multiplication des métaphores déstabilise le rapport (idéal) d'adéquation entre la peinture et son commentaire, en propulsant le texte sur sa propre trajectoire, loin de la sculpture qui a occasionné le texte. Autre exemple du passage chez Breton de l'image plastique à l'image *littéraire*, l'élaboration à partir des formes hybrides de Max Ernst : « Des êtres se dressent, encore imparfaitement différenciés du feuillage » (SP164). Breton fait allusion ici aux êtres-plantes que l'on trouve dans des toiles de 1936, telles que *Peinture* qui illustre l'essai sur Ernst (reproduite SP164). Cette transposition de l'ordre simultané du domaine visuel à l'ordre successif du langage est moins une description du tableau qu'une amorce de récit imaginé à partir des composantes du tableau mises en mouvement, et dérivant vers un statut purement verbal. Le plus souvent, cependant, Breton semble se passer de l'appui des métaphores plastiques pour se lancer dans des dérives métaphoriques qui prolongent la démarche du peintre. C'est ce qui se produit dans son essai « Kandinsky » (SP286), où les lignes et les couleurs des tableaux donnent lieu à une série d'associations poétiques. La ligne est comparée à un fil qui établit des liens :

> *Ce fil tout oriental unit la robe des pagodes à celle des tourbillons, la déchirure de l'éclair au sillon imprimé dans la cire du disque par les vibrations de la voix, le réseau nerveux à l'intrication, dans la rade, des cordages de navires.*

Breton est sensible à la ligne moins comme contour de formes plastiques que comme vecteur de sa propre impulsion imaginative : *pagodes* et *tourbillons*, *éclair* ou *sillon* sont moins des motifs des tableaux que des formes imaginées par Breton. Il en est de même pour la couleur chez Kandinsky qui donne lieu à une élaboration poétique :

> *Chez lui la couleur vient combler avec une exubérance sans égale les formes*

pures ainsi délimitées ; elle leur prête toute la séduction d'une poudre qu'on croirait ravie aux ailes de papillon.

La métaphore se trame dans le tissu du texte plus volontiers que sur la toile du peintre. Pour Bernard Vouilloux, les énoncés poétiques font moins fonction de référence au tableau que d'allusion : alors que la première nomme, décrit, les composantes du tableau, qui est le sujet de l'énoncé, l'allusion dérive loin du tableau « au gré d'une démarche par associations plus ou moins libres, de connexions intra- et intertextuelles, de rapprochements analogiques induits par similitude ou par contiguïté[41] ». L'œuvre d'art, comparée au « vieux mur de Léonard » (métaphore dominante des années 1930) ou au test de Rorschach (à la mode dans les milieux artistiques et intellectuels de l'après-guerre), sert au poète de point de départ à une série d'analogies ou d'associations libres, c'est-à-dire de « tremplins vers l'approfondissement » (SP200). Il s'agit bien moins de déchiffrer le tableau que d'en évoquer l'effet grâce à un prolongement poétique. Dans cet ordre d'idées, la série de gouaches de Miró, *Constellations* (1940-41), est comparée par Breton à des vannes – « ces superbes planches, électivement appelées à faire *vannes* » (SP264) – libérant un flot d'images verbales chez le poète qui prolonge leur dynamisme dans sa série de textes poétiques ou « proses parallèles ». Dans sa préface aux *Constellations*, Breton affirme : « Jamais, sur le plan plastique, la vibration sensible ne s'est trouvé un si juste point de déclic pour pouvoir déchaîner tous ses prolongements ». Tout comme le peintre travaille la forme pour en dégager une figure, le poète travaille ces mêmes figures pour en extraire une métaphore.

Toutefois, si une composante du tableau fonctionne souvent comme point de départ du texte, celui-ci a tendance à s'en éloigner pour suivre les errances de la pensée poétique. On trouve un exemple caractéristique de cette démarche dans « Aparté » (SP218-9), préface à une exposition du peintre canadien Riopelle[42] (galerie La Dragonne 1949), rédigée par André Breton (A.B.), Élisa Breton (E.) et Benjamin Péret (B.P.). L'expérience constitue une sorte de test de Rorschach

---

41. *La Peinture dans le texte*, p. 28.
42. L'artiste Jean-Paul Riopelle, du groupe Automatiste de Montréal, arrive à Paris en 1946. En juin 1947 il participe à l'exposition des Automatistes canadiens (galerie du Luxembourg). Il rencontre Breton à la galerie Loeb et participe à l'exposition « Le Surréalisme en 1947 ».

collectif où les métaphores s'engendrent les unes à partir des autres, s'éloignant du tableau pour en rebondir de nouveau, dans une suite de ricochets – d'une image à l'autre, du texte à l'image, d'une réplique à l'autre – où prédominent les verbes de mouvement et de transformation qui miment les formes dynamiques des tableaux :

> E. – *Je vois un lit qui arrive en volant, il entraîne tout un intérieur emporté par l'ouragan avec une robe de femme, un pot de fleurs. On dirait que cela va se précipiter dans des lacs.*

Le titre de cette préface, « Aparté », renforce l'impression que les trois interlocuteurs ont élaboré leurs paroles à côté du tableau qui les a déclenchées, dans une succession de monologues, chacun poursuivant sa propre chaîne d'associations[43]. Pour Élisa Breton, Riopelle évoque « le mouvement des ports avec le bruit des grues et l'odeur du goudron », image qu'elle ne reprend plus loin que pour la rejeter, ayant croisé une dérive poétique de Breton, qui emprunte une toute autre trajectoire associative : « Le port, non, je ne suis pas sûre, plutôt la mine ». Les associations poétiques de Breton sont liées au Canada et à la poésie :

> A.B. – *Pour moi, c'est l'art d'un trappeur supérieur. Des pièges à la fois pour les bêtes des terriers et pour celles de la nuagerie, comme disait Germain Nouveau.*

Il revient au paysage canadien plus loin dans le texte :

> A.B. – *Je ne suis pas près d'oublier des maisons canadiennes dans la vallée. Elles sont de ce bois gris perle que la mer rejette sur les plages. Il y a toujours une cascade toute proche [...]*

Même si chacun des participants déroule sa propre chaîne d'images, il arrive que les associations s'entrecroisent par endroits. Lorsqu'Élisa évoque à son tour un paysage nordique (« On est encore dans les fjords mais c'est l'instant même où tout s'ouvre en éventail sur l'Arctique »), Breton enchaîne tout en poursuivant le fil du *topos* du Canada (« Les Indiens, s'ils pouvaient venir regarder, seraient de nouveau chez eux »). Ainsi monologues et dialogues s'élaborent à partir des œuvres exposées.

Les associations de Péret, quant à elles, semblent plus disparates que celles de Breton ou d'Élisa :

> B.P. – *Pour moi, Riopelle est le nuage qui sert de parachute à la carcasse*

---

43. Pour Bédouin, ce texte « expliciterait, avant la lettre, le contenu de cette abstraction lyrique dont la formule apparaîtra un peu plus tard ». *Vingt ans de surréalisme*, p. 150. L'abstraction lyrique est traitée au chapitre VI.

de fer d'un immeuble toujours en construction.

Alors que cette association a vraisemblablement pris comme point de départ le tableau de Riopelle *La ville* (reproduit SP218), dont les lignes pourraient en effet évoquer des échafaudages, d'autres associations semblent liées davantage aux préoccupations personnelles de Péret, et notamment sa position anticléricale, comme le démontre l'image suivante qui poursuit le thème de la ville puis dérive loin du tableau :

> B.P. – *Mais pas de maisons sans araignées. Celles de Riopelle ressemblent à la mouche de fer qu'un certain évêque de Naples inventa, dit-on, pour chassser toutes les mouches de la ville.*

Le thème de la religion reviendra plus loin, de façon plus crue :

> B.P. – *Tais-toi, j'aperçois le noir sale d'un curé étendu au détour du chemin comme un cadavre oublié.*

Ailleurs Péret élabore une image qui fuit latéralement par associations cocasses :

> B.P. – *Tout chez Riopelle s'éclaire du soleil des grands bois où les feuilles tombent comme un biscuit de neige trempé dans le xérès.*

Lorsque Péret évoque « l'aurore boréale, ce tremblement de nuage », Breton en prolonge l'image sur le mode métaphorique :

> A.B. – *Toutes les rosaces de cathédrales volent joyeusement en éclats. L'air est sur le point de fleurir. L'amour a tout poncé de sa pierre de foudre.*

Le texte a beau prendre son point de départ dans les tableaux de Riopelle, il semble s'élaborer sous sa propre impulsion, dans une démarche qui constitue non seulement un point de fuite par rapport au tableau qui l'a occasionné, suivant un processus de non-coïncidence, mais également des points d'intersection entre plusieurs errances imaginaires[44].

Ce travail (cette rêverie) sur la forme picturale, qui en fait surgir des figures poétiques, est parallèle à l'activité de l'artiste lui-même, qui travaille la matière picturale pour en faire apparaître des images. Ce passage de la forme à la figure qu'effectue le peintre surréaliste est souvent évoqué par Breton dans la métaphore filée du tableau comme naissance de formes. En effet, pour évoquer le travail de l'automatisme pictural les propos de nombreux artistes – Masson et Miró, Ernst, Desnos

---

44. Voir aussi Ernst, *Écritures*, p. 245.

ou Matta – convergent avec ceux des poètes. Ainsi Masson, se souvenant de « la leçon de Léonard », affirme : « Je dessine ou peins rapidement, selon mes impulsions. Peu à peu dans les signes que je fais, j'aperçois des personnages ou des objets. Je les encourage à apparaître en essayant d'aller jusqu'au bout de leurs implications[45] ». De même Desnos, cherchant à cerner un procédé pictural qui serait l'équivalent de l'automatisme verbal, écrit :

> On essaya de trouver des procédés. L'auteur de ces lignes proposa celui-ci : tracer sur une feuille de papier, les yeux fermés, un écheveau très embrouillé de traits, au hasard. Après quoi on ouvre les yeux et on laisse surgir de ce chaos des figures naissant à peu près comme celle que l'on voit dans les nuages ou dans les lézardes des murs. Délimiter, et si l'on veut, colorier ces figures qui s'ordonnent d'ailleurs. Ce procédé avait l'avantage de laisser une grande part à l'individu. Chaque homme a son œil et chacun, dans ce cas, « voyait » une chose ou un être particulier[46].

Pour le peintre, la première étape est toute spontanée : un abandon au hasard de la matière, que ce soit une surface rugueuse, la rencontre du crayon et de la feuille, une coulée de couleur, c'est-à-dire une impulsion graphique sans intention mimétique – Breton parlera du « crayon qui court pour dessiner » (SP68). La deuxième étape consiste à voir, dans les formes jetées sur la toile, des images embryonnaires. Dans une dernière étape, le peintre travaillera ces signes, qu'il fera émerger de la matière. Breton évoque cette naissance des images dans un langage métaphorique. Pour parler de la technique du « fumage » de Wolfgang Paalen, il écrit :

> [Paalen], en laissant couler des encres de couleur sur une feuille blanche et en soumettant cette feuille à de très rapides mouvements de rotations et autres alternés avec d'autres moyens mécaniques de dispersion de la couleur comme celui qui consiste à souffler sur elle de divers points, a libéré des êtres brillants de tous les feux des oiseaux-mouches et dont la texture est aussi savante que leurs nids. (SP146)

Encres et mouvements ont produit des formes spontanées qui ont libéré des figures. De même, chez Esteban Francès la technique du grattage consiste à jeter de la peinture au hasard sur une surface de bois

---

45. Masson, « Propos sur le surréalisme », *Le Rebelle du surréalisme. Écrits*, Hermann, Coll. « Savoirs », p. 37.
46. Desnos, « Surréalisme », *Cahiers d'art,* vol 1, n° 8, 1926, p. 213 (EP89).

et à la gratter avec une lame de rasoir. Le travail du peintre consiste ensuite à préciser ombres et lumières, et à dégager ainsi « les grandes figures hallucinantes qui étaient en puissance dans l'amalgame » (SP146). Et dans les « décalcomanies sans sujet » de Dominguez, le mouvement du bras ainsi que les couleurs du pinceau sont arrivés à « définir de nouveaux espaces » qu'il a suffi ensuite au peintre de cerner, d'attiser pour créer des paysages. Dans chaque cas le point de départ est une matière mise en mouvement par une activité irréfléchie, et qui appelle une figure, cernée dans la matière picturale, dégagée ou libérée de cette matière même. Si la critique a souvent souligné chez Breton l'importance de la toile comme écran où sont projetées des images toutes faites, elle a dans l'ensemble passé sous silence ce travail de la matière génératrice de figures. Il est vrai que Breton focalise moins sur la technique elle-même que sur sa transformation métaphorique. Ses textes suggèrent le pouvoir de germination d'une figure-en-gestation, toujours incomplète, toujours ouverte sur un devenir. Il fait allusion par exemple à « ces phénomènes de germination et d'éclosion » chez Masson :

> *La peinture d'André Masson n'a cessé de procéder de ces phénomènes de germination et d'éclosion saisis à l'instant où la feuille et l'aile, qui commencent à peine à se déplier, se parent du plus troublant, du plus éphémère, du plus magique des lustres [...] l'instant où l'être prend connaissance.* (SP154)

Plusieurs titres de tableaux et de dessins (semi-) automatiques des années 1920 – *Naissance du monde* de Miró, *La Naissance des oiseaux* de Masson – évoquent l'espace pictural comme lieu de germination des formes. C'est donc bien un intérêt pour l'art en tant qu'acte créateur, plutôt que représentation, qui s'exprime ici, intérêt que l'on retrouve dans les revues de l'art avant-garde, et notamment dans *Cahiers d'art*. Ce procédé était souvent lié à l'époque à celui des dessins préhistoriques (voir chapitre II). Dans l'*Art primitif*, G.H. Luquet rapprochera les dessins d'enfants de prétendus « griffonnages » et images fortuites des peintres rupestres[47]. L'enfant fait des gribouillis sur le papier sans intention figurative, tout comme l'homme des cavernes travaille les formes accidentées des murs de la caverne. Il y voit des ressemblances, qu'il travaille ensuite et développe en signes. On retrouve chez Luquet les

47. G.H. Luquet, *L'Art primitif*, Gaston Doin, « Bibliothèque d'Anthropologie », 1930.

mêmes étapes du récit de la production picturale – une première étape toute spontanée, une deuxième plus réfléchie – que dans les textes des surréalistes cités précédemment[48].

Cependant, le parcours que Breton prête à un Masson ou à un Paalen est emblématique de sa propre démarche de poète mis en présence d'un tableau. Car le poète, lui aussi, fait naître des figures à partir de la matière première que constitue la peinture. Son texte est à la fois une explication, toute métaphorique, des procédés du peintre et un déplacement de ces procédés dans le langage.

L'œil qui voit au-delà de la surface du tableau, le regard décentré qui fuit la surface de la peinture, le discours qui fait du tableau un élément d'une autre histoire, d'une vision autre, produisent un texte parallèle au tableau dans la mesure où celui-ci mime la structure du tableau lui-même. Ainsi, les écrits de Breton sur la peinture constituent une véritable mise en abyme de certaines pratiques picturales, et notamment du collage et de l'automatisme. Cette écriture est souvent un collage d'éléments hétéroclites, un calque en quelque sorte de la technique de bouleversement des rapports entre les images, telle que Max Ernst en particulier l'a expérimentée dans ses collages. L'analyse de « La vie légendaire de Max Ernst » l'a d'ailleurs montré. Tout comme l'artiste, dans un double mouvement de démantèlement et de rassemblement, Breton découpe des éléments dans les toiles et collages d'Ernst et leur crée de nouveaux liens en en faisant un récit biographique. Puisant ici une forêt, là un poteau totémique, il les fait entrer dans de nouveaux rapports, continuant ainsi la pratique du peintre qui jouait avec « les morceaux du labyrinthe » dans « le jeu de patience de la création » (SP25). Breton bat les cartes de nouveau, créant une nouvelle configuration à partir des syntagmes iconographiques[49]. Son texte apparaît d'abord comme une tentative de recollage, de colmatage de la différence, faisant de la coupure une coulée qui rassemble les éléments disparates, empêchant le travail des ciseaux d'apparaître. Cependant, dans un deuxième temps, une nouvelle rupture se dessine à l'intérieur même de cette coulée.

48. Ce récit du passage de la tâche au signe se retrouve dans le texte de Bataille sur la production picturale de Miró (voir chapitre II) et surtout dans les textes à propos de l'abstraction lyrique des années 1950 (voir chapitre VI).
49. Tout comme Breton, Max Ernst crée des collages verbaux à partir de ses collages graphiques, et notamment en alignant les titres de ses oeuvres pour créer un texte saccadé, suite d'hallucinations verbales. Voir *Écritures*, p. 246.

La deuxième pratique, l'automatisme du peintre, a également son répondant dans le discours du poète. Tel le test de Rorschach auquel il a été fait allusion plus haut, le tableau – appelé à « faire *vannes* » – libère une coulée automatique. Le tableau peut être considéré comme une image initiale que continue ou file le texte de Breton, le visuel engendrant le verbal qui engendre à son tour d'autres images verbales, comme l'a montré l'analyse d'« Aparté », ou comme on le constatera dans l'analyse des textes de *Constellations* au chapitre II.

Que la peinture soit prétexte à l'élaboration d'une théorie surréaliste totalisante, ou pré-texte à une écriture poétique qui est transposition, prolongement ou, à l'occasion, occultation de la peinture, force est de constater que Breton passe souvent à côté, sinon de l'autre côté, du tableau. Dans ses envolées lyriques ou ses annexions stratégiques, l'œil de Breton remplit l'espace entre les objets (syntagme), derrière les objets (paradigme) ou tout simplement à côté, visant un au-delà du tableau. De telles pratiques discursives, moins métaphores qu'associations libres, dérives à partir du tableau plutôt que description des éléments iconographiques, donc plus homologiques qu'analogiques, ne sont pas exclusives à Breton. On les retrouvera dans les textes sur Miró qui font l'objet du prochain chapitre.

« JUMELLES POUR YEUX BANDÉS »

Dans les pages qui précèdent, l'analyse des essais sur l'art d'André Breton a démontré que les « deux systèmes de *figuration* », loin de relever de philosophies irréconciliables ou de séries parallèles, se rejoignent au niveau même de la réécriture poétique. En effet, la figuration dont il s'agit porte moins sur les caractéristiques de l'œuvre plastique elle-même que sur le désir d'écriture éveillé par la rencontre avec l'œuvre. Et c'est cette rencontre qui permettra de résoudre la polarisation apparente établie par Breton entre art figuratif et non-figuratif.

En premier lieu Breton privilégie les tableaux qui nient la clôture des formes, que ce soit les tableaux oniriques, les collages ou les tableaux de l'abstraction lyrique. Les composantes du tableau sont en perpétuel devenir, qu'elles soient abstraites (une impulsion graphique chez Masson, le trait du pinceau chez Miró) ou qu'elles donnent à voir une représentation (l'espace théâtral ambigu de Chirico, les configurations insolites d'images chez Ernst). L'ouverture du tableau chez le poète – son ambivalence, son mystère – provoquent une résonance émotionnelle qui se prolongera en écriture. L'espace pictural ouvre sur des sens différés, toujours à-venir, potentiels.

Contrairement au réalisme qui serait pour Breton un art essentiellement rétinien, où l'agencement des objets représentés est déjà composition figée, immobilisme des rapports donnés, où tout a déjà été dit, où il n'y a aucune fissure entre pomme et poire dans un compotier, aucune profondeur à creuser, aucun rapport à imaginer ; contrairement aussi à l'abstraction géométrique, manifestation limite d'un art rationaliste, impliquant « une profonde démission du désir humain » (OCIII755) ; contrairement à ces formes d'expression fermées, ce que dit et élabore l'écriture de Breton, c'est la rencontre inattendue et inédite entre formes ou objets de la toile. Même lorsque le peintre reproduit avec précision les « apparences actuelles », comme c'est le cas pour Magritte, l'originalité du peintre viendrait d'une modification de leurs rapports :

> Il s'agit [...] de nous éveiller à leur vie latente par l'appel à la fluctuation des rapports qu'ils [les objets etc.] entretiennent entre eux. Distendre, au besoin jusqu'à les violer, ces rapports de grandeur, de position, d'éclairage, d'alternances, de substance, de mutuelle tolérance, de devenir [...] (SP270)

Devant ces objets qui se heurtent, ces formes en gestation, Breton répond aux espaces laissés ouverts sur la toile (il fait allusion dans ce contexte aux « corps ouverts » du peintre Arshile Gorky), l'imagination du poète colonise l'espace interstitiel du tableau. Lorsqu'il ne raille pas Cézanne pour son « esprit de fruitier », Breton voit en lui un des premiers artistes à pratiquer des fêlures dans la peinture-miroir dans sa « volonté [...] de laisser la pomme non fermée » (SP52). Breton est sensible au peintre qui crée un assemblage jamais vu, jamais encore nommé, dans un décalage déclencheur de désir, ou bien aux œuvres à-finir, suspendues entre des récits presque gommés et pas encore articulés. Le tableau invite le poète à creuser, combler les fissures de la toile par les mots. C'est à cela que fait allusion Robert Lebel quand il parle du « sentiment d'incomplétude » qui saisissait Breton devant les toiles mêmes qu'il admirait le plus[50]. Tout comme le *non finito* de Michel-Ange,

---

50. Robert Lebel, « André Breton initiateur de la peinture surréaliste », *L'Œil*, n° 143, novembre 1966.

signal du sublime, ce qui se trouve au-delà de la portée de la main qui peint[51], les rapports ambivalents entre les objets du tableau ou les taches et les traits éveillent chez Breton le besoin de prolonger le tableau. Il va ainsi au-delà à la fois de l'espace matériel et de l'espace représentationnel du tableau. Aux qualités formelles il préfère la profondeur des procédés figuratifs, et aux rapports spatiaux fixes il préfère la temporalité d'un récit, même (surtout) si celui-ci ne dit que l'attente. Les jumelles du poète voient donc au-delà de la peinture, devenue un champ ouvert aux prolongements poétiques. « Oui, des taches », exhorte José Pierre, « mais des taches qui *font rêver*[52] ». C'est ce que dit aussi Breton lorsqu'il parle de Matta, chez qui les « éléments de la toile constituent un langage déchiffrable, certes, s'il est entendu à l'unisson de quelque émotion » (SP186), ou encore de Gorky, chez qui l'émotion se manifeste dans les « formes hybrides », créées par la rencontre entre une subjectivité et un spectacle naturel, qui donnent lieu à des sensations, « tremplins vers l'approfondissement, tant en conscience qu'en jouissance, de certains états d'âme » (SP200).

« Il y a aussi une fête pour l'inachevé, un inachevé qui serait définitif », écrit Péret dans la préface collective sur Riopelle analysée dans ce chapitre (SP219). La forme de l'œuvre d'art est conçue « comme un champ de possibilités ouvertes » où plus l'espace pictural est ouvert (incomplet), plus l'engagement imaginatif du spectateur est actif, engagement qui produit une chaîne d'associations ou un récit fantastique généré par l'indétermination des formes ou les configurations énigmatiques des images[53]. Ces médiations ténues sont soulignées par Breton dans l'image récurrente du pont: « sur un air de pont démoli où s'engage le tramway du rêve » (OCI519).

Finalement, Breton répond au tableau comme lieu du désir, ce « précipité de notre désir » (SP283), que ce soit dans la mise en scène explicite du désir dans les toiles oniriques, dans la rencontre érotique entre les images du collage, ou dans la trace du désir de l'automatisme gestuel[54]. Dans cette optique le désir est inscrit moins comme simple

51. Semir Zeki, *Inner Vision. An Exploration of Art and the Brain*, Oxford University Press, 1999, p. 31.
52. « Les Prunelles sont mûres ».
53. Eco, *L'Œuvre ouverte*, p. 138.
54. Pour Pascaline Mourier-Casile l'image plastique surréaliste dans son instabilité même est l'espace privilégié de la projection du désir. « Pour une érotique de l'image. Le surréaliste et la peinture », *in* René Démoris, *Les Fins de la peinture*, Éditions Desjonquères, 1990, pp. 245-56.

marque de l'absence que comme promesse d'une réalisation. La tache de couleur, le trait, la trace graphique de la main — tout comme la juxtaposition d'images oniriques soigneusement délimitées ou les composantes du collage, mises en scène des ouvertures que peut habiter le désir — invitent le délire du langage, un foisonnement de signifiants verbaux ou des récits fantastiques, une amplification poétique[55], en somme, « une fête pour l'inachevé », qui serait elle-même ouverte à son tour. Le refus chez Breton de fermer ses textes sur l'art est manifeste dans les envolées lyriques à la fin de nombreux essais, qui ont pour effet d'indéterminer le commentaire, de l'ouvrir sur l'idée hégélienne du devenir de l'œuvre :

> *Lam, l'étoile de la liane au front et tout ce qu'il touche brûlant de lucioles.* (SP171)

---

55. Pour Riffaterre, l'amplification est « une preuve rhétorique de la valeur » (de l'effet) du tableau : « Le texte démontre son impact sur l'imagination et sa fécondité en se développant. » « Ekphrasis lyrique », p. 144.

II. ÉCRIRE MIRÓ : « DES CONTES ENCORE PRESQUE BLEUS »

Il y a des contes à écrire pour les grandes personnes,
des contes encore presque bleus.

André Breton

MIROIR – MIRÓ

« On dit tout sur Miró, on a tout dit, on n'a rien dit, on ne dit rien, on a oublié l'essentiel, on a tout oublié », ironise le surréaliste Georges Hugnet[1]. Les tableaux de Miró ont été lus comme documents ethnographiques ou poétiques ; ils ont donné lieu à des analogies avec la musique ou la danse, la méditation bouddhiste ou les dessins animés ; ils ont suscité textes automatiques, jeux de mots, calligrammes, chansonnettes ou récits érotiques ; ils ont été vus à travers les images de Rimbaud, Fourier et Lautréamont, Lewis Carroll ou Edward Lear[2].

Pourquoi a-t-on tant écrit sur Miró[3] ? La diversité, voire les excès rhétoriques des écrits surréalistes et autres répondent à l'ambivalence des formes picturales du peintre – une trace rapide du pinceau, un trait brisé, une forme esquissée – en tant que signes fluctuants, balbutiants, en devenir, signes libérés de la fixité d'une signification unique, qualités du tableau surréalistes privilégiées par les surréalistes et notamment par Breton (voir le chapitre I). Ainsi, dans son poème « Naissances de Miró » (qui fait écho au tableau *Naissance du monde* 1925), Paul Éluard fait allusion à la fascination qu'exerce sur lui la peinture de Miró, et à la réponse du poète :

1. Georges Hugnet, « Joan Miró ou l'enfance de l'art », *Cahiers d'art*, vol 6, n° 7-8, 1931 ; *Pleins et déliés. Souvenirs et témoignages 1926-1972*, La Chapelle sur Loire, Guy Authier, 1972, p. 58.
2. Voir par exemple les textes rassemblés dans *Joan Miró*, numéro spécial de *Cahiers d'art*, vol 9, n° 1-4, 1934.
3. « L'entrée tumultueuse, en 1924, de Miró marque une étape importante dans le développement de l'art surréaliste », déclare Breton, qui loue « la totale spontanéité de l'expression » du peintre (SP70). Il est intégré au groupe surréaliste, mais, nous dit Jacques Dupin, « il fait plutôt figure de compagnon de route que de participant actif ». *Miró*, p. 116.

> *Des mots s'attachent à moi, que je voudrais dehors, au cœur de ce monde innocent qui me parle, qui me voit, qui m'écoute et dont Miró reflète, depuis toujours, les plus transparentes métamorphoses[4].*

Les rapports entre Éluard et la peinture de Miró sont marqués par l'intersubjectivité : le monde, et plus particulièrement le tableau, *parle*, il *voit* et *écoute*, invitant le poète à répondre à cet appel, établissant ainsi entre peintre et poète un rapport explicitement dialogique. C'est bien ce que Hugnet suggère dans son essai :

> *Moins poétique qu'inspiré, qu'illuminé, Miró est un peintre pour les poètes. Son œuvre est un « Sésame, ouvre-toi » d'un merveilleux qui ne peut qu'être leur séjour élu. L'élan que donne à la poésie ce qu'il suscite, satisfait par la place qu'il laisse à la poésie de ceux qui ont reçu le choc, l'éblouissement, et illumine la voie qu'il a taillée dans le mur.*

Breton, moins dialogique, déclare pour sa part qu'il faut « s'instruire de ce que Miró *dit* » (SP41) [5]. Le tableau est ainsi considéré comme un tremplin donnant son impulsion au poète qui répond aux formes picturales de Miró par un texte poétique. Georges Raillard fait allusion à l'« inquiétante et ‹fascinante› capacité d'accueil » des tableaux pouvant suggérer plusieurs interprétations. Il l'explique par la présence de signes picturaux ou *ludèmes* qui ne peuvent se réduire à des figures langagières, ainsi que par la configuration de ces signes en des ensembles dont le sens demeure ambivalent[6].

Dans ces textes, les références explicites aux tableaux en tant que représentations sont moins fréquentes que les allusions indirectes aux procédés picturaux par une démarche qui mime le geste artistique. Nés

4. Paul Éluard, « Naissances de Miró », *Cahiers d'art*, vol. 12, n° 1-3, 1937, p. 80 ; *Œuvres complètes* I, p. 846.

5. « Avec Breton, j'avais toujours une certaine méfiance. Il était trop dogmatique, trop fermé. Il ne me donnait pas la chance de m'épanouir librement. Je crois qu'il voyait des idées derrière la peinture. Je ne suis pas sûr qu'il ait été toujours prêt à accueillir la surprise. Il attendait plutôt la preuve de ce qu'il avait écrit, ça oui, pour aider ce qu'il avait fait en théoricien. Moi, ça m'échappe complètement, une théorie ». Plus loin il déclare : « Dans le surréalisme, il y a des choses qui m'ont laissé indifférent, le côté trop littéraire ». Joan Miró et Georges Raillard, *Ceci est la couleur de mes rêves*, Seuil, 1977, pp. 65 et 165. Les références à cet ouvrage seront indiquées dans le texte par l'abréviation CCR suivie de la page.

6. Georges Raillard, « Breton en regard de Miró : *Constellations* », *Littérature*, n° 17, février 1975, p. 3. Voir aussi Raillard, « Comment Breton s'approprie les *Constellations* de Miró », *Cahiers de Varsovie*, n° 5, 1978, p. 174.

dans la foulée de l'objet pictural, ils épousent le geste créateur plutôt que de déchiffrer le produit pictural. Par conséquent, loin d'avoir une fonction descriptive, analytique ou analogique, le texte, prolongeant le tableau en tant qu'événement pictural, se fait souvent lui-même événement. Le désir de prolonger les œuvres de Miró en les mimant va parfois jusqu'à s'exprimer par la gestuelle plutôt que par le verbe. Devant les tableaux de Miró, le chorégraphe Léonide Massine, pour qui « [l]'art de Joan Miró est très près de la chorégraphie », est poussé par un désir de mouvement : « En voyant la coordination des couleurs et des formes de ses tableaux, tout involontairement, on éprouve une joie et un besoin de danser[7] ». De même Ragnar Hoppe, conservateur du musée de Stockholm, est sensible à l'éclatement des œuvres :

> *Un tableau de Joan MIRÓ éclate comme un obus sur le mur d'un musée. Il fait du bruit, effraie le bon bourgeois qui s'enfuit, ahuri, mais qui revient, attiré et charmé malgré lui par quelque chose d'inquiétant et de nouveau[8].*

Ramenant également l'œuvre de Miró dans l'orbite de ses propres activités, le compositeur Georges Antheil l'imagine comme un nouveau type de musique :

> *J'aime la musique de Miró [...] ses longues lignes incroyablement rondes, se courbant, évoquent l'opéra, les longues respirations de ténors [...] C'est une musique caoutchouc, rêvant sans honte, respirant délicatement, inspirant et expirant comme un être endormi, ou comme les soleils se refroidissant, partant dans l'espace sur des trajectoires en ellipses ou en spirales[9].*

Et dans une autre transposition musicale de la peinture, le poète Benjamin Péret se sent poussé à chanter une chanson ancienne :

7. *Cahiers d'art*, vol 9, n° 1-4, 1934, p. 50. En 1932, Miró a conçu costumes et décors pour le ballet *Jeux d'enfants* de Bizet, chorégraphié par Massine.
8. *Cahiers d'art*, vol 9, n° 1-4, 1934, p. 34.
9. « I love Miró's music [...] His long, incredibly [sic] round, bending lines suggest opera, the long inflations of tenors [...] We have a rubber music, dreaming unashamedly, delicately breathing, inflating and deflating, like a being sleeping, or the suns cooling, but going off into space in elliptical or spiral paths » (*Cahiers d'art*, vol 9, n° 1-4, 1934, p. 36). Miró lui-même établissait des analogies entre ses propres procédés picturaux et la musique contemporaine, comme en témoigne l'observation suivante sur la musique de Stockhausen : « Oui. J'ai été très emballé aussi par Stockhausen. Quand il a séjourné à Saint-Paul-de-Vence, on se voyait beaucoup. On a beaucoup parlé ensemble. [...] Des rapports très nets, entre ce qu'il fait et ce que je fais. Par exemple, ce pam ! pam ! pam ! (il ponctue chaque pam ! d'un coup de poing sur la table). Je ne peux pas vous l'expliquer mieux que ça... » (CCR99).

> *Maintenant, qui m'empêche de faire chanter le médiéval Compère*
> *Mathieu :*
> *« Compère, qu'as-tu vu ?*
> *Commère, j'ai bien vu :*
> *J'ai vu une anguill'*
> *Qui coiffait sa fill'»…*
> *au Chasseur de Miró, dont le faucon sera bientôt plein de sardines. Peut-*
> *être même déjà en conserve*[10] *!*

Pour Péret les œuvres de Miró ont suscité une séquence absurde qui répond moins à leur capacité à représenter qu'à leur ambiance ludique. De même, au-delà du surréalisme, les œuvres de Miró ont inspiré des calligrammes (la préface de Josep Maria Junoy pour la première exposition personnelle de Miró en 1918 à la galerie Dalmau[11] à Barcelone), des pièces de jazz (Dave Brubeck Quartet, *Time Further Out. Miró Reflections* 1961, Tommy Smith, *Azure* 1995), ou des photographies (Joel-Peter Witkin, *La Brassière de Joan Miró* 1982). Dans ces œuvres créées dans le prolongement de Miró, le tableau se fait moins miroir que tremplin pour la subjectivité de l'artiste.

Le présent chapitre explore quelques-unes des réponses verbales aux œuvres de Miró. Se basant sur les nombreux textes écrits dans les années 1920-1930 par les surréalistes et leurs proches – notamment par Breton, Bataille, Hugnet, Leiris, Péret, et Miró lui-même – à partir des tableaux de Miró, voire en partant de ceux-ci, l'analyse portera d'abord sur l'impulsion génératrice de ces œuvres, exprimée par une poétique de l'effet, où le tableau fonctionne comme tremplin pour l'imagination poétique. On analysera ce processus générateur grâce auquel les images verbales naissent d'associations libres à partir de signes figuratifs ouverts aux multiples significations potentielles. Parmi les associations évoquées on retiendra pour les analyser les références fréquentes aux dessins d'enfants et aux contes de fées, à la fois dans le contexte spécifique du merveilleux surréaliste, et dans le contexte plus général des écrits sur l'art des années 1920. Ici le paradigme de « l'enfance » s'allie à celui du « primitif » dans l'élaboration d'une esthétique de l'avant-garde basée sur la spontanéité et la libération vis-à-vis des contraintes de l'art académique. On montrera comment les *topoi* du conte de fées se com-

---

10. Benjamin Péret, « Petit Panorama de la peinture moderne », *Diário de São Paolo*, 27 mars 1929 ; *Œuvres complètes* VI, p. 300.
11. Voir Dupin, *Miró*, p. 48.

binent avec ceux du récit érotique, notamment chez Breton, Desnos, ou Péret, réalisant le projet cher à Breton de « contes à écrire pour les grandes personnes, des contes encore presque bleus » (OCI321). La dernière partie du chapitre portera sur une lecture autre de Miró, faite par le groupe de Georges Bataille et de la revue *Documents*: la douce ambiance de charmants magiciens et de bestiaires ludiques y est ébranlée par une interprétation plus radicale de l'oeuvre du peintre basée sur une conception de la peinture comme acte agressif.

« Il y a un miroir dans le nom de Miró », nous dit Jacques Prévert[12]. Raymond Queneau, attirant Miró dans l'orbite de ses propres préoccupations linguistiques, compare les signes picturaux du peintre aux hiéroglyphes chinois[13]. Il interprète les tableaux comme une forme d'écriture: « la peinture de Miró est une écriture qu'il faut savoir déchiffrer, tout comme le chinois ». À titre d'exemple, le signe désignant « femme » y est vu comme identique au caractère chinois « ou » qui signifie femme, tandis que les signes désignant des oiseaux sont comparés au chinois « nioa », ou aux signes pour « papillon ». Il cite de mémoire une analyse qu'aurait faite Breton – ou peut-être Miró lui-même devant Breton – du tableau *Paysage catalan* (*le chasseur*) (1923-24) [reproduit *in* Dupin, fig. 93], illustrant son texte par les signes schématiques tirés du tableau (indiqués par [ ] dans la citation qui suit):

> *Il y a un personnage central, [] un chasseur puisqu'il tient un couteau [] et un fusil [] d'une main, le grain de plomb [] qui a tué le lapin (?) tenu dans l'autre main se trouve à côté du fusil. Il fume la pipe et porte un bonnet catalan. Au premier plan, un animal qui est probablement un chien [], bien que l'absence de pattes figurées pourrait faire penser à une sardine (association d'idées suggérée par les quatre lettres Sard calligraphiées en bas à droite, et qui sont les premières du mot Sardan, danse catalane). Un arbre figuré par sa coupe circulaire et une feuille adjointe [] occupe une place prééminente dans le quart supérieur de la toile; il a pour voisin un bateau sur la mer, figuré par un cône et un drapeau catalan adjoint [] et se lie plastiquement à deux autres objets circulaires, mais représentés de façon à faire plutôt oublier cette qualité en eux: le soleil, cœur avec tentacules [] et l'œil du peintre sur la ligne d'horizon []. Cette inter-*

12. Jacques Prévert, « Miroir Miró », *Joan Miró*, Maeght 1956, p. 58; *Œuvres complètes II*, Gallimard, Bibliothèque de la Pléiade, 1996, p. 524.
13. Queneau, « Joan Miró ou le poète préhistorique » (1949), *Bâtons, chiffres et lettres*, pp. 307-16.

vention du peintre se manifeste aussi dans le coin gauche en bas par la pré-
sence d'une équerre qui « rime » avec la queue du chien-sardine et qui pour-
rait bien être la palette du peintre. Le petit objet au-dessus est soit de la
couleur coulée d'un tube, soit une crotte (ceci interprétation de Breton) [].
Reste une dizaine d'autres objets, dont l'un, en haut à droite, est, si je me
souviens bien, un avion. Tout ceci représente ce que Michel Leiris appelait
de « petites équations ». [14]

Affirmant avec confiance qu'« [o]n pourrait établir un dictionnaire miroglyphique (et mihiéroglyphique) », Queneau conclut qu'un tableau de Miró est susceptible d'être lu comme un poème : « Un poème doit être lu dans sa langue originale ; il faut apprendre le miró, et lorsqu'on sait (ou que l'on croit savoir) le miró, alors on peut se mettre à la lecture de ses poèmes ». Miró lui-même souligne à l'occasion le caractère sémiologique de ses formes picturales : « Pour moi une forme n'est jamais quelque chose d'abstrait ; elle est toujours le signe de quelque chose. Pour moi, la peinture, ça n'est jamais la forme pour la forme[15] ». Queneau admet qu'il s'agit d'une « exégèse un peu facile ». En effet sa lecture quelque peu ingénue peut être considérée comme réductrice, car les signes y sont récupérés comme rébus pictural. L'expression picturale, ainsi réduite à un sens littéral, perd toute spécificité matérielle et tout mystère. C'est ce type de lecture de Miró que critique Raillard : « Sans doute une ‹lecture sémiotique› peut-elle être tentée, elle l'a été, mais il n'est pas sûr qu'elle favorise l'entrée dans ce rapport louche qu'est celui du poète au peintre, des mots aux couleurs[16] ».

Dans un texte de 1929 (qui est cité par Queneau), Michel Leiris avait en effet fait référence aux « petites équations » constituées par les signes picturaux chez Miró :

S'il fut un temps où la peinture de Miró posait et résolvait sans coup férir
toutes sortes de petites équations (soleil = pomme de terre, – limace = petit
oiseau, – monsieur = moustache, – araignée = sexe, – homme = plante
des pieds), il apparaît qu'aujourd'hui il en est autrement et que ce peintre

14. Voir le commentaire de Margit Rowell sur les textes poétiques de Miró : « Dans ses poèmes, les images sont visuelles, frontales et abruptes ; elles rappellent sa peinture sans nuance, sans modulation et sans transitions ». Joan Miró, *Écrits et entretiens*, présentés par Margit Rowell, Daniel Lelong, 1995, p. 25. Les références à cet ouvrage seront indiquées dans le texte par l'abréviation EE suivie de la page.
15. James Johnson Sweeney, « Joan Miró : Comment and Interview », *Partisan Review*, vol 5, n° 2, février 1948, p. 208 (EE228).
16. « Breton en regard de Miró », p. 4.

ne se satisfait plus des solutions trop simples[17].

Par opposition aux équations fixes des tableaux du début des années 1920, nous dit Leiris, les œuvres récentes, ayant « rompu avec cette sorcellerie », ne peuvent se réduire à la simple analogie. Si analogie il y a, dira pour sa part Hugnet, répondant au propos de Leiris, celle-ci est ouverte et flexible, puisque Miró « ne pose son équation qu'avec des inconnus ». Et dans le même esprit, dans un ensemble de poèmes sur le peintre, *Marrons sculptés pour Miró* (1961), Leiris proposera une série d'équations ouvertes sous forme de comptine :

> *Joan Miró ou feu follet ?*
> *Bûcheron ou sylvain ?*
> *Racine fourchue ou mandragore ?*
> *Forêt d'automne ou arlequin ?*
> *Sang ou rubis ?*
> *— Dame ! c'est selon…* [18]

Les questions restent sans réponse, leur énumération suggérant des associations ouvertes, significations possibles plutôt qu'analogies précises. La série s'épuise sur l'indécision des trois points, comme si toute réponse se révélait en fin de compte superflue. Moins signes que signaux, les tableaux de Miró ont fourni à Leiris une impulsion première suscitant un texte qui répond davantage aux procédés de Miró qu'à ses représentations.

De telles séries ouvertes sont souvent basées sur l'association libre, principe déterminant de l'automatisme. Le point de départ de Miró est souvent aléatoire, une tache de peinture ou un accident de la texture de la toile :

> *[I]l me faut un point de départ, ne serait-ce qu'un grain de poussière ou un éclat de lumière. Cette forme procrée une série de choses, une chose faisant naître une autre chose.*
> *Ainsi un bout de fil peut-il me déclencher un monde*[19].

Il procède par association et combinaison, un objet, une forme picturale faisant naître une autre forme. Le texte surréaliste se construit d'une manière semblable : mis en train par un stimulus pictural, il s'élabore selon un procédé d'associations verbales. Miró lui-même prend

17. Michel Leiris, « Joan Miró », *Documents*, vol 1, n° 5, 1929, p. 264.
18. Leiris, *Marrons sculptés pour Miró*, *in Mots sans mémoire*, Gallimard, 1988, p. 152.
19. Miró, « Je travaille comme un jardinier », entretien avec Yvon Taillandier, XXᵉ *siècle*, n° 1, février 1959, p. 5 (EE273).

comme point de départ son tableau *Le Carnaval d'Arlequin* (1924-25) [Dupin, fig. 107-108] pour un de ses propres textes automatiques de 1939 :

> *L'écheveau de fil défait par les chats habillés en arlequin fumée s'entortillant et poignardant mes entrailles à l'époque de famine qui donna naissance aux hallucinations enregistrées sur ce tableau belles floraisons de poissons sur un champ de coquelicots notées sur la neige d'un papier frissonnant comme la gorge d'un oiseau au contact d'un sexe de femme en forme d'araignée aux pattes d'aluminium en rentrant chez moi le soir au 45 rue Blomet chiffre qui n'a rien à voir que je sache avec le 13 qui a toujours porté une énorme influence sur ma vie à l'éclairage d'une lampe à pétrole belles hanches de femme entre la mèche des boyaux et tige avec une flamme qui projetait de nouvelles images sur le mur peint à la chaux à cette époque j'avais arraché un clou du passage clouté que j'avais mis en forme de monocle à mon œil gentleman dont les oreilles fascinées à jeun par la grâce d'un vol de papillons arc en ciel musical yeux qui tombent comme une pluie de lyres échelle pour s'évader du dégoût de la vie balle qui cogne le plancher drame écœurant de la réalité musique d'une guitare étoiles filantes qui traversent l'espace bleu pour aller s'épingler sur le corps de ma brume qui plonge dans l'Océan phosphorescent en décrivant un cercle lumineux.*[20]

Description réaliste et fantastique s'entremêlent dans ce texte où les allusions aux motifs du *Carnaval d'Arlequin* (chats multicolores, sexe féminin-araignée, yeux, guitare, étoiles filantes…) ou d'autres tableaux (*La lampe à carbure* 1922-23, *Le gentleman* 1924), aux éléments imaginaires (« champ de coquelicots ») et autobiographiques – le tableau fut peint à une époque où Miró souffrait d'hallucinations provoquées par la faim (EE172) – convergent en un déferlement d'images dans une démarche poétique qui se déroule parallèlement à la démarche picturale[21].

« DES CONTES ENCORE PRESQUE BLEUS »

Des chats habillés en arlequins, un lézard au plumage d'or, un œil surgissant d'un arbre, un poisson à la queue de perroquet, la lune devenue femme, une pierre métamorphosée en lutin… Un certain nombre

---

20. Miró, « L'écheveau de fil… », *Verve*, n° 4, 1939, p. 85 (EE174).
21. « En n'expliquant rien, ses poèmes *illustrent* et vérifient la démarche peinte ». Dupin, *Miró*, p. 444. Pere Gimferrer fait allusion à « une sorte de monologue intérieur ». *Miró, Catalan universel*, Éditions Hier et Demain, 1978, p. 124.

de textes sur Miró, paraissant prolonger l'ambiance ludique des tableaux, font allusion aux événements magiques et aux signes mystérieux, aux monstres et aux métamorphoses, à la causalité aberrante ou à la logique insolite, au monde à l'envers ou au langage absurde caractéristiques des contes populaires, des contes de fées ou des comptines[22]. Ainsi Leiris, rapprochant la vision du peintre et celle de l'enfant, fait allusion à « cette attitude d'enfant émerveillé qui est celle de Miró[23] ». Péret pour sa part soutient avec fougue : « Un immense éclat de rire anime tous ses tableaux : la grande inconscience de l'enfance les traverse de part en part[24] ».

Pourquoi rencontrons-nous tant de références au monde de l'enfance, et plus particulièrement aux contes de fées dans les textes surréalistes sur Miró[25] ? Breton s'est souvent tourné vers le monde de l'enfance comme vers un âge d'innocence et de pureté où l'imagination est souveraine et où tout est possible, par opposition au monde de contraintes sociales et mentales de l'âge adulte. Il écrit dans le premier *Manifeste du surréalisme* :

> *C'est peut-être l'enfance qui approche le plus de la « vraie vie » ; l'enfance au-delà de laquelle l'homme ne dispose, en plus de son laissez-passer, que de quelques billets de faveur ; l'enfance où tout concourait cependant à la possession efficace, et sans aléas, de soi-même.* (OCI340)

Dans un texte de 1952 il prescrit un retour à l'enfance en tant qu'état d'esprit où le désir s'exprime sans entraves, et cite Miró ainsi que Klee parmi les artistes modernes qui « ont tout fait pour renouer avec le monde de l'enfance » (OCIII942). Selon Breton, une bonne œuvre d'art doit être capable de recréer une enfance mythique : « Une œuvre d'art digne de ce nom est celle qui nous fait retrouver la fraîcheur d'émotion de l'enfance » (OCIII667). Pour les surréalistes, l'esprit enfan-

---

22. Voir le poème « L'été », de Miró (1937) : « Une femme brûlée par les/flammes du soleil attrape un papillon qui s'/envole poussé par le souffle d'une fourmi se/reposant à l'ombre de l'arc-en-ciel/du ventre de la femme devant la mer/les aiguilles de ses seins tournées vers/les vagues qui envoient un sourire blanc/rose au/Croissant/de la lune » (EE155).

23. « Joan Miró », p. 266.

24. « Petit Panorama de la peinture moderne », p. 301.

25. Sur le conte de fées et le merveilleux surréaliste, voir Henri Béhar, « Le Merveilleux dans le discours surréaliste, essai de terminologie », *Merveilleux et surréalisme, Mélusine*, n° 20, 2000, pp. 15-29.

tin chez Miró est lié à l'innocence apparemment ludique de ses personnages et à la spontanéité supposée de ses gestes picturaux – une spontanéité mythique que Miró lui-même contribua à accréditer[26] – caractéristiques que l'on retrouve par exemple dans les scènes oniriques de métamorphoses et de bestiaires fantastiques de tableaux comme *Terre labourée* (1923-24) [Dupin, fig. 92] et *Le Carnaval d'Arlequin* (1924-1925), ainsi que dans la facture apparemment spontanée des tableaux à demi-figuratifs de 1925-27.

Les personnages et les incidents ressortissant aux contes de fées dans les textes sur Miró semblent prolonger l'ambiance ludique et magique des tableaux. Le conte de fées est un des stéréotypes narratifs de l'écriture automatique, tout comme le conte fantastique ou le roman noir. Les surréalistes cherchent dans leurs textes automatiques à recréer l'esprit d'enfance, prospectant des souvenirs à demi enfouis dans l'inconscient, qui refont surface de manière fragmentaire lorsque les facultés rationnelles sont suspendues, ou lorsque l'imagination est stimulée par des images visuelles précises[27]. Desnos fait allusion à ce procédé lorsque, se remémorant en 1934 une visite à l'atelier de Miró à Paris où il voit son tableau *La Ferme* (1923-24) pour la première fois, il remarque une table couverte de jouets baléariques, lutins aux couleurs vives et étranges créatures en plastique :

> *Ces petites créatures semblaient sorties de* La Ferme. *Elles donnaient à l'atelier un air de fête et de féerie et je cherchais en vain à creuser un souvenir dont je ne retrouvais que le fantôme, la saveur, pour ainsi dire… un conte enfantin où des champignons animés tenaient les rôles principaux* [28].

Jouets et tableaux déclenchent un processus mnémonique grâce auquel Desnos se rappelle de vagues souvenirs fantomatiques, fragments isolés d'un conte pour enfants.

---

26. « Maintenant, j'entre dans l'atelier et je suis attiré comme par magnétisme… Un tube de couleur est par terre et il m'attire, il faut que je l'ouvre, que je commence n'importe quoi. Ça vient tout seul » (CCR118).

27. Un beau texte d'Yves Bonnefoy analyse le rôle central du conte dans les textes de Breton. *Breton à l'avant de soi*, Tours, Éditions Léo Sheer, 2000.

28. Desnos, « Joan Miró », *Cahiers d'art*, vol 9, n° 1-4, 1934, p. 26 ; *Oeuvres*, Gallimard, Coll. « Quarto », 1999, p. 310. Voir aussi la remarque de Desnos : « Tout cela est simple comme tant de choses sont simples, pour l'imagination vierge et fertile des enfants. Aussi les petites ressources de l'art sont-elles méprisées par Miró » (EP114).

Dans son *Manifeste du surréalisme* de 1924, Breton, critiquant le genre réaliste, de Dostoïevski à *Peau d'âne*, imagine un nouveau type de récit, où les traditionnels contes pour enfants seraient remplacés par un type de récit plus radical :

> *Si charmants soient-ils, l'homme croirait déchoir à se nourrir de contes de fées, et j'accorde que ceux-ci ne sont pas tous de son âge. Le tissu des invraisemblances adorables demande à être un peu plus fin, à mesure qu'on avance [...] Il y a des contes à écrire pour les grandes personnes, des contes encore presque bleus.* (OCI321)

Dans ce texte, Breton récuse le puéril (régressif) en faveur de l'enfantin (libérateur). Il est vrai qu'en 1941 Breton nuancera son admiration pour Miró, affirmant : « Le seul revers à de telles dispositions, de la part de Miró, est un certain arrêt de la personnalité au stade enfantin, qui le garde mal de l'inégalité, de la profusion et du jeu et intellectuellement assigne des limites à l'étendue de son témoignage » (SP70). Pages « pas mal insolentes », selon Queneau[29]. Georges Raillard reprend aussi cette remarque pour la critiquer lorsqu'il dit à Miró :

> *Le plus surprenant me semble l'attaque dirigée contre « l'enfance » en vous, regardée comme une insuffisance. Curieusement, le mot est ici péjoratif chez Breton. Or, j'ai le sentiment que l'enfance n'est pas derrière vous mais que vous ne cessez d'aller vers elle.* (CCR78)

Les « contes encore presque bleus » prescrits par Breton sont des récits de subversion plutôt que d'acculturation, dont le modèle se trouverait moins chez Bettelheim que chez Bakhtine. Tandis que le premier, analysant la fonction didactique du conte de fées dans la socialisation de l'enfant en un être docile, soumet le genre à une réécriture freudienne basée sur l'intrigue œdipale de prohibition, violation et punition, Bakhtine exalte au contraire l'acte de violation libérateur[30]. En récusant le conte moral en faveur du ludique et de l'improductif, les surréalistes se rapprochent de l'analyse bakhtinienne de la culture populaire en tant que contre-culture, exprimée dans les récits grivois, les intrigues sexuelles, le réalisme grotesque et l'humour carnavalesque[31]. Ces contes,

---

29. « Joan Miró ou le poète préhistorique », p. 309.
30. Bruno Bettelheim, *The Uses of Enchantment. The Meaning and Importance of Fairy Tales*, Londres : Thames and Hudson, 1976.
31. Mikhaïl Bakhtine, *L'Œuvre de François Rabelais et la culture populaire au Moyen Âge et sous la Renaissance*, Gallimard 1970.

contestant les valeurs de la culture officielle, évoquent un monde de métamorphoses instable et ludique, dans des contre-mythes libérateurs qui défient et déstabilisent les mythes institutionnels. Les surréalistes se situent ainsi dans la filiation de Lewis Carroll, « leur premier maître d'école buissonnière », prenant le parti de l'enfant et par conséquent de la révolte contre la *doxa*. Car, remarquera Breton à propos de l'auteur d'*Alice au pays des merveilles*, « [i]l y va de la résistance foncière que l'enfant opposera toujours à ceux qui tendent à le modeler, par suite à le réduire, en limitant plus ou moins arbitrairement son magnifique champ d'expérience » (OCII963).

Les allusions à l'enfance, à ses images et ses récits, constituent un intertexte que l'on retrouve dans le discours sur l'art des années 1920. Dans de nombreux écrits la spontanéité, l'innocence et la pureté – que partageraient le primitif, le fou et l'enfant – étaient valorisées contre les règles du classicisme. Dès 1921, dans une critique de la première exposition de Miró à Paris à la galerie La Licorne, Maurice Raynal établit un lien entre le prétendu enfantin et le primitif :

> *Mais c'est [...] que la sensibilité de Miró est encore gouvernée par cette notion élémentaire de l'image qui est dans l'âme de toute jeunesse artistique, notion qui pousse l'enfant et le primitif à poser de ci de là, sur la toile ou sur le papier, les éléments de leurs premiers dessins sans songer à les fondre en un tout artistique.*[32]

Un autre critique de l'exposition imagine – d'une manière saugrenue qui reprend (ironiquement?) le langage raciste de l'époque – le peintre débarqué du fond d'une Afrique mythique :

> *C'est bien qu'il soit catalan, comme une sorte de nègre qui, venu du fond extrême de la Sénégambie et débarqué soudain à Paris, aurait la prétention de décrire les mœurs du Boulevard avant même d'avoir pris le temps de s'arrêter à Dakar.*[33]

L'amalgame entre l'enfant, le primitif et l'artiste moderne se trouve dans nombre de textes sur l'avant-garde des années 1920, nourris notamment par les études contemporaines sur la psychologie enfantine[34]. Dans *Le Dessin enfantin* (1927), G.H. Luquet analyse les rapports

---

32. Maurice Raynal, « Joan Miró », *Cahiers d'art*, vol 9, n° 1, 1934, p. 24.
33. *Le Journal du peuple*, mai-juin 1921 ; cité par Dupin, *Miró*, p. 86.
34. Voir l'excellente analyse de Christopher Green, qui situe l'œuvre de Miró dans le

entre la mentalité de l'enfant, du primitif et de l'artiste préhistorique :

> *il [le dessin enfantin] pourrait être rapproché de manifestations analogues de l'art préhistorique, de l'art sauvage et d'époques archaïques de l'art antique et moderne, et rentrerait avec elles dans un genre plus vaste, qu'on pourrait appeler le dessin primitif.*[35]

Luquet a subi l'influence de Freud, et notamment de *Totem et tabou* (1913, traduit en français en 1923) où celui-ci établit une analogie entre le développement des peuples supposés primitifs et les étapes du développement psycho-sexuel de l'individu[36]. En 1930, dans *L'Art primitif*, Luquet rapprochera les dessins d'enfants des prétendus « griffonnages » et images fortuites des peintures rupestres[37]. Jean Piaget est plus circonspect quant au rapprochement entre la mentalité de l'enfant et les recherches sur la « mentalité primitive » (il fait allusion aux travaux de Lévy-Bruhl). « Sans doute à chaque étape nous rencontrerons des analogies entre l'enfant et le primitif », affirme-t-il, mais il met en garde contre un amalgame trop rapide entre ethnologie et psychologie enfantine, soulignant que l'enfant doit être étudié pour lui-même[38].

C'est dans les revues d'avant-garde que l'esthétique réunissant enfant-primitif-artiste d'avant-garde connaîtra le plus grand développement, notamment dans *Cahiers d'art* (1926-), *Documents* (1929-1930) et *Minotaure* (1933-39). Christian Zervos, directeur de *Cahiers d'art*, soutient qu'une même impulsion créatrice est présente dans les dessins d'enfants, les peintures préhistoriques, les sculptures tribales, les récits mythiques, et les œuvres des artistes modernes[39]. Et parmi les surréalistes, Hugnet déclare que Miró « trace l'indice de l'enfant et de la préhistoire, la ligne numéro un, la seule ligne de son commencement, l'œuf » ; Maurice Henry évoque « les mille signes magiques de la préhistoire et

contexte intellectuel des années 1920. « The infant in the adult. Joan Miró and the infantile image », *in* Jonathan Fineberg, *Discovering Child Art. Essays on Childhood, Primitivism and Modernism*, Princeton University Press, 1998, pp. 210-34.

35. G.H. Luquet, *Le Dessin enfantin*, Librairie Félix Alcan, 1927, p. 225-6.

36. Sigmund Freud, *Totem et tabou* (1913), Petite Bibliothèque Payot, 1965.

37. Luquet, *L'Art primitif*, Gaston Doin, « Bibliothèque d'Anthropologie », 1930.

38. Jean Piaget, *La Représentation du monde chez l'enfant*, Félix Alcan, 1926, p. 68. Voir aussi *Le Langage et la pensée chez l'enfant*, Delachaux et Niestlé, 1923.

39. Christian Zervos, « Préface » à Hans Mühlestein, « Des Origines de l'art et de la culture », *Cahiers d'art*, vol 5, n° 11, 1930, pp. 57-8. Voir aussi Zervos, « Peintures d'enfants » (à propos de tableaux d'enfants mexicains), *Cahiers d'art,* vol 1, n° 7, septembre 1926, pp. 175-6.

de demain » dans les tableaux de Miró[40]; et Leiris rapproche l'artiste de l'enfance et des peuples sauvages lorsqu'il écrit en 1929 que le peintre a réussi à « retrouver une pareille enfance, à la fois si sérieuse et si bouffonne, brochée d'une mythologie si primitive[41] ». Dans la définition du merveilleux proposée par Michel Leiris, l'expérience artistique est considérée comme une quête des origines à la fois de l'individu et de l'humanité lorsqu'il fait référence à « la force primitive de l'esprit [...] qui ne peut trouver son origine que dans les profondeurs de l'inconscient ou dans la nuit des temps[42] ». Quant au peintre lui-même, également nourri par le mythe du primitivisme, il amalgame l'atelier du peintre, la grotte de l'homme préhistorique et l'espace de jeu de l'enfant dans sa remarque : « Je suis dans ma grotte, comme un enfant dans sa grotte » (CCR118).

Dans cette remontée vers les origines, l'artiste, libéré des contraintes académiques, semble faire un pied de nez à l'histoire de l'art, comme l'affirme Tzara : « Dans l'univers de Miró, lorsqu'on vise juste, il n'est pas interdit de couronner d'un salut irrévérencieux l'histoire de l'art, même en tirant la langue[43] ». Le mythe de l'artiste auto-généré, la fable de l'absence de pères artistiques ou l'énumération de pères imaginaires – dans le cas de Miró, Bosch et Breughel, Rimbaud ou Nerval – le situant dans une filiation tout imaginaire, sont des variantes du récit généalogique ou du « roman de famille » qui caractérise les contes de fées comme la réalisation de fantasmes d'origine.

Le « il était une fois » et la terre lointaine des contes de fées, signaux de la distance spatio-temporelle – également présente dans la métaphore exotique (voir chapitre III) ou le mythe cosmogonique (analysé au chapitre VI) – fonctionnent comme modèles littéraires pour dire

---

40. Maurice Henry, « Joan Miró », *Cahiers d'art*, vol 10, n° 5-6, 1935, p. 115.
41. Ce mythe se prolonge au-delà des années 1920. Voir par exemple René Char, qui évoque les tableaux de Miró en termes de peintures rupestres : « J'évoque Miró [...] peignant, gravant et s'affairant, à ras de la paroi rocheuse féerique ». « Dansez montagnes » (1961), *Œuvres complètes* I, Gallimard, Bibliothèque de la Pléiade, 1983, p. 691.
42. Leiris, « À Propos du musée des sorciers » *Documents* I, n° 2 (1929). Plus tard, discutant les liens entre ethnographie et colonialisme, Leiris critiquera les implications idéologiques paternalistes de l'usage du mot « primitif » dans les années 1920 et 30. « L'Ethnographe devant le colonialisme » (1951), *Brisées*, Gallimard, Coll. « Folio Essais », 1992, pp. 141-64.
43. Tristan Tzara, « À Propos de Joan Miró », *Cahiers d'art*, vol 15, n° 1-2, 1940, p. 38.

l'exploration des profondeurs de l'inconscient ou pour la récupération d'un passé mythique phylogénétique ou ontogénétique. Pour nombre des surréalistes, en effet, les tableaux de Miró évoquent un espace a-temporel, a-topique. D'où l'affirmation de Breton dans son introduction aux *Constellations*: « N'importe où hors de ce monde et, de plus, hors du temps, mais pour mieux retentir partout et toujours, jaillit alors cette voix » (SP263). D'où également la déclaration d'Éluard: « Premier matin, dernier matin, le monde commence »[44]. Ou encore, celle de Prévert qui cite Rimbaud:

> *Dans les toiles de Miró*
> *en pays de connaissance sans cesse inexploré*
> *« des animaux d'une élégance fabuleuse circulaient*[45] *».*

D'où aussi les nombreuses analogies qu'on retrouve entre les tableaux de Miró et un spectacle magique: Dali affirme que l'artiste « redonne au trait, au point, au plus léger étirement, au signifié figuratif, aux couleurs, leurs possibilités magiques élémentaires les plus pures »[46]; Hugnet compare ses œuvres à « cette féerie où rien ne déçoit »; et Tzara les considère comme « des vestiges d'une fête sans commencement ni fin »[47]. Miró lui-même, souvent considéré comme acteur ou créateur de contes de fées, emprunte volontiers le personnage du magicien, sorcier ou alchimiste, Prince Charmant ou Aladin. Il est même le protagoniste principal d'un conte fantastique imaginé par Desnos:

> *On a mis dans une cage l'oiseau des îles. Tout le jour des petites filles en habits surannés ont délaissé le jeu de grâce et la tapisserie pour admirer son plumage ravissant. L'une d'elles a ouvert la porte, l'oiseau s'est envolé. La campagne alors s'est couverte d'une multitude de bonnets phrygiens. Moisson merveilleuse mais que nulle saison ne fera mûrir, Joan Miró, si vous n'acceptez pas de revenir librement parmi les petites filles. L'une d'elles alors vous embrassera sur la bouche, vous redeviendrez le prince charmant que vous étiez jadis et sur lequel un sorcier jeta ce mauvais sort*[48].

Dans un texte de Georges Limbour, c'est le poète qui pénètre le monde

---

44. « Naissances de Miró », *Œuvres complètes* I, p. 946.
45. Prévert, « Romancero Miró », *Œuvres complètes* II, p. 522.
46. Dali, « Joan Miró », *L'Amic de les arts*, n° 26, 1928, p. 202; *Oui 1*, p. 78. Dali analyse la peinture de Miró dans une optique spécifiquement bretonienne. Pour une analyse des rapports entre Dali et Breton, se reporter au chapitre IV.
47. « À Propos de Joan Miró », p. 38.

magique de Miró par l'intermédiaire d'un personnage des *Mille et une nuits*:

> *Tu as bien versé dans tes pots de mille et une nuits catalans tes herbes, tes ingrédients et elixirs qui réjouissent, étonnent, enchantent et donnent du bonheur. Nous sommes tranquilles maintenant : nous saurons où nous cacher. Poursuivis nous n'aurons qu'à sauter comme le voleur de Baghdad dans un de tes vases*[49].

Cet univers magique est souvent caractérisé par des métamorphoses et des bestiaires monstrueux. Dans une lettre de 1923 à J.-F. Ràfols, Miró écrit (en faisant allusion aux tableaux *Paysage catalan* et *Terre labourée*) : « En plein travail et en plein enthousiasme. Animaux monstrueux et animaux angéliques. Arbres avec oreilles et yeux » (EE95). Le bestiaire imaginaire de Miró se retrouve dans ses propres écrits. Dans ses textes poétiques de 1937, par exemple, on rencontre des présences insolites telles « l'arbre flamboyant de la queue du paon », « une ronde de rossignols en verre transparent aux ailes de fusée qui dansent la sardane », « un merlan à la queue de perroquet » (EE153). Leiris évoque également des créatures hybrides : « des hordes d'étranges feux follets, chiens dont l'arrière-train était une moitié de citron, arbres aux rameaux de journaux, orteils tentaculaires »[50]. Il est possible de rapporter certaines images à un stimulus pictural : dans la dernière citation, Leiris fait allusion à des tableaux tels que *Chien aboyant à la lune* (1926) [Dupin, fig. 135], *Terre labourée* (1923-24) ou *Personnage lançant une pierre à un oiseau* (1926) [Dupin, fig. 136]. Cependant un grand nombre de ces créatures monstrueuses, ayant surgi par homologie avec les êtres hybrides que l'on trouve dans les toiles de Miró, ont par conséquent une réalité verbale plutôt que mimétique. De ce point de vue, « les libellules des raisins » d'Éluard est une image essentiellement verbale[51]. De même, dans la préface de Péret à l'exposition de Miró (galerie Pierre 1925), texte qui a été cité au chapitre I, « l'arbre à sardines », qui a une origine visuelle dans *Terre labourée*, suscite une série d'arbres imaginaires :

> *l'arbre à saucisson, l'arbre à serrure, l'arbre à vinaigre, l'arbre à hussards de la mort, l'arbre à mouchoirs agités en signes d'adieu, l'arbre à curés,*

48. Desnos, « Surréalisme » *Cahiers d'art,* vol 1, n° 8, 1926, p. 212 (EP90).
49. Georges Limbour, « Miró », *Derrière le miroir,* n° 14-15, 1948.
50. « Joan Miró ».
51. « Joan Miró », *Œuvres complètes* I, p. 194.

l'arbre à bicyclette, l'arbre à gaz, l'arbre à lunettes, et bien d'autres encore...

La répétition ne réussit pas à ancrer le texte qui part à la dérive. Autre énumération, celle de Maurice Henry dans « Joan Miró », qui prend comme point de départ les signes graphiques du peintre pour filer un texte cocasse :

Je reconnaissais l'oreille qui ressemblait pourtant à un ventre, le sperme d'artifice, le cheval couvert d'empreintes, l'œil aussi colibri qu'un chapeau, la flèche crêtée, la scie à moustaches, les cornes calligraphiées.

Basées sur le principe surréaliste de rencontre de réalités incongrues, ces images verbales font bien allusion aux motifs picturaux de Miró, mais elles semblent ensuite poursuivre leur propre trajectoire, caractéristique du texte automatique, dont les images sont dans un devenir perpétuel, grâce à un processus analogique à celui qui a produit les images de Miró, mais sans proprement parler les décrire. L'absence de fixité des images, ainsi que leur capacité à se métamorphoser qui en découle, sont évoquées par Desnos :

Ces contes de fées où la lune est une dame, chaque fleur une créature, chaque caillou un lutin, où les feux follets coiffés de bonnets verts dansent sur les marais, je les évoque devant les tableaux de Joan Miró [...] Tout cela est simple, très simple comme le pouvoir de la lune sur les marées et le tempérament des femmes. C'est une fée pythagorienne qui le doua à son berceau du pouvoir de connaître le langage des oiseaux et des fleurs. (EP114)

Des allusions fragmentaires aux *topoi* du conte de fées font également surface dans les textes de Leiris : « les poches veuves de cailloux blancs », ou « la si belle dame, toujours à si belle taille de guêpe, la si belle dame, dont les appâts bourdonnent autour de nos rêves d'enfants[52] ». Ailleurs des personnages de contes populaires apparaissent momentanément puis disparaissent, tels Haroun al Raschid des *Mille et une nuits* (Péret) ou Pierre-Le-Hérissé (Breton), une variante du personnage Struwwelpeter des contes de fées allemands. Ces éléments narratifs sont souvent présentés de manière fragmentaire, tels les bribes d'un récit, souvenirs d'une enfance presque oubliée.

Ces récits embryonnaires semblent être générés par les multiples

---

52. *Marrons sculpté*s, p. 135 ; « Joan Miró », p. 264.

combinatoires possibles des tableaux de Miró, qui rejette les conventions picturales classiques, telles les règles de la perspective ou du modelage qui fixent les signes picturaux dans des rapports sans ambiguïté. Sa syntaxe picturale étant minimale, les images semblent flotter librement, suggérant au spectateur des configurations multiples. Miró commente ainsi le dynamisme de ses formes picturales :

> *Une forme modelée est moins frappante qu'une forme qui ne l'est pas. Le modelé empêche le choc et limite le mouvement à la profondeur visuelle. Sans modelé ni clair-obscur, la profondeur est sans limite : le mouvement peut s'étendre à l'infini.* (EE273)

Ce mouvement peut donner lieu à un récit, comme il le suggère à propos de *Paysage Catalan* :

> *D'ailleurs, la narration, j'en ai fait. Par exemple, dans* Le Carnaval d'Arlequin *(1924-25) ou, encore, dans* Le Chasseur *(1923-1924) du Musée d'Art Moderne de New York. Ce chasseur, on voit son cœur. Il est en train de pisser. On voit son sexe. Un avion traverse le ciel tandis qu'on voit le bateau d'un pêcheur en train de pêcher. Il y a aussi un grand arbre, un caroubier ; d'un côté, il y a un fusil et de l'autre, un poisson, les premières lettres du mot sardine et un feu pour cuire le poisson. Tout ça, c'est une histoire. [...] Le pêcheur pêche en même temps que l'avion passe et que le chasseur pisse. Ce n'est pas un récit où les événements se succèdent, où un même personnage, dans des situations différentes, se répète* (EE302-3).

De même, dans *Constellations*, Breton, interrogeant les rapports entre les composantes des gouaches de Miró, tisse une narration imaginaire. Le titre lui-même, *Constellations,* fait allusion aux configurations imaginées dans le ciel étoilé. Les titres de Miró constituent souvent de courts syntagmes narratifs de cette sorte : *Le diamant sourit au crépuscule* (1948), *Le sourire d'une étoile à l'arbre jumeau de la plaine* (1968), *Libellule aux ailerons rouges à la poursuite d'un serpent glissant en spirale vers l'étoile-comète* (1951)[53]. « Je trouve mes titres au fur et à mesure que je travaille, que j'enchaîne une chose à une autre sur la toile », remarque Miró (EE250), soulignant ainsi l'élaboration organique métonymique de ses titres comme de ses motifs picturaux. Tout comme l'enfant qui se raconte une histoire en

---

53. Le titre suggère souvent un récit minimal : sujet + verbe + complément + locatif. Voir Gimferrer, qui analyse les segments narratifs dans les *Jeux poétiques* (1946) et les titres des tableaux de Miró. *Miró. Catalan universel*, p. 128.

dessinant[54], un grand nombre des titres de Miró suggèrent des récits en miniature, dans lesquels des liens imaginaires sont tissés entre des images disparates où l'inanimé se fait animé, où le monde animal est personnifié, créant un univers fantastique :

> *Jeune fille moitié brune moitié rousse glissant sur le sang des jacinthes gelées d'un camp de football en flammes (1939)*
>
> *Le soleil rouge ronge l'araignée (1948)*
>
> *Les yeux fixés vers l'échelle grimpant à la voûte envoûtante des oiseaux-flèches (1953)*
>
> *Une hirondelle joue de la harpe à l'ombre des pissenlits (1955)*
>
> *Le serpent à coquelicot traînant sur un champ de violettes peuplé par des lézards en deuil (s.d.).*

Ces titres-poèmes font souvent allusion aux motifs picturaux récurrents de Miró, tels que les oiseaux, insectes, femmes et échelles qui peuplent ses tableaux, ou encore leurs formes hybrides *l'étoile-comète, oiseaux-flèches*. Ils dérivent pourtant vers une réalité toute langagière, née d'échos phonétiques – « la voûte envoûtante » ou « serpent à coquelicot » (serpent à cornes) – ou d'actions imaginaires, pour créer des ébauches de récits. Comme dans les mythes primitifs, où le conteur explique par son récit les rapports imaginaires entre les phénomènes naturels ou les actions humaines, de même le peintre devenu poète file une histoire imaginaire entre les composantes du tableau, forgeant des mythes remodelés sur le mode mineur du récit merveilleux. Les titres, essentiellement poétiques, fonctionnent indépendamment du tableau. Comme le remarque Dupin : « Titre et peinture cheminent ensemble, du même pas, mais à distance, distance poétique, distance ironique ». Il compare le titre à « un contrepoint improvisé, un ressort »[55].

Des récits plus élaborés peuvent aussi être créés grâce au procédé de l'association libre basée sur un développement langagier et intertextuel. Dans la préface de Péret à l'exposition de Miró de 1925, par exemple, une première métaphore génère une chaîne métonymique d'images, qui relie Miró à l'univers du primitif, du fantastique et du légendaire :

> *[Miró] le descendant direct et unique – unique comme le regard du sauva-*

---

54. Dora Vallier, « Miró and children's drawings », *in* Fineberg, *Discovering Child Art. Essays on Childhood, Primitivism and Modernism*, p. 205.
55. *Miró*, pp. 242 et 442.

> *ge qui voit pour la première fois de son existence une pierre à fusil s'unir*
> *à un géranium — de saint Pierre et de la bosse du dromadaire ailé qui, un*
> *soir d'automne, s'enfuit du harem de Haroun-al-Raschid pour aller quê-*
> *ter, sur les routes de nuages, le gland des pauvres.*

Ce texte, créé par génération phonétique (« pierre » > « St Pierre ») et sémantique (« dromadaire ailé » > « harem de Haroun-al-Raschid »), file une série d'événements fondés sur une cohérence toute poétique, dans des images essentiellement centrifuges qui poursuivent leur propre trajectoire, élaborant des récits partiels, et déportant le lecteur loin du tableau en tant que référent[56].

De telles constellations poétiques, basées sur une logique de l'imaginaire, sont caractéristiques des structures du conte de fées et du conte populaire, où la motivation et la causalité rationnelles cèdent la place à une pensée qui procède par associations métonymiques ou configurations fantastiques, tout en préservant la syntaxe de la pensée rationnelle dans les signes visibles de causalité qui lient entre elles les images ou actions disparates en un ordre apparemment (chrono) logique[57]. C'est ce qui se produit lorsque Dali élabore une logique alternative dans son texte sur le peintre : « Mais Miró sait comment sectionner nettement le jaune d'un œuf, pour pouvoir apprécier le cours astronomique d'une chevelure ». De même, dans *Marrons sculptés pour Miró*, des objets disparates, ayant leur source dans les motifs de tableaux tels que la série *Tête de paysan catalan* (1924-25) [Dupin, fig. 129-31] — ont été configurés en une structure syntaxique cohérente qui entre en conflit avec l'absurdité de l'ensemble du propos :

56. Voir cette critique de l'exposition et de la préface de Péret : « Je suis allé voir les tableaux de M. Miró. Ils correspondent assez exactement aux calembredaines pseudo-littéraires de son ami [Péret]. On y voit une oreille au centre d'un paysage, une lampe à alcool au sommet d'un arbre, etc. Cela est pataud, triste et démodé. Et de même que la pierre à fusil, le géranium et l'arbre à mouchoirs du prosateur sont beaucoup plus aisés à inventer qu'une page de Proust, de même les lampes à alcool et les oreilles du jeune Miró sont infiniment moins difficiles à peindre qu'un petit nu de Renoir. ». Extrait du livre de presse de la galerie Pierre, sans indication d'auteur ni de publication (cité dans CCR196). Michel Courtot commente ainsi la relative chez Péret : « elle s'envole, elle est décrochée de l'antécédent qui ne sert plus que de tremplin ». *Introduction à la lecture de Benjamin Péret*, Le Terrain Vague, 1965, p. 148.
57. « En admettant même que le réalisme visuel soit préférable pour l'adulte, il nous semble incontestable que le réalisme logique convient mieux à l'enfant ». G.H. Luquet, *Le Dessin enfantin*, p. 30. Piaget développera cette idée dans sa notion de « réalisme intellectuel ».

Ici,
quand l'âne brait,
Le nuage se disloque
et l'été coiffe son bonnet phrygien[58].

Ces textes manifestent souvent un glissement de l'événement au langage : à l'impulsion picturale initiale succède un processus à roue libre de génération linguistique, comme en témoigne la fougue verbale qui marque la fin d'un entretien de Georges Duthuit avec Miró :

> *Babes in the wood! Évitons les abîmes prophétiques. Il doit bien y avoir, quelque part dans les arbres, un de ces trésors cachés que les enfants découvrent au moment où, à demi-perclus de faim et de froid, ils s'y attendent le moins. Et si la route leur paraît trop longue, vous pouvez toujours les conduire et leur apprendre, rien qu'en levant le doigt, comment on transforme les décombres en châteaux, en beaux châteaux de flammes, entourés de rondes et de cris de joie*[59].

Ici la référence faite par Duthuit à un conte pour enfants donne lieu à une série d'images par associations libres[60]. Dans son texte sur Lewis Carroll, cité plus haut, Breton affirme que les jeux de mots sont une caractéristique de l'imagination de l'enfant :

> *l'esprit, mis en présence de toute espèce de difficulté, peut trouver une issue idéale dans l'absurde. La complaisance envers l'absurde rouvre à l'homme le royaume mystérieux qu'habitent les enfants. Le jeu de l'enfance, comme moyen perdu de conciliation entre l'action et la rêverie en vue de la satisfaction organique, à commencer par le simple « jeu de mots », se trouve de*

58. *Marrons sculptés pour Miró*, p. 145.
59. Georges Duthuit, « Où allez-vous Miró ? », *Cahiers d'art*, vol 11, n° 8-10, 1936, p. 264 (EE166). Voir aussi un texte de Georges Hugnet qui s'ouvre sur un jeu de mots : « Alice au pays s'émerveille. Renie-t-elle son pays des merveilles ? » « Joan Miró : jeux d'enfants », *Cahiers d'art*, vol 7, 1932 ; *Pleins et déliés*, p. 118.
60. La peinture de Miró se prolonge encore aujourd'hui en contes de fées. Par exemple, *Visite au grand sorcier-magicien du pays bleu : Alkemister Mirobolant*, conçu et écrit par Joëlle Cordenod *et al* (Larousse, Coll. « Imagique », 1982) prend comme point de départ le tableau de Miró *Personnages dans la nuit guidés par les traces phosphorescentes d'escargots*. Parmi les personnages le lecteur rencontre le sorcier-magicien Alkemister Mirobolant et l'oiseau-poisson Mirabrakadabrax, « oiseau au bec en pinces de homard ». Le magicien fabrique des poissons-oiseaux dans son laboratoire céleste parmi les lunes vagabondes. L'histoire se termine sur une invitation à l'enfant à continuer son exploration du tableau, « où tu peux te promener encore en rêvant à d'autres histoires ».

la sorte réhabilité et dignifié. (OCII962)

Les éléments familiers de contes de fées sont fragmentés, déformés ou aliénés dans le flux d'une prolifération linguistique ou d'un développement narratif aberrant, laissant dans leur sillage des syntagmes isolés, récits sans dénouement où il n'y a ni passage à l'âge adulte ni morale de l'histoire. La lectrice reste suspendue dans un univers enfantin, prise dans les rets de souvenirs décousus.

« DES CONTES À ÉCRIRE POUR LES GRANDES PERSONNES »

L'impulsion subversive des contes populaires est revitalisée dans les textes surréalistes sur Miró non seulement par le jeu linguistique, mais également par le biais de l'érotique et du sadique. La rencontre entre images disparates a souvent été traduite par les surréalistes par la métaphore de l'accouplement, dont le modèle paradigmatique est la célèbre comparaison de Lautréamont, « beau comme la rencontre fortuite, sur une table de dissection, d'un parapluie et d'une machine à coudre », ce qui témoigne de la capacité de l'imagination à forger des liens narratifs, souvent érotiques, où aucun lien n'est explicité. Dans un grand nombre de ses titres, dont quelques-uns souvent inscrits sur la toile même, Miró imagine l'association entre les motifs picturaux comme une rencontre érotique, dans des micro-récits où l'allusion érotique est à la fois suggérée et suspendue :

tableaux-poèmes :

> *Étoiles en des sexes d'escargots (1925)*
> *Un oiseau poursuit une abeille et la baisse [sic] (1927)*
> *Une étoile caresse le sein d'une négresse (1938)*

titres-poèmes :

> *Chiffres et constellations amoureux d'une femme (1941)*
> *Le crépuscule rose caresse le sexe des femmes et des oiseaux (1941)*
> *Le mauve de la lune couvre le vert de la grenouille (1951)*

L'érotique est souvent implicite dans les tableaux eux-mêmes[61]. En 1924 des sexes féminins griffonnés comme des graffiti apparaissent sur les personnages schématiques de Miró, comme dans *Paysage catalan*, qui constitue le point de départ pour le texte de Hugnet, où l'allusion à « une épopée magique » est combinée avec le scatologique :

> *Le burlesque s'identifie à la tragédie, une déformation sans cauchemar où de surprenants homuncules tirent l'échelle, escaladent le délire. Leur foule se presse, s'agite, cyclone immobile, ils jouissent, le sexe raide, et de leur sperme naissent des petits volcans qui crachotent des petites vagues. Les petits poissons font les grosses montagnes. L'arbre marche en agitant toutes ses branches vers la femme-corne d'abondance, dont la chevelure en étoile de mer vole à l'oxygène son charme de paysage.*

Dans d'autres tableaux datant du milieu des années 1920, tels les séries de toiles de 1925 intitulées *Le Baiser* et *Amour*, des rencontres entre des formes biomorphiques sur un fond monochrome évoquent des dessins enfantins, des corps célestes ou des accouplements sexuels. Ces allusions sont aussi présentes dans le texte de Maurice Henry :

> *L'homme et la femme se rencontrent sur une plage bleue, ils vont faire l'amour comme les constellations, parmi les jouets, ils font l'amour déjà. Leurs doigts, les replis de leurs fenêtres sont les cerfs-volants de leurs désirs [...] Une échelle se trempe dans le jour. Un fouet fulgurant traverse le tableau. Un oiseau tourne autour d'un bec de papillon mal rasé. C'est ici que le point tombe amoureux de la virgule.*

On assiste ici, tout comme dans le texte de Hugnet, à un glissement du mode descriptif, ancré dans les tableaux de Miró, au mode de récit imaginaire où l'élément érotique est élaboré.

Une fusion semblable entre conte de fées et conte érotique se retrouve dans le texte de Breton, « Personnage blessé », tiré des *Constellations* :

> *L'homme tourne toute la vie autour d'un petit bois cadenassé dont il ne distingue que les fûts noirs d'où s'élève une vapeur rose. Les souvenirs de l'enfance lui font à la dérobée croiser une vieille femme que la toute première fois il en a vu sortir avec un très mince fagot d'épines incandescentes [...] Cette lointaine initiation le penche malgré lui sur le fil des poignards et lui fait obsessionnellement caresser cette balle d'argent que le comte Potocki passe pour avoir polie des saisons durant à dessein de se la loger dans la tête. Sans savoir comment il a bien pu y pénétrer, à tout moment l'homme peut s'éveiller à l'intérieur du bois en douce chute libre d'ascenseur*

---

61. Jacques Lévine voit dans les accouplements entre soleils et lunes, soleils et araignées, ou oiseaux et étoiles, un retour à l'ambiguïté de la mentalité de l'enfant au stade œdipien. « Surréalisme pictural et littéraire : deux approches complémentaires du merveilleux », *Mélusine*, n° 20, 2000, pp. 93-100.

> *au Palais des Mirages entre les arbres éclairés du dedans dont vainement*
> *il tentera d'écarter de lui une feuille cramoisie*[62].

Dans cette mise-en-scène voilée du désir et de l'initiation, les éléments familiers du conte de fées sont présents dans le bois impénétrable, la vieille femme portant son fardeau de bois, le poignard d'argent, le « Palais des Mirages »; ainsi que dans la nature duelle de la présence féminine, à la fois vieille dame menaçante et femme désirée évoquée indirectement par la métaphore (« une vapeur rose ») comme un être fuyant. Un espace érotisé est suggéré, espace d'interdiction sexuelle (« un petit bois cadenassé ») qui devient espace intime (« l'homme peut s'éveiller à l'intérieur du bois »). Les souvenirs d'enfance s'entre-tissent avec des images érotiques dans une allégorie du désir sexuel décelable dans les allusions réitérées au feu (« épines incandescentes », « les arbres éclairés du dedans », « une feuille cramoisie »), d'excitation (« le penche malgré lui sur le fil des poignards et lui fait obsessionnellement caresser cette balle d'argent ») et d'accomplissement sexuel (« en douce chute libre d'ascenseur au Palais des Mirages »), allégorie exprimée par l'intertexte du conte de fées. Le flot générateur d'images chez Breton prolonge l'impulsion graphique ludique de Miró ainsi que l'érotisme de ses formes.

Dans un autre poème en prose de *Constellations*, c'est le titre du tableau de Miró qui semble servir d'impulsion au texte de Breton :

FEMME A LA BLONDE AISSELLE COIFFANT SA CHEVELURE À LA LUEUR DES ÉTOILES

Qu'y a-t-il entre cette cavité sans profondeur tant la pente en est douce à croire que c'est sur elle que s'est moulé le baiser, qu'y a-t-il entre elle et cette savane déroulant imperturbablement au-dessus de nous ses sphères de lucioles? Qui sait, peut-être le reflet des ramures du cerf dans l'eau troublée qu'il va boire parmi les tournoiements en nappes du pollen et l'amant luge tout doucement vers l'extase. Que sous le pouvoir du peigne cette masse fluide, mûrement brassée de sarrasin et d'avoine, tout au long épinglée de décharges électriques, n'est pas plus confondant dans sa chute le torrent qui bondit couleur de rouille à chaque détour du parc du château de Fougères aux treize tours par la grâce du geste qui découvre et recouvre le nid sournoisement tramé des vrilles de la clématite[63].

---

62. *Signe ascendant*, p. 141.

Le titre fonctionne comme « matrice »[64] génératrice du texte, qui en est l'expansion métaphorique et métonymique, associant la femme au monde naturel. Ainsi « aisselle » donne lieu à « cette cavité sans profondeur », « l'eau troublée », « le nid sournoisement tramé »; tandis que « chevelure » devient « cette masse fluide », « le torrent qui bondit couleur de rouille »; et les étoiles sont transformées en « sphères de lucioles », « tournoiement en nappes du pollen », « décharges électriques » et « vrilles de la clématite ». Un espace érotique est évoqué, espace d'intimité et d'expansion, qui va des cavités secrètes du corps de la femme-nature à l'explosion des étoiles, où la topographie de la femme invite l'activité de l'amant. Le corps de la femme, évoqué par « la pente douce », suscite le baiser de l'amant (« c'est sur elle que s'est moulé le baiser »), puis son plaisir dans une métaphore qui prolonge la notion de la courbe du corps féminin – « l'amant luge doucement vers l'extase ». D'autre part, les verbes et adjectifs de mouvement – « tournoiements… masse fluide… décharges électriques… le torrent qui bondit… découvre et recouvre… vrille » – évoquent tous une activité érotique. Breton fait vraisemblablement aussi allusion aux motifs picturaux de Miró: nous reconnaissons « le cercle, la spirale, l'étoile et le triangle inversé » qui, selon la préface de Breton aux *Constellations*, caractériseraient la « grille emblématique » de Miró. Cependant, plutôt que de désigner des motifs picturaux précis, la trajectoire verbale de Breton semble prolonger l'impulsion graphique et verbale de Miró dans une démarche parallèle à celle du peintre[65]. Pour Miró, en effet, dès l'étape de la gestation du tableau les éléments picturaux semblent en évoquer d'autres: « quelques formes suggérées ici appelaient d'autres formes ailleurs pour les équilibrer. Celles-ci à leur tour en appelaient d'autres. Cela paraissait interminable », nous dit l'artiste (EE232). Un processus associatif semblable se retrouve dans l'engendrement verbal du texte automatique. Chez le poète comme chez le peintre, cependant, les signes retiennent leur mystère[66]. Les mythographies bretoniennes, qui évoquent des significations multiples – « le beau sillage des cygnes » – sont bien loin des *mihiéroglyphes* de Queneau.

63. *Signe ascendant*, p. 137.
64. Riffaterre, *Sémiotique de la poésie*, Seuil, 1983, p. 33.
65. « Si *mimesis* il y a, elle se fait voir dans la similitude entre activité constellante des gouaches et celle des ‹ proses parallèles › d'André Breton ». Richard Stamelman, « ‹ La courbe sans fin du désir ›: les *Constellations* de Joan Miró et André Breton », *André Breton, Herne*, n° 78, 1998, p. 319.

Rencontres érotiques, images de gestation et de naissance, de métamorphoses et de transformation, voilà les *topoi* familiers qui attestent d'une communauté discursive dans les écrits sur l'art des années 1920 et 1930, à la fois au cœur du surréalisme et dans ses marges, non seulement dans les textes analysés ici, mais également dans les textes sur Masson, Giacometti, Michaux parmi d'autres. Miró lui-même fait allusion au domaine sexuel lorsqu'il parle de sa propre pratique picturale où, dit-il, c'est le *topos* de la naissance qui prédomine :

> *Plus qu'un mouvement sexuel, si je fais un grand sexe d'homme avec les testicules, c'est quelque chose de sacré pour moi. Ce n'est pas érotique. C'est comme la graine d'un arbre qui pousse sous la terre, la pluie fait pousser la graine et ça fait un arbre. C'est la naissance d'un arbre. Pour cette naissance, c'est le sexe qui arrive chez moi le plus spontanément, ça oui.* (CCR99)

Le thème érotique se joint à un autre intertexte, jungien celui-ci, qui nourrit les textes sur la peinture écrits aux États-Unis dans les années 1940[67]. Dans un texte de Robert Motherwell, la métamorphose, la vitalité sexuelle et « l'énergie primordiale » sont combinées dans une évocation jubilatrice des tableaux de Miró :

> *[R] ien de sexuel n'est réprimé ni décrit de manière circonspecte – les pénis sont aussi grands que des massues ou aussi petits que des cacahuètes, les dents sont lames de grosse scie, crocs, os, lait, les seins sont ronds et gros, petits et en forme de poire, absents, dédoublés, quadruplés, gigantesques et généreux, suspendus ou volants, vides ou pleins, les vagins existent en profusion dans toutes les tailles et formes, et les poils – les poils sont partout, poils du pubis et des aisselles, poils sur les tétons, poils autour de la bouche, sur le crâne, dans les oreilles [...] Ils ont leur propre vie, tel le Divin cheveu qu'abandonna Dieu dans le vomis du bordel chez Lautréamont*[68].

66. « Car le texte de Breton – comme les gouaches de Miró dans leur espace et leurs matériaux propres, plastiques – se trame en hiéroglyphe et cryptogramme. Se donne à lire tout en se refusant ». Pascaline Mourier-Casile, « Miró/Breton, *Constellations* : cas de figure », *La Licorne,* n° 35, 1995, p. 209.
67. Les artistes et intellectuels américains s'intéressaient tout particulièrement à la pensée de Jung pendant les annees 1940. Dans une série de conférences sur le surréalisme faites à New York en 1941, le surréaliste Gordon Onslow Ford fait une lecture jungienne des oeuvres surréalistes. Martica Sawin, *Surrealism in Exile and the Beginning of the New York School*, Cambridge MA et Londres : MIT Press, 1995, p. 161.

Dans ce texte, il en va autant des fantasmes de l'auteur que des images du peintre qui servent de tremplins à un récit qui entremêle Miró, Jung et Lautréamont dans une errance dévergondée.

L'ASSASSINAT DE LA PEINTURE

« En dehors de tout symbolisme il me plaît de saluer en Joan Miró celui qui sut donner à sa peinture un ton et une lumière communs à la fois aux contes charmants de Madame d'Aulnoy et aux tragiques récits du comte de Lautréamont », affirme Desnos[69]. Contrastant avec l'esprit ludique de l'enfance ou les fantasmes érotiques, d'autres textes, tel celui de Motherwell cité ci-dessus, décèlent chez le peintre des impulsions ouvertement sexuelles plus destructrices ou sadiques, qui évoquent un autre « Miró », celui-ci sombre et violent, dans la filiation de Sade et de Lautréamont. Miró lui-même souligne la présence de la violence au cœur même de l'enfance : « Je n'oppose pas violence à enfance. Au contraire, l'enfance est le pays de la violence, abandonnée par paresse et par discipline » (EE29). Cette lecture alternative de Miró se met en place à partir de la fin des années 1920, surtout parmi les surréalistes dissidents regroupés autour de Georges Bataille et la revue *Documents,* mais aussi dans *Cahiers d'art*[70]. Dès 1926, dans un petit texte paru en anglais, Michel Leiris avait déjà considéré la peinture de Miró comme une sorte de fétichisme :

> *Aujourd'hui il y a une nouvelle race d'hommes qui, du double monde de la chair et de l'esprit, ne retiennent que des traces, vestiges de structures qu'une intelligence sans valeur ne peut jamais raffermir [...] Il n'y est pas question de prouver, de construire. L'état d'esprit est un nouveau*

68. « [N]othing sexual is repressed or described circumspectly – penises are as big as clubs or as small as peanuts, teeth are hack-saw blades, fangs, bones, milk, breasts are round and big, small and pear-shaped, absent, doubled, quadrupled, mountainous and lavish, hanging or flying, full or empty, vaginas exist in every size and shape in profusion, and hair! – hair is everywhere, pubic hair, underarm hair, hair on nipples, hair around the mouth, hair on the head, on the chin, in the ears [...] They have a life of their own, like that Divine hair God left behind in the vomit of the whore-house *in* Lautreamont ». Robert Motherwell, « The Significance of Miró », *Art News,* vol 58, n° 3, mai 1959, p. 65.

69. Desnos, « Miró », *Cahiers de Belgique,* vol 2, n° 6, juin 1929, p. 206 (EP106). Marie-Catherine d'Aulnoy, contemporaine de Gilles Perrault, publia des anthologies de contes de fées. *Histoires de fées,* 2 volumes, 1697.

70. Pour l'analyse du rapprochement entre Miró et Bataille, voir Rosalind Krauss, « Michel, Bataille et moi », *October,* n° 68, Spring 1994, pp. 3-20.

> *fétichisme, qui ne demande que la parfaite adhésion du cœur à toute sorte*
> *d'objet, libre de symbole, mais reflétant comme la plus minuscule cellule*
> *l'infinie harmonie de tout l'univers*[71].

Pour Leiris, la représentation de la réalité chez Miró, faite de synec-docques, repose sur le principe du fétichisme, tout comme chez les peuples primitifs. D'où les allusions dans ce texte aux parties du corps : « un organe sexuel ayant la forme d'une araignée » (allusion au *Carnaval d'Arlequin*) : « arbres qui portent des yeux » (*Terre labourée*) : « personnages réduits à une moustache, la pointe acérée d'un sein » (*Le Monsieur* 1924 *Maternité* 1924 [Dupin, fig. 106]) : « parfois de l'humanité il ne reste que l'empreinte d'un pied sur le sable mouillé » (*Personnage lançant une pierre à un oiseau 1926*)[72].

L'époque en question – entre 1928 et 1931 – était celle où Miró entreprit « l'assassinat de la peinture », rejetant dans un élan dadaïste les codes esthétiques hérités de la Renaissance – « la peinture est en déca-dence depuis l'âge des cavernes », dira le peintre[73] – pour explorer des formes d'expression plus « primitives ». Répondant au désir de « retro-uver le regard primitif, le regard sauvage, le regard vierge » (EE159), il fabrique des collage-objets faits de matières pauvres (clous, plumes ou corde) et des collages [Dupin, fig. 168 et 169]. Parmi les collages-objets figure une série de *Danseuses espagnoles* (1928) [Dupin, fig. 165 et 166] qu'évoquent Henry (« Une danseuse s'est immobilisée dans l'entre-bâillement de deux clous »[74]) et Éluard (« *la Danseuse espagnole*, tableau qu'on ne peut rêver plus nu. Sur la toile vierge, une épingle à cheveu et la plume d'une aile »[75]). C'était aussi l'époque des papiers collés faits de papiers d'emballage ou papiers de verre déchirés, exposés à la galerie

---

71. « Today there is a new race of men who, from the double world of flesh and spir-it, retain only the traces, vestiges of structures which a valueless intelligence can never render firm [...] There is, n° question of proving, constructing. The state of mind is a new fetichism [sic], which demands nothing but the perfect adhesion of the heart to any sort of object, free of symbol, but reflecting like the tiniest cell the infi-nite harmony of all the universe ». Leiris, « Joan Miró » [trad. Malcolm Cowley], *Little Review* (Chicago), vol 12, n° 1, printemps-été 1926, pp. 8-9 (p. 9) ; le texte a été écrit à la demande de Tzara. Voir Catherine Maubon, *Michel Leiris en marge de l'autobiogra-phie*, José Corti, 1994, p. 168.

72. « a sexual organ shaped like a spider... trees that bear eyes... persons reduced to a moustache, the sharp point of a breast... sometimes of mankind there remains only the mark of a foot on the wet sand... »

73. La formule, attribuée à Tériade, est citée par Georges Raillard (EE159).

Pierre en 1930. La critique que fait Carl Einstein de l'exposition souligne l'évolution de Miró, qui « renonce à la tension dialectique du grotesque » en faveur d'une « ignorance plus simple », d'un primitivisme associé au monde de l'enfant (« [c]hansons stellaires d'enfants »), ancré dans la terre et lié au monde des mythes :

> *C'est encore l'homme ibérique au pied géant, le paysan qui féconde la terre en la piétinant ; la vieille stèle paysanne monte de la terre, ce goudron noir des morts, et le dieu Mercure au ventre de femme enceinte surgit. Une télépathie archaïsante. Le retour des mythes. [...] Les collages de Miró nous ramènent aux mythes et aux jeux de jetons*[76].

Einstein imagine l'œuvre de Miró comme un retour aux origines, empruntant pour ce faire un *topos* que partagent nombre de critiques et poètes de l'époque : « Simplicité préhistorique. On devient de plus en plus archaïque. La fin rejoint le commencement ».

Dans « Joan Miró » (1929), Leiris, s'appropriant l'artiste pour le programme ethnographique de *Documents*, associe les procédés de Miró à l'art des sauvages, aux techniques de méditation tantriques, aux pratiques magiques, affiches déchirées, taches sur les murs et graffiti. Il commence son essai en évoquant le procédé de méditation orientale selon lequel chaque composante d'un jardin est étudiée dans tous ses détails, puis enlevée, pour aboutir à la contemplation du vide. Christopher Green y voit la métaphore des procédés artistiques de Miró, une fable de l'artiste qui se dépouille des connaissances artistiques, tout comme l'ascète se libère du monde des sensations, pour retrouver une soi-disant innocence de peindre[77]. Leiris retrace l'évolution de l'artiste depuis le style burlesque enfantin caractérisé comme « sérieux et clownesque », jusqu'aux grandes toiles du milieu des années 1920, telles que *Naissance du monde* [Dupin, fig. 128] sur lesquelles l'ar-

---

74. Henry (« Joan Miró ») évoque le collage-objet *Danseuse espagnole* (*au soulier de poupée*) (1928) [Dupin, fig. 166], fait de papier de verre, ficelle, bouchon, deux clous, un soulier de poupée, collés sur du papier.

75. Éluard (« Naissances de Miró ») fait allusion à *Danseuse espagnole* (1928) [Dupin, fig. 165], collage-objet fait d'une plume, d'un bouchon et d'une épingle à cheveux sur toile.

76. Carl Einstein, « Joan Miró (Papiers collés à la galerie Pierre) », *Documents*, vol 2, n° 4, 1930, p. 243.

77. Green, « The infant in the adult. Joan Miró and the infantile image », p. 212.

tiste jetait l'eau qui avait servi à nettoyer ses pinceaux, les surfaces maculées fournissant ensuite le fond de sa peinture :

> *ces immenses toiles qui avaient l'air moins peintes que salies, troubles comme des bâtiments détruits, aguichantes comme des murs délavés, sur lesquels des générations de colleurs d'affiches, alliés à des siècles de bruine, ont inscrit de mystérieux poèmes, longues taches aux configurations louches, incertaines comme des alluvions venues on ne sait d'où, sables charriés par des fleuves au cours perpétuellement changeant, assujettis qu'ils sont au mouvement du vent et de la pluie*[78].

La dérive métonymique de Leiris évoque l'action de l'artiste qui assaille le tableau, se dépouillant de son bagage artistique pour retrouver la spontanéité et la maladresse des gestes de l'enfant[79]. Leiris répond à la série des violents *Portraits imaginaires* de 1929 par la violence de ses propres images :

> *Belles comme des ricanements, ou comme des graffiti montrant l'architecture humaine dans ce qu'elle a tout particulièrement de grotesque et d'horrible, ces œuvres sont autant de cailloux malicieux qui déterminent des remous circulaires et vicieux, quand on les jette dans le marais de l'entendement, où moisissent, depuis déjà de si nombreuses années, tant de filets et tant de nasses…*

Ces longues comparaisons maldororiennes ne sont plus des analogies, car là où l'analogie revient à son point de départ, ces images sont essentiellement centrifuges, poursuivant leur propre trajectoire et affirmant leur distance et leur différence vis-à-vis du tableau qui occasionna le texte[80]. Dans la stratégie d'aplatissement culturel centrale à l'esthétique de *Documents*, mais aussi de *Cahiers d'art* et *Minotaure*, les taches et les

---

Einstein utilise la même métaphore dans son article sur Masson : l'artiste, comme l'adepte religieux, découvre les couches mythologiques, dans une régression vers l'enfance. « André Masson, étude ethnologique », *Documents,* vol I, n° 2, 1929, p. 100.

78. Hugnet lui fait écho dans son texte de 1931 : « À la fois, l'enfance et la magie se marient dans ce poème inscrit dans l'infini comme les taches des murs, les lézardes des bâtisses de l'expérience, des affiches superposées, lacérées par le vent, la pluie et la poésie, à la fois la calligraphie et l'idéogramme seront contenus dans cette équation, dans ce sommaire, dans cette somme, dans cette mélodie, dans cette courbe de l'âme, dans ce signe, le Signe. »

79. Voir aussi la belle dérive verbale de René Gaffé, collectionneur de Miró, qui commente ainsi *Naissance du monde,* tableau qui faisait partie de sa collection : « Qu'on imagine un océan aérien, soulevé de houles grises et noires qui bouillonnent et déferlent,

affiches déchirées sur les murs de la ville, les peintures rupestres préhistoriques, ont le même statut que les rites tibétains ou la production
artistique d'un Miró ou d'un Masson. C'est par un amalgame semblable que, dans un texte sur les graffiti des rues de Paris illustré de photos
de graffiti, « Du Mur des cavernes au mur d'usine », Brassaï brasse
époques préhistoriques et mythiques, allant des murs de l'Opéra de
Paris aux parois des grottes de la Dordogne :

> *Des analogies vivantes établissent des rapprochements vertigineux à travers*
> *les âges par simple élimination du facteur temps. À la lumière de l'ethno-*
> *graphie, l'antiquité devient prime jeunesse, l'âge de la pierre un état*
> *d'esprit, et c'est la compréhension de l'enfance qui apporte aux éclats de*
> *silex, l'éclat de la vie*[81].

Un même télescopage temporel, où l'art préhistorique rejoint l'art des
murs de Paris, et l'antiquité rejoint l'enfance, se retrouve dans *L'Art primitif* de Luquet (1930), qui établit une analogie entre l'art préhistorique,
l'art primitif, et l'art des enfants. Dans sa critique de l'ouvrage Bataille
reprend les idées de Luquet, tout en critiquant la tendance de celui-ci à
mêler évolution ontogenèse et phylogénèse[82]. À son tour Bataille s'approprie les idées de Luquet sur les « mains salies promenées sur les
murs ou les griffonnages où il voit l'origine du dessin infantile », gestes
que Bataille compare à la destruction – ou *l'altération* — des objets par
les enfants. Bataille énumère les étapes de *l'altération*: du griffonnage
initial se dégage une ressemblance visuelle, une image qui est ensuite
transformée (altérée) en un nouvel objet (cheval, tête, homme) qui
subit à son tour de nouvelles transformations: « L'art, puisqu'art il y a
incontestablement, procède dans ce sens par destructions successives.

---

sur quoi de la boue, jetée à pleines mains, mêle un trouble élément. Le riche émail
d'un bleu pur coule en multiples ruisselets avares comme le désert. Triangle noir, à
gauche, gigantesque énigme, et plus bas, la muraille abstraite défendant le secret et le
mystère. Mais un cercle blanc, la Terre, un cercle rouge, le Soleil, montent, comme
des ballons dont les cordages seraient rompus, vers le zénith. » *Cahiers d'art,* vol 9,
n° 1-4, 1934, p. 33.
80. Rapprochant les « peintures sauvages » (1934-38) des *Chants de Maldoror* de
Lautréamont, Dupin affirme: « De nombreux passages pourraient passer pour des
transpositions littéraires de peintures sauvages ». *Miró,* p. 191.
81. Brassaï, « Du Mur des cavernes au mur d'usine », *Minotaure,* n° 3-4, 1933, pp. 6-7.
82. Bataille, « L'Art primitif », *Documents,* vol 2, n° 7, 1930, pp. 389-97 ; *Œuvres complètes* I, Galllimard, 1970, pp. 247-54.

Alors tant qu'il libère des instincts libidineux, ces instincts sont sadiques ». Bataille adopte ici une position sur l'art des enfants, et par extension sur l'artiste moderne, basée sur la destruction et la désintégration des formes. Il s'agit ici d'un récit bien plus violent que celui de Luquet (qui, selon Bataille, n'aurait pas suffisamment insisté sur la violence des gestes de l'enfant), ainsi que celui de Breton et d'autres (qui s'affilient au primitivisme « doux »[83]) sur la naissance du dessin automatique (voir chapitre I). L'article de Bataille est suivi d'un court texte, « Joan Miró : peintures récentes », illustré par des reproductions des « anti-tableaux » de 1930, qui fonctionne comme *exemplum* de sa théorie[84]. Bataille y reprend les étapes de la production du dessin de l'enfant énumérées dans l'essai sur Luquet. Il retrace la trajectoire esthétique de Miró comme un processus de décomposition ou d'altération des objets, depuis leur représentation « si minutieuse qu'elle mettait jusqu'à un certain point la réalité en poussière, une sorte de poussière ensoleillée », jusqu'à leur libération – leur aliénation – par rapport à la réalité lorsqu'ils apparaissent « comme une foule d'éléments décomposés », et enfin leur ultime décomposition :

> *Enfin comme Miró lui-même professait qu'il voulait « tuer la peinture », la décomposition fut poussée à tel point qu'il ne resta plus que quelques taches informes sur le couvercle (ou sur la pierre tombale, si l'on veut) de la boîte à malices. Puis les petits éléments coléreux et aliénés procédèrent à une nouvelle irruption, puis ils disparaissent encore une fois aujourd'hui dans ces peintures, laissant seulement les traces d'on ne sait quel désastre.*

Au tableau conçu comme profondeur révélatrice de sens ludiques (la « boîte à malices » d'un Miró prestidigitateur) se substitue la notion du tableau comme surface (« couvercle » ou « pierre tombale »), où la représentation méticuleuse de la réalité s'est défaite en « taches informes », celles-ci faisant place à leur tour aux simples traces d'un événement plus sombre[85]. Bataille oppose implicitement à l'appropriation

---

83. Rosalind Krauss oppose le primitivisme « doux » de l'esthétique avant-garde des années 1920, fondée sur la récupération de l'altérité des objets ethnologiques, et le primitivisme « dur » de *Documents*. « On ne joue plus (Giacometti) », *L'Originalité de l'avant-garde et autres mythes modernistes*, Macula, Coll. Vues, 1993, pp. 213-62.
84. Bataille, « Joan Miró : peintures récentes », Documents, vol. 12, n° 7, 1930, p. 399 ; Oeuvres complètes I, p. 255.

bretonienne de Miró dans un monde poétique du merveilleux et de l'o-
nirique sa propre lecture des tableaux de Miró comme surface et matérialité, à travers une allégorie de violence et de décomposition. Car la
notion d'altération élaborée dans l'article sur Luquet est non pas transformation magique mais destruction sadique : les astres sublimatoires
de Breton (« il est permis de voir en chaque étoile une fourche » SP38)
sont enterrés ou dissous pour faire place au dés-astre[86]. Par opposition
au récit du retour aux origines, caractéristique du discours esthétique de
Breton (voir le chapitre I), le récit de Bataille raconte la violence d'une
fin, dont les tableaux ne seraient qu'une trace[87].

La violence et la cruauté se combinent aussi avec la magie de l'enfance dans l'essai de Georges Hugnet déjà cité à plusieurs reprises. Au-
delà des dessins d'enfants ou des peintures préhistoriques (« l'enfance
trace le signe, l'enfance du premier Homme et de tous les Hommes,
trace le signe de la caverne »), les tableaux de Miró évoquent pour
Hugnet une vision plus radicale, plus trouble, où les objets-tableaux de
1930, « jouets tragiques et cruels », sont idéntifiés aux dieux primitifs
destructeurs, au supplice :

> *Voici les dieux du bois et du fer qui viennent tuer la peinture moderne, la
> peinture « confortable »... On retrouve encore ici une hérédité espagnole de
> cruauté et d'insolence, d'orgueil aussi, dans ce goût du sang, de l'atroce
> réalisme symbolique. Il y a aussi « un appel désespéré au meurtre » dans
> ces instruments de supplice pour la nouvelle Inquisition. L'art au pied du
> fétiche, au pied du tabou, porte la corde, des clous le percent, la plastique
> l'étrangle et le crucifie. Le sadisme de Dali possède sa chambre de torture.
> Il est bon que ce soit Miró qui ait profané les choses sacrées. Il renaît du
> feu et du sang, du sac de la poésie. Il en sort purifié[88].*

85. Bataille, « Joan Miró : peintures récentes », *Documents*, vol. 2, n° 7, 1930, p. 399 ;
Oeuvres complètes I, p. 255. Voir Green, « The infant in the adult », p. 223.
86. « [L]a signification véritablement paradigmatique de ce mot ‹désastre›, qui nous
dit, en presque chaque ‹document› de *Documents*, l'accident souverain – le symptôme
– qui atteint et révèle, qui dément avec violence la ‹Figure humaine› dans sa position
d'idéalité, c'est-à-dire d'‹astre› mythologique gardien des ressemblances. » Georges
Didi-Huberman, *La Ressemblance informe ou le gai savoir visuel selon Georges Bataille*,
Macula, 1995, p. 149.
87. La polémique qui oppose Breton et Bataille en 1929-30 est analysée ici au
chapitre IV.

Dans un texte qui se déploie par ellipses, Hugnet élabore la notion d'« assassinat de la peinture » chez l'artiste en faisant allusion aux objets-tableaux de 1930 composés de personnages monstrueux, auxquels l'artiste a intégré des cordes et des clous. Héritage espagnol de sang et de supplice, les tableaux de Miró – tout comme les films de Buñuel (pour qui *L'Âge d'or* est un « appel désespéré au meurtre ») et la peinture de Dali – sont perçus comme des actes de sadisme, de profanation et de purification[89].

Les textes de Bataille et de Hugnet marquent le rejet d'un « Miró » ludique, dont les toiles sont sublimées en images de contes de fées, et la confrontation avec un « Miró » plus violent, l'accent étant mis sur les tableaux en tant que réalité matérielle – « quelques taches informes » chez l'un, « l'atroce réalisme symbolique » chez l'autre – et actes de destruction. Le passage du ludique au tragique est narrativisé dans les textes de Bataille et de Hugnet sous la forme de la disparition du conte de fées – suggérée métonymiquement par l'enterrement de la « boîte à malices » ou la transformation des jouets d'enfant en « jouets tragiques et cruels » de l'adulte – et l'élaboration d'un récit de destruction, marquant ainsi le contraste avec le récit des origines raconté par un Éluard ou un Breton.

Il est évident que ces deux réponses aux œuvres de Miró pointent deux esthétiques divergentes. Nous avons affaire d'une part à une esthétique de la transposition, évidente dans la célébration par Breton, Desnos ou Péret des tableaux de Miró comme exemples de la magie ou du merveilleux, dans la notion de transcendance, et dans l'évocation intertextuelle du conte de fées. De leur côté Bataille, ainsi que Leiris et (dans une certaine mesure) Hugnet, élaborent une anti-esthétique, mettant l'accent sur la réalité matérielle non-sublimée des tableaux, lieux de la destruction et de la désintégration des images. D'une part la peinture-signe, d'autre part la peinture-événement. L'opposition entre ces deux esthétiques sera analysée au chapitre IV.

88. « Joan Miró ou l'enfance de l'art », p. 338.
89. Voir dans le même esprit « Trois Poèmes pour trois peintures sur papier journal » d'Alain Jouffroy, qui répond à la violence du geste pictural de Miró – grands traits d'aquarelle noire jetées sur des pages de journaux – par la violence de ses propos. Ainsi le poème III débute : « Bêtise dictatoriale de l'homme, assez./Assez de sornettes sur vos agapes, prouesses, calembredaines, rixes, gaspillages et bénéfices./Assez d'étiquettes sur vos absences de sexe./Assez de frénétiques banalités. » *XX* siècle (1972).

DU MAGICIEN À MALDOROR

Sans doute faut-il conclure qu'écrire Miró est avant tout écrire – avec, contre, parallèlement, au-delà de Miró – des textes qui réagissent à la source picturale pour ensuite poursuivre leur chemin verbal, dans des jeux de mots, des récits merveilleux et des fragments de récits fantastiques ou érotiques, ou dans des images de destruction et de dé-figuration, où le Magicien s'est mué en Maldoror. Dans des textes qui traversent, ricochettent sur la surface picturale ou en dévient cavalièrement, les tableaux de Miró sont déplacés en musique, obus, graffiti ou hiéroglyphe, en paysage éluardien ou féminité bretonienne. Les nombreux textes sur, autour de, ou par Miró abondent en questions, en exclamations, hyperboles, paraphrases, paradoxes, anecdotes et fables, en analogies multiples et équations simplistes, en énumérations, jeux de mots, jeux intertextuels ou, au pire, en mièvreries ou simple bavardage. Les textes miment le dynamisme des tableaux de Miró, la mobilité et l'ouverture de leurs formes irréductibles à une figure ou une signification fixe. L'évocation par René Char de la ligne dynamique de Miró – « trajectoire d'une image lancée à sa propre et omniprésente poursuite »[90] – pourrait bien s'appliquer aux textes analysés ici. Miró lui-même évoque à l'occasion cette trajectoire, comme ici dans un entretien avec Georges Raillard :

> *Tenez voilà des dessins que j'ai faits sur du papier d'emballage. J'ai foutu de la couleur avec les doigts, directement. (Il suit son trait de l'index en appuyant, me prend la main pour me faire faire le même parcours du trait.)* (EE46)

Les tableaux de Miró incitent le poète à « faire le même parcours », dans des textes qui ne sont pas un (impossible) miroir des tableaux, qui n'en déchiffrent pas les signes, qui ne constituent pas non plus une synthèse (impossible) entre texte et image, mais qui en sont un prolongement dynamique et ouvert. Il s'agit non pas d'un rapport d'équivalence entre texte et tableau mais d'un rapport de différence/différance et de contiguïté. Écrire Miró c'est produire un texte qui est nécessairement déviant, détourné, autre, qui poursuit sa propre impulsion, sous l'effet du tableau. Et suivre cette écriture, c'est suivre les diverses lignes d'intersection – véritables lignes de fuite – entre texte et tableau, lignes

90. Char, « Avènement de la ligne » (1963), *Œuvres complètes*, p. 695.

mobiles où le texte répond au tableau en passant à côté ou au-delà de celui-ci afin de poursuivre des parcours autres.

III. CARTES DU MONDE SURRÉALISTES : AU-DELÀ DE L'EXOTIQUE ?

Aujourd'hui que la terre est quadrillée, bichonnée, macada-misée, il y a encore des mecs à la mie de pain qui parlent avec un sérieux vraiment papal d'être partis !

Aragon

Mythes de la naissance du monde, *topoi* du geste primordial, récits de voyages exotiques, allégories de figures émergeant de la matière : à la fin des années 1920 et au début des années 1930, les écrits sur l'art de l'avant-garde se situent à un carrefour intertextuel entre pensée mythique et pensée scientifique, entre ethnologie et psychanalyse, entre les stéréotypes de l'exotisme et une poétique nouvelle de l'altérité. Dans les essais, non seulement sur les tableaux de Miró, mais aussi sur les dessins de Masson ou les sculptures de Giacometti, le discours de la mentalité dite primitive se croise avec celui de l'inconscient[1]. Pour Michel Foucault, c'est *Totem et tabou* de Freud qui engage le dialogue entre l'ethnologie et la psychanalyse, dès les années 1920 :

> *On comprend enfin que psychanalyse et ethnologie soient établies l'une en face de l'autre, dans une corrélation fondamentale : depuis* Totem et Tabou, *l'instauration d'un champ qui leur serait commun, la possibilité d'un discours qui pourrait aller de l'une à l'autre sans discontinuité, la double articulation de l'histoire des individus sur l'inconscient des cultures, et de l'historicité de celles-ci sur l'inconscient des individus, ouvrent sans doute les problèmes les plus généraux qui puissent se poser à propos de l'homme.*[2]

Dans cette perspective, Michel Leiris voit dans les sculptures de Giacometti des fétiches ; Carl Einstein associe les forces hallucina-

---

1. Catherine Maubon, « Michel Leiris : des notions de ‹ crise › et de ‹ rupture › au ‹ sacré dans la vie quotidienne › », *in* C.W. Thompson, *L'Autre et le sacré. Surréalisme, cinéma, ethnologie*, L'Harmattan, 1995, p. 170.
2. Michel Foucault, *Les Mots et les choses. Une archéologie des sciences humaines*, Gallimard, 1966, p. 391.

toires des tableaux de Masson au totémisme mythique et Georges Hugnet amalgame les œuvres de Miró aux dessins enfantins et aux peintures rupestres d'Altamira[3]. L'objectif du présent chapitre est de situer les écrits surréalistes par rapport aux débats sur l'art aussi bien à l'intérieur du surréalisme que dans le contexte de la critique de l'art d'avant-garde de l'époque, et plus particulièrement dans le contexte du primitivisme moderne ainsi que des représentations et des discours de l'altérité, que celle-ci se rapporte aux cultures non-européennes ou à l'inconscient. Les débats eurent lieu notamment dans les pages des revues d'avant-garde telles que *Cahiers d'art* (à partir de 1926), *Documents* (1929-1930) et *Minotaure* (1933-1939). En contextualisant ainsi ces textes, nous les lirons comme les éléments d'un dialogue – souvent convergent, parfois conflictuel – où, par exemple, l'esthétique d'un Éluard ou d'un Breton fait écho à celle de Christian Zervos, directeur de *Cahiers d'art*, ou s'oppose à la position de Georges Bataille, directeur de *Documents*.

Les rapports fluctuants entre discours esthétique, ethnologique et psychanalytique seront étudiés dans ce chapitre dans des textes signés Breton, Desnos et Leiris parmi d'autres, et tout particulièrement par l'analyse de la rhétorique de l'altérité. Si les écrits surréalistes occupent un espace aux confins du discours poétique ou critique d'une part, et du langage exotique ou ethnologique d'autre part, c'est que le surréalisme doit confronter, tout comme l'ethnologie, l'enjeu de l'expression de l'altérité. Selon James Clifford, ethnologie et surréalisme partageraient un même domaine de recherche, car « [e]n aval (psychologiquement) et en amont (géographiquement) de la réalité ordinaire, il existait une autre réalité »[4]. Comment, en effet, dire l'inouï de la poésie, le *jamais vu* des images picturales ? L'analyse suivante montrera que les surréalistes empruntent souvent les images de la première pour dire (indirectement) l'étrangeté de l'autre, dans une démarche basée sur l'analogie entre (l'effet de) la poésie et de l'œuvre plastique.

---

3. Leiris, « Alberto Giacometti », *Documents,* vol 1, n° 4, 1929, pp.209-10 ; Einstein, « André Masson, étude ethnologique », *Documents,* vol 1, n° 2, 1929, pp.93-102 ; Hugnet, « Miró ou l'enfance de l'art », *Cahiers d'art*, vol 6, n°7-8, 1931, pp.335-40.

4. James Clifford, « Du Surréalisme ethnographique », *Malaise dans la culture. L'ethnographie, la littérature et l'art au xxe siècle*, École Nationale Supérieure des Beaux-Arts, Coll. « Espaces de l'art », 1996, p. 124.

Dans la première partie du chapitre, l'analyse portera sur l'imaginaire topographique des surréalistes, et notamment sur la carte du monde surréaliste, *Le Monde au temps des surréalistes* (1929), dont les frontières cavalières témoignent de la recherche d'espaces *autres* où les surréalistes élisent un domicile souvent malaisé, toujours marginal. Les pages des revues surréalistes et d'avant-garde seront interrogées sur la question de l'altérité, que celle-ci soit temporelle (l'art préhistorique), géographique (les masques dogons ou océaniens) ou mentale (les dessins d'aliénés ou d'enfants) : deux esthétiques de l'altérité divergentes y seront décelées. Dans la deuxième partie, le *topos* et le *telos* du discours exotique, qui médiatise l'altérité, seront balisés dans les écrits sur l'art de Desnos. On montrera notamment comment il entreprend une réécriture parodique du discours exotique. Finalement, on constatera que le discours sur l'art de Desnos connaît une évolution vers la fin des années 1920, lorsqu'il s'éloigne du surréalisme de Breton pour s'intéresser au tableau en tant qu'objet réel.

CARTOGRAPHIES DU SURRÉALISME

Sur la carte du monde imaginaire surréaliste, *le Monde au temps des surréalistes* (1929), l'océan Pacifique, placé au centre du monde, est bordé d'une Nouvelle Guinée ayant pris les dimensions d'un continent, ainsi que de l'île de Pâques, de l'Alaska, de la Russie, de la Chine et du Mexique. Les États-Unis ont totalement disparu, et l'Europe occidentale, réduite à Paris, l'Irlande, l'Allemagne et l'Autriche-Hongrie, figure comme un minuscule promontoire au bout de la masse continentale asiatique[5]. Cette subversion d'une topographie connue atteste graphiquement du rejet par les surréalistes de la pensée occidentale, dominée par la raison, au profit de modes de pensée non-occidentaux, associés à l'irrationnel et à la révolution. Il s'agit d'un exemple tout à fait littéral de *dépaysement*, de désorientation (ou plutôt de *dés-occidentalisation*), une stratégie dont l'impact dépend du double mouvement de reconnaissance et de rejet du (pays) connu. Sont cartographiés les lieux surréalistes par excellence tels qu'ils étaient explorés dans les domaines de l'inconscient (identifié avec la pensée dite « primitive »), de la révolution sociale (venant de la Russie

5. *Le Monde au temps des surréalistes* (sans nom d'auteur), *Surréalisme, Variétés* (Bruxelles), 1929, pp. 26-7.

bolchevique), et de l'expression artistique (par un glissement du modèle esthétique de la statue grecque à celui de la peinture rupestre ou du masque océanien). Il ne faut pas oublier que tout au long des années 1920 et 1930, les frontières du surréel étaient fluctuantes. Quelques-unes de ces configurations seront explorées ici, dans l'analyse notamment des écrits surréalistes sur les artefacts non-occidentaux et sur l'altérité des produits de l'inconscient. L'analyse portera sur trois versions de la carte surréaliste: en premier lieu, le modèle binaire des premières années du mouvement, identifié avec le débat contemporain qui opposait les tenants de « l'Occident » aux tenants de « l'Orient »; deuxièmement, le concept d'une fusion des cultures dans l'espace et le temps, où l'altérité culturelle est récupérée dans une pratique discursive indifférente aux frontières spatio-temporelles, un concept élaboré notamment dans *Cahiers d'art* et dans les textes de Breton; et troisièmement le concept plus radical d'un espace hétérogène où l'idée même de frontières, donc de classification stable, est éclatée, comme en témoignent les collages de Max Ernst et les activités du groupe *Documents*.

Pour les dadaïstes et les surréalistes du début des années 1920, le monde était divisé suivant un modèle binaire: d'un côté l'« ici » tant abhorré, de l'autre l'« ailleurs » tant rêvé. Une telle division, toute manichéenne, exprime l'insatisfaction des jeunes surréalistes vis-à-vis de la société d'après-guerre, et notamment du programme de reconstruction français et du retour aux valeurs traditionnelles de l'avant-guerre. Elle avait ses racines littéraires dans la poésie du XIXᵉ siècle, celle de Baudelaire, Rimbaud ou Mallarmé. Breton cite ce dernier dans une lettre de 1915 à Théodore Fraenkel: « Cet état d'esprit, dont le ‹ Là-bas fuir! › est l'explication aristocratique, ne me quitte plus »[6]. L'*ailleurs* ainsi valorisé est un espace mental plus que géographique. Au printemps 1924 le poète surréaliste Éluard met cap sur l'Extrême Orient, mais rentre en France désenchanté après un « voyage crétinisant »[7]. Bien moins aventureux, Breton, en compagnie d'Aragon,

---

6. Lettre (printemps 1915) citée par Marguerite Bonnet, *André Breton et la naissance de l'aventure surréaliste*, Corti, 1975, p. 72.
7. « [Éluard] n'avait fait qu'agrandir le voyage crétinisant aux limites de la terre ». Maurice Nadeau, *Histoire du surréalisme*, Seuil, Coll. « Points », 1964, p. 99.
8. Voir Béhar, *André Breton. Le grand indésirable*, pp.155-6.

Morise et Vitrac, prend le train pour un voyage de dix jours en province, à la recherche du hasard et de la désorientation, sans plus de succès[8]. En fait, les jeunes surréalistes préfèrent le rôle de flâneur dans les rues de Paris à celui de voyageur[9]. Le jeune Aragon satirisera le désir romantique de voyages exotiques : « Aujourd'hui que la terre est quadrillée, bichonnée, macadamisée, il y a encore des mecs à la mie de pain qui parlent avec un sérieux vraiment papal d'être partis ! »[10]. Il stigmatise l'aspect essentiellement subjectif du voyage exotique, dans une allusion cinglante à « un sale petit univers fictif, individuel, où chacun se rebâtit la terre à sa chassieuse image [...] Ils se sont rebâtis un paradis virtuel, qui niche quelque part en Afrique »[11].

L'ailleurs rêvé des surréalistes est associé à cette époque à un Orient mythique qui alimente leurs rêves d'évasion, leurs espoirs politiques et leurs préoccupations philosophiques, un Orient doté d'une dimension à la fois nostalgique (romantique) et prophétique (révolutionnaire)[12]. Breton lancera un appel passionné à cet Orient mythique dans un texte de 1924 :

> *Orient, Orient vainqueur, toi qui n'as qu'une valeur de symbole, dispose de moi, Orient de colère et de perles ! Aussi bien que dans la coulée d'une phrase que dans le vent mystérieux d'un jazz, accorde-moi de reconnaître tes moyens dans les prochaines Révolutions. Toi qui es l'image rayonnante de ma dépossession, Orient, bel oiseau de proie et d'innocence, je t'implore du fond du royaume des ombres !* [13]

9. Voir Jean Jamin, « L'Ethnologie mode d'inemploi. De quelques rapports de l'ethnologie avec le malaise dans la civilisation », *in* Jacques Hainard et Roland Kaehr, *Le Mal et la douleur*, Neuchâtel : Musée d'Ethnographie, 1986, p. 67.

10. Aragon, *Traité du style* (1928), Gallimard, Coll. « L'Imaginaire », 1991, p. 81.

11. *Traité du style*, pp.84-5.

12. Pour une discussion du surréalisme et de l'Orient, voir Marguerite Bonnet, « L'Orient dans le surréalisme : mythe et réel », *Revue de littérature comparée,* vol 54, n° 4, 1980, pp.411-24 ; Viviane Barry, « Le Mythe oriental dans l'antinationalisme des surréalistes », *History of European Ideas,* vol 16, n° 4-6, 1993, pp.393-9 ; Karlheinz Barck, « Décolonisation de l'esprit occidental. L'apport de Breton et de Tzara », *Chassé-croisé Breton-Tzara, Mélusine,* n° 17, 1997, pp. 241-52. Viviane Barry-Couillard analyse l'Orient fantasmatique des surréalistes en utilisant les schèmes définis par Gilbert Durand (1969) : les schèmes ascensionnels, de la lumière, et de la violence, inversions euphémisantes d'une Europe décadente, obscurantiste et figée. Vivianne Barry-Couillard, « L'Image de l'Orient, antidote de l'image de l'Europe », *L'Europe surréaliste, Mélusine,* n° 14, 1994, pp.63-72.

13. Breton, « Introduction au discours sur le peu de réalité » (septembre 1924), *Commerce,* n° 3, hiver 1924 (OCII280).

Tout aussi passionné, Desnos fait appel à l'Orient dans *La Révolution surréaliste*, « citadelle de tous les espoirs », comme antidote à l'Occident discrédité, « ce nid de guêpes, verrue de l'Asie, l'Europe »[14]. Le débat dans les milieux politiques et culturels de l'époque, où s'affrontaient partisans de l'Occident et de l'Orient, était basé sur la polarisation entre valeurs classiques et romantiques. La rhétorique de l'*establishment* français invitait à un retour aux valeurs du classicisme (la rationalité, l'ordre, la discipline), et s'opposait aux valeurs dites romantiques (la révolution, la nature, l'émotion, le caprice, la confusion, le chaos). Une telle rhétorique reprenait la polarisation d'avant 1914 entre civilisation et barbarisme[15]. Les valeurs classiques étaient considérées comme un héritage de la culture gréco-romaine, donc essentiellement françaises, les valeurs romantiques, par contre, avaient partie liée avec l'Allemagne et l'Orient. Le paradigme romantisme-révolution-inconscient, considéré comme négatif par le discours officiel parce qu'il mettait en cause la tradition française de classicisme-discipline-cartésianisme, est adopté avec passion par le groupe surréaliste. D'où les critiques du surréalisme comme celle de Maurice Raynal en 1927: « il reste qu'il s'agit d'un mouvement de mode plus allemand que français, plus littéraire que plastique, à cause surtout d'une influence pathologique qui ne correspond pas aux tendances de l'art de chez nous »[16]. Cette polarisation, nourrie par Nietzsche et Spengler (dont *Le Déclin de l'Occident* a été publié en 1918-1922), donne lieu dans les années 1920 à des débats passionnés. Dans un numéro spécial des *Cahiers du mois*, daté de mars 1925 et intitulé *Les Appels de l'Orient*, les défenseurs de droite du classicisme confrontent les surréalistes sur la gauche révoltée romantique[17]. Henri Massis, polémiste nationaliste, y défend les valeurs occidentales – « la culture gréco-latine est la seule qui assure l'équilibre rationnel et l'universalité de l'intelligence » – contre l'assaut germano-asiatique:

14. Desnos, « Pamphlet contre Jérusalem », *La Révolution surréaliste,* n° 3, 15 avril 1925, p. 8.
15. Voir l'excellente analyse par Kenneth Silver des stéréotypes, basés sur la polarisation civilisation/barbarisme, véhiculés dans la culture populaire avant et pendant la première guerre mondiale. *Vers le Retour à l'ordre. L'avant-garde parisienne et la première guerre mondiale, 1914-1925*, Flammarion, 1991, chapitre 1.
16. *Anthologie de la peinture en France de 1906 à nos jours*, p. 37.
17. *Les Appels de l'Orient, Les Cahiers du mois,* n° 9-10, mars 1925.

> *Mais trop de signes nous font craindre que les doctrines pseudo-orientales, enrôlées au service des puissances du désordre, ne servent en fin de compte qu'à ranimer les dissensions qui, depuis la Réforme, se sont abattues sur l'esprit de l'Europe, et que l'asiatisme, comme le germanisme de naguère, ne soit que le premier message des barbares.*[18]

Les surréalistes ripostent en faveur d'un Orient associé à l'irrationnel, au rêve, à la poésie, à l'idéal. Dans « Vanité de l'Europe », Philippe Soupault prévoit déjà les contours d'une nouvelle carte du monde : « L'Europe peut-elle attendre une renaissance ou deviendra-t-elle (ce qu'elle est géographiquement) la pointe extrême de l'Asie ? ». Pour sa part, Breton affirme : « C'est d'Orient que nous vient aujourd'hui la lumière », une lumière qui serait passée par l'Allemagne, et qui s'opposerait à la pensée latine :

> *Je souhaite le triomphe prochain et définitif d'une poésie on ne peut plus contraire à la raison latine, d'une poésie qui ne tire son pouvoir sur les hommes que de sa seule vertu de subversion ; je préconise en outre les formes contemplatives du désir [...] qu'on remette l'art à sa place qui est celle de l'expression barbare que nous saurons donner, une fois pour toutes, à nos douleurs ! Que l'Orient du rêve, du rêve de chaque nuit, passe de plus en plus dans l'Occident du jour. Il dissipera cette politique sombre des derniers temps de notre décadence.*[19]

Le débat se poursuit dans le troisième numéro de *La Révolution surréaliste* d'avril 1925. Les surréalistes y rejettent les valeurs prétendument françaises : positivisme, nationalisme, patriotisme, rationalisme. Ils insultent le pape, figure de l'Occident chrétien (« Nous n'avons que faire de tes canons, index, péché, confessionnal, prêtraille, nous pensons à une autre guerre, guerre à toi, Pape, chien »), et font appel au Dalaï-Lama pour éclairer leurs « esprits contaminés d'Européens » (« Nous sommes tes très fidèles serviteurs, ô Grand Lama, donne-

---

18. Henri Massis était directeur de *La Revue universelle* de 1920 à 1944. Ses essais portant sur le débat Orient-Occident sont rassemblés dans *Défense de l'Occident*, Plon, 1927.

19. OCI899. Dans le même numéro, René Crevel affirme que l'Europe serait menacée non pas par l'Orient mais par l'Amérique. « De l'Ouest ou de l'Est », pp. 80-3.

nous, adresse-nous tes lumières »)[20]. Dans le même numéro, Desnos lance un appel aux fils de Kalmouk et aux petits-fils des Huns pour détruire l'Europe décadente, et demande aux Juifs de rester en exil jusqu'à ce que la pensée occidentale soit écrasée :

> *Issus de l'Est ténébreux, les civilisés continuent la même marche vers l'Ouest qu'Attila, Tamerlan et tant d'autres inconnus. Qui dit civilisés dit anciens barbares, c'est-à-dire bâtards des aventuriers de la nuit, c'est-à-dire ceux que l'ennemi (Romains, Grecs) corrompit.*[21]

De même, Aragon invite les « barbares » à détruire la civilisation européenne pour y implanter le chaos :

> *Monde occidental, tu es condamné à mort. Nous sommes les défaitistes de l'Europe [...] Nous nous liguerons avec les grands réservoirs d'irréel. Que l'Orient, votre terreur, enfin, à notre voix réponde. Nous réveillerons partout les germes de la confusion et du malaise. Nous sommes les agitateurs de l'esprit. Toutes les barricades sont bonnes, toutes les entraves à vos bonheurs maudits. Juifs, sortez des ghettos [...] Bouge, Inde aux mille bras, grand Brahma légendaire. À toi, l'Égypte. Et que les trafiquants de drogue se jettent sur nos pays terrifiés. Que l'Amérique au loin croule de ses buildings blancs au milieu des prohibitions absurdes. Soulève-toi, monde ! [...]*
>
> *Riez bien. Nous sommes ceux-là qui donneront toujours la main à l'ennemi.*[22]

---

20. « Adresse au Pape » et « Adresse au Dalaï-lama », *La Révolution surréaliste,* n° 3, 15 avril 1925, pp. 16 et 17. Voir aussi dans le même numéro l'article de Théodore Lessing, « L'Europe et l'Asie », pp. 20-1.

21. Desnos, « Description d'une révolte prochaine », *La Révolution surréaliste,* n° 3, 15 avril, 1925, p. 25.

22. Aragon, « Fragments d'une conférence », *La Révolution surréaliste,* n° 4, 15 juillet 1925, p. 25. Dans leur tract « La Révolution d'abord et toujours ! » (août 1925), les surréalistes invoquent l'Asie comme source de renouvellement: « C'est notre rejet de toute loi consentie, notre espoir en des forces neuves, souterraines et capables de bousculer l'histoire, de rompre l'enchaînement dérisoire des faits, qui nous fait tourner les yeux vers l'Asie [...] C'est au tour des Mongols de camper sur nos places ». José Pierre, *Tracts surréalistes et déclarations collectives* I, Le Terrain Vague, 1980, p. 55.

L'attrait exercé par les pouvoirs supposés de l'Orient et de l'irrationnel s'exprime dans les déclarations surréalistes par une notion fort éclectique de l'Orient, un lieu psycho-géographique qui englobe l'Inde, l'Égypte et l'Allemagne, Attila et Tamerlan, Mongoles et Juifs, musique de jazz, ésotérisme, masques trouvés au marché aux puces et trafiquants de drogue[23]. Dans « Légitime défense » (1926) Breton invoquera l'Orient comme exemple des *mots-tampons* chargés d'une forte signification symbolique, un « pseudo-Orient » incarnant la révolution et le triomphe de l'inconscient[24]. Dans un entretien de 1988, Michel Leiris se rappellera cette appropriation brouillonne à l'époque où il participait aux activités du groupe surréaliste :

> *On parlait de l'Orient avec un grand O, au sens rimbaldien : ce qui n'est pas l'Occident. Quelqu'un comme Artaud et nous autres à la suite nous vomissions le pape et rendions hommage au Dalaï-lama. C'était un peu biscornu [...] il s'agissait bel et bien d'une rébellion contre la civilisation occidentale.*[25]

Les assauts surréalistes, essentiellement anarchistes, visent non seulement les conservateurs et réactionnaires de droite, mais également le Parti Communiste Français. Lorsque celui-ci accuse les surréalistes d'avoir ignoré les enjeux matérialistes historiques, Breton riposte en faisant appel à un Orient essentiellement onirique pour critiquer le matérialisme marxiste.

La polarisation Orient-Occident est également évoquée dans la peinture surréaliste, notamment dans l'œuvre de Max Ernst, artiste allemand vivant à Paris. Son tableau *La Horde* (1927) fait allusion à la horde primitive freudienne[26], tandis que dans *Vision provoquée par l'aspect nocturne de la Porte Saint-Denis* (1927), le monument parisien est transformé en une forêt pétrifiée. L'utilisation dans ces tableaux de la tech-

---

23. Les écrits sur l'ésotérisme de René Guénon, qui participe au débat Orient-Occident, ont beaucoup influencé la pensée de Breton. Voir René Guénon, *Orient et Occident*, Véga, 1924. Guénon contribue au numéro spécial des *Cahiers du mois* (1925) avec « Le Roi du monde » (pp. 206-15). Voir l'ouvrage d'Eddie Batache, *Surréalisme et tradition. La pensée d'André Breton jugée selon l'œuvre de René Guénon*, Éditions Traditionnelles, 1978.
24. Breton, « Légitime défense », *La Révolution surréaliste*, n° 8, 1er décembre 1926, p. 35 (OCII293-4).
25. Leiris, *C'est-à-dire*, Jean-Michel Place, 1992, pp.10-11.
26. *Totem et tabou*, p. 199.

nique du grattage – équivalent graphique de l'automatisme verbal – peut être elle-même interprétée comme un geste subversif qui défait la clarté des contours et le naturalisme des formes de l'art classique. Elle correspondrait donc aux valeurs orientalo-allemandes tant décriées par Massis[27]. La forêt est également évoquée par Ernst dans un court texte en prose de 1934 intitulé *Les Mystères de la forêt*[28]. Il imagine la disparition de la forêt européenne, couverte de goudron et de promeneurs du dimanche, nourrie de journaux en boîte, devenue « géométrique, consciencieuse, besogneuse, grammaticale, juridique, pastorale, ecclésiastique, constructiviste et républicaine », une forêt (appelée Mme de Rambouillet!) pour chasse présidentielle, ayant toutes les caractéristiques de la culture occidentale. Il évoque, par contraste, les forêts d'Océanie, « sauvages et impénétrables, noires et rousses, extravagantes, séculaires, fourmilières, négligentes, féroces, ferventes et aimables », espaces mystérieux et encore inexplorés qui évoquent l'espace de l'inconscient.

En janvier 1927 le groupe surréaliste adhère au Parti Communiste et adopte par nécessité une position matérialiste à l'intérieur du marxisme. Les références à un « Orient » imaginaire disparaissent presque entièrement des déclarations politiques surréalistes, remplacées par des références à des pays bien réels, Russie, Indochine ou Chine. Il est vrai que la mission confiée à Breton d'étudier l'industrie du gaz en Italie du nord pouvait difficilement être formulée en termes d'un Orient mythique! Lors de l'Exposition Coloniale de 1931, les surréalistes et le PCF organisent une contre-exposition intitulée « La Vérité dans les colonies », pour protester contre l'exploitation et la répression coloniales. Une photo reproduite dans *Le Surréalisme au service de la révolution* montre une vitrine d'exposition d'objets libellés « fétiches européens », comprenant une statuette de la Vierge à l'enfant et une statuette représentant un enfant noir qui servait à la collecte[29]. Le jeu sur l'inversion du modèle binaire traditionnel – objets religieux chré-

27. Massis oppose les philosophies d'Allemagne et d'Orient (« la philosophie de l'Un – Tout et des oppositions directes qu'elle y résout ou plutôt qu'elle y dissout ») à la pensée de l'Occident basée sur la distinction, la ressemblance et le naturalisme.
28. Ernst, « Les Mystères de la forêt », *Minotaure*, no 5, 1934; Écritures, pp. 221-3. Voir l'analyse de Nadia Sabri,« La Forêt dans l'œuvre de Max Ernst », *Réalisme-surréalisme, Mélusine,* no 21, 2001, pp. 245-59.

tiens contre objets-fétiches africains – a pour objet de remettre en question la *doxa* européenne, y compris les présupposés occidentaux vis-à-vis des objets culturels non-occidentaux[30].

Cependant, l'Orient métaphorique, tout particulièrement le paradigme exotique, continuera à cerner verbalement l'ailleurs exploré dans les tableaux et les textes des surréalistes. En effet, l'image exotique dit la distance, la différence, que celles-ci soient géographiques ou psychologiques. Par exemple, dans son essai « Le Surréalisme et la peinture », Breton compare les paysages évoqués dans les tableaux de Tanguy à un Mexique imaginaire ou à un pays d'Ys légendaire :

> *À égale distance de ces anciennes villes du Mexique que sans doute à jamais dérobe à l'œil humain la forêt impénétrable, des lianes qui s'échevellent par leurs couloirs géants, des papillons impossibles qui s'ouvrent et se ferment sur leurs escaliers de pierre de mille marches, à égale distance de ces villes et d'une « Ys » dont il a trouvé la clé, se faisant place une nuit dans les jardins de coraux, [...] il me tarde de rejoindre Yves Tanguy en ce lieu qu'il a découvert.* (SP43)

L'exotique envahit Paris dans les années 1920 sous forme, non pas des hordes barbares invoquées dans la rhétorique surréaliste, mais de négrophilie mondaine ou populaire. Celle-ci est présente partout, dans les cabarets (Joséphine Baker, le Black Birds Revue, le Bal Nègre), dans le mobilier Art Déco, dans les masques africains dénichés au marché aux puces, ou dans la prolifération de publications et d'expositions (le musée des Arts décoratifs organise une grande exposition d'art africain et océanien en hiver 1923-1924), autant de manifestations qui apportent au public parisien les objets culturels et les récits ethnologiques de cultures non-occidentales. Aragon, parmi d'autres, satirise ces importations mondaines : « J'inventai une sorte d'agence Cook bouffonne [...] L'asphalte se remit à bouillir sous les pieds des promeneurs [...] L'obélisque fit pousser un Sahara place de la Concorde, une forêt surgit soudain place de l'Opéra »[31]. Le surréalisme participe à l'engouement de l'avant-garde européenne qui, lasse des tableaux des Salons et du « retour à l'ordre » de nus ingresques ou de

---

30. Voir l'analyse de Dawn Ades, « Surrealism : fetishism's job », *in* Anthony Shelton, *Fetishism. Visualising Power and Desire*, Londres : Lund Humphries, 1995, p. 68.
31. *Traité du style*, p. 99.

paysages poussinesques, voit dans les masques africains, les statues cycladiques ou les arts « marginaux », non pas les formes tout à fait conventionnelles qu'elles étaient en réalité dans leur contexte d'origine, mais des œuvres artistiques inédites dans la société occidentale, donc libératrices.

Cependant, là où la culture mondaine ou populaire banalise l'exotique dont elle s'entoure, les surréalistes s'efforcent de conserver le potentiel perturbateur des objets artistiques non-européens. Les expositions surréalistes (nous l'avons constaté au chapitre I au sujet de la *non-spécialisation* de l'art surréaliste) juxtaposent dans ce but peintures surréalistes et objets ethnologiques et autres. Pour l'exposition « Tableaux de Man Ray et objets des îles » (galerie Surréaliste 1926), les tableaux côtoient des masques de Nouvelle Guinée et de Nouvelle Irlande provenant de la collection de Breton ; en 1927, l'exposition « Yves Tanguy et objets d'Amérique », également à la galerie Surréaliste, juxtapose tableaux de Tanguy et objets ethnologiques des collections de Breton et Éluard ; à l'Exposition surréaliste d'objets (galerie Ratton 1936), objets trouvés, scientifiques, *ready-made* et autres voisinent avec des objets africains et océaniens de la collection de Charles Ratton ; et l'exposition « Le Masque » (musée Guimet 1959-1960) mêle des masques provenant du monde entier et des masques fabriqués par les surréalistes Jean-Claude Silberman et Mimi Parent. Il en était de même sur les murs de l'atelier parisien de Breton, au 42 rue Fontaine, où un tableau de Chirico voisinait avec un masque esquimau, un tableau du Douanier Rousseau était accroché au-dessus d'une statuette africaine[32]. Pour James Clifford ces configurations constituent « un musée ludique qui collecte et reclasse ses spécimens simultanément »[33]. L'atelier était moins un dépositaire d'images fixes qu'un espace d'échanges dynamiques provoquant la désorientation ou le dépaysement littéral et émotionnel du spectateur, jonglant d'une manière cavalière avec l'histoire de l'art, et constituant par là une cri-

32. Un mur de l'atelier de Breton a été reconstitué au Musée d'Art Moderne au Centre Beaubourg. Pour une discussion de l'atelier de Breton, voir Agnès de la Beaumelle, « Le Grand Atelier », *in André Breton. La beauté convulsive*, Centre Georges Pompidou, 1991, pp. 48-63 ; Isabelle Monod-Fontaine, « Le Tour des objets », *ibid.*, pp. 64-8 ; Paolo Scopelliti, « Tzara et Breton collectionneurs », *Chassé-Croisé. Tzara-Breton, Mélusine,* n° 17, 1997, pp. 219-32.
33. « Du Surréalisme ethnographique », p. 135.

tique des hiérarchies esthétiques établies. Juxtapositions qui visent moins à produire un miroir ou une filiation entre pratiques ethnographiques et surréalistes – et Jean Jamin a bien souligné qu'il s'agit d'activités qui se tiennent à l'écart l'une de l'autre, dont les objectifs et les prémisses sont divergents[34] – qu'à provoquer une étincelle grâce aux rencontres inédites d'objets éloignés, dans une mise en scène déréalisatrice. Perçus par Breton en dehors du discours ethnologique, les objets ethnographiques gardent tout leur mystère : signes investis de significations nouvelles (ou tout au moins potentielles), ils seraient l'expression – tout comme les dessins automatiques ou les tableaux oniriques des surréalistes – d'une mentalité soi-disant « primitive »[35].

La disposition des objets dans l'atelier de Breton et les textes cités sont caractéristiques du discours de l'avant-garde sur le relativisme culturel vers la fin des années 1920. Discours où, une fois que l'objet non-européen se voit intégré à la notion d'une culture universelle, son altérité est immédiatement désamorcée. Christian Zervos privilégie l'art « primitif » sur l'art « classique », et *Cahiers d'art* adopte une position anti-occidentale en accordant une grande place aux arts non-européens. Le rôle de revues d'avant-garde telles que *Cahiers d'art* était crucial pour la diffusion de reproductions photographiques d'objets ethnographiques. La pratique de la juxtaposition entre objets ethnographiques et d'art contemporains facilitait les rapprochements entre des objets culturels disparates. À titre d'exemple, la sculpture néolithique d'un bélier en provenance de Silésie est reproduite face à un collage de taureau de Picasso (1927), ou une gouache de Paul Klee *Nekropolis* (1930) confronte une sculpture Bakuba[36]. La fusion des cultures est un principe fondateur de l'esthétique de *Cahiers d'art*. Pour Zervos, qui réécrit cavalièrement l'histoire de l'art en télescopant le temps et l'espace, l'artiste contemporain devient « un maillon de la chaîne commencée par l'homme préhistorique et continuée par

34. « L'Ethnologie mode d'inemploi ».
35. On retrouve dans les textes de Breton les poncifs sur le « sauvage » dénoncés par Claude Lévi-Strauss : « Jamais et nulle part, le ‹sauvage› n'a sans doute été cet être à peine sorti de la condition animale, encore livré à l'empire de ses besoins et de ses instincts, qu'on s'est trop souvent plu à imaginer, et, pas davantage, cette conscience dominée par l'affectivité et noyée dans la confusion et la participation ». Claude Lévi-Strauss, *La Pensée sauvage*, Plon, Coll. « Presses Pocket », 1990, p. 58.
36. *Cahiers d'art* ,vol 5, n° 1, 1930, pp. 68-9 ; *Cahiers d'art* vol 5, n° 6, 1930, pp. 306-7.

l'homme primitif suprême »[37]. Par ailleurs, le pouvoir de suggestion des objets ethnographiques dépend en grande partie de leur détachement de leur contexte d'origine, comme en témoignent les photographies dans *Cahiers d'art* d'objets qui ont été isolés de leur source, donc de leurs significations socioculturelles, pour mieux être assimilés à une unité psychique qui se veut universelle. De nombreux articles proclament ce principe de relativisme culturel, dans un langage d'ailleurs souvent emprunté au discours utopique. À titre d'exemple, dans un article sur les liens entre psychanalyse et art primitif, le Dr O. affirme :

> *Et dans l'art nouveau et cosmopolite nous voyons fusionner en une immense communauté les créations françaises et russes, allemandes et espagnoles, l'art des insulaires des mers du Sud, l'art américain, l'art africain. Dans la fournaise qui forme (sic) nos capitales, se forge le visage de la nouvelle culture.*[38]

La métaphore du « visage de la nouvelle culture » forgé dans « la fournaise » des capitales évoque la fusion recherchée entre différentes cultures, et notamment entre l'art primitif et l'art moderne. Selon le Dr O., ce sont ici encore les travaux de Freud qui motivent de tels rapprochements, et en particulier le principe de l'inconscient :

> *La lumière que les théories freudiennes projettent sur l'art primitif éclaire aussi la tendance qu'ont les artistes modernes à retourner vers cet art. C'est une lutte contre la mécanisation de l'esprit, avec son aboutissement à l'intellectualité et un retour au sentiment profond de la vie intérieure.*

C'est dans le même esprit que dans les pages de *Cahiers d'art* les statues grecques préclassiques sont comparées à l'art asiatique, d'où l'évocation malraussienne des « Korés au sourire Khmer »[39]. La même

37. Christian Zervos, *Histoire de l'art contemporain*, Éditions des *Cahiers d'Art*, 1938.
38 . Dr O., « Art primitif et psychanalyse d'après Eckart von Sydow », *Cahiers d'art*, vol 4, n° 2-3, 1929, p. 66.
39. « Le miracle grec a vécu. Sous les assises du Parthénon de Maurras et de Winckelmann reposaient les Korés au sourire Khmer ; l'archéologie les a réveillés, l'archéologie qui a bouleversé les musées ». Georges Henri Rivière, « Archéologismes », *Cahiers d'art*, vol 1, n° 7, 1926, p. 177. Cependant Rivière met en garde contre le danger d'éclectisme culturel, conséquence des connaissances archéologiques plus étendues.

impulsion créatrice relie en ligne droite l'époque préhistorique à l'époque moderne, les sculptures tribales aux dessins automatiques surréalistes. Dans cette optique, Picasso, « primitif cérébral », est comparé par Pierre Guéguen aux peintres préhistoriques[40]. Pour Desnos, l'œuvre de Picasso « ouvre les portes de l'avenir et prend harmonieusement sa place dans la longue série qui commença, un jour de la préhistoire, par la gravure magique de quelque mammouth sur les murs d'une caverne »[41]. Et dans sa préface au catalogue de l'exposition surréaliste à Londres en 1937, Herbert Read affirme qu'il existe une profonde affinité entre la pensée surréaliste et la pensée *sauvage* :

> *Le surréalisme peut être considéré comme un retour à l'animisme de nos ancêtres… Imaginez que vous vous soyez dépouillé pour un instant des névroses et des psychoses de la civilisation : entrez et contemplez avec émerveillement les objets que la civilisation a rejetés, mais que le sauvage comme le surréaliste adorent toujours.* [42]

D'une manière générale, l'expérience artistique est considérée comme une quête des origines à la fois de l'individu (le souvenir de l'enfance) et de l'humanité (la remontée à la préhistoire), comme le suggère la définition du merveilleux proposée par Leiris en 1929 : « la force primitive de l'esprit […] qui ne peut trouver son origine que dans les profondeurs de l'inconscient ou dans la nuit des temps »[43]. Par conséquent, l'altérité ethnologique est assimilée à la déterritorialisaton de l'esprit. Imaginons donc la carte du monde surréaliste comme une carte géologique, où l'inconscient, tel un continent submergé, relierait Paris directement à l'île de Pâques ou au Mexique. La présence de cette terre, toute souterraine qu'elle puisse être, ainsi que les sauts d'un con-

41. Pierre Guéguen, « Picasso et le métapicassisme », *Cahiers d'art,* vol 6, n° 7-8, 1931, p. 326 ; voir aussi « Picasso primitif cérébral », *Cahiers d'art,* vol 7, n° 3-5, 1933, p. 108.
42. Desnos, « Picasso », *Picasso,* Éditions du Chêne, 1943 (EP179-80).
43. « [S]urrealism may be regarded as a return to the animism of our ancestors… Imagine that you have for a moment shed the neuroses and psychoses of civilization : enter and contemplate with wonder the objects which civilization has rejected, but which the savage and the surrealist still worship ». Herbert Read, « Foreword », *Surrealist Objects and Poems,* Londres : London Gallery, 1937. Voir aussi ce commentaire de Jules Monnerot : « Les dispositions affectives en jeu dans l'appel surréaliste et la sensibilité à cet appel semblent celles-là mêmes qui confèrent une résonance étrangement vaste et profonde aux données de l'ethnographie moderne ». *La Poésie moderne et le sacré,* Gallimard, 1945, p. 97.

tinent à l'autre dans des analogies qui brassent les diverses cultures, ont tendance bien évidemment à aclimater l'altérité en gommant les différences. On le constate par exemple lorsque les objets artistiques non-européens sont vus à travers l'œil du visiteur occidental cultivé qui s'en approprie l'altérité. C'est dans cette perspective que Tzara récuse l'altérité des arts « primitifs » en s'intéressant à leurs qualités plastiques et en les comparant aux recherches formelles des cubistes[44]. Et lorsque Breton se rend aux réserves des Indiens Hopi en 1945, il compare leurs masques à un tableau de Seurat et leurs costumes à Watteau et Goya, dans des analogies généralisantes qui, loin des remontées aux sources mythiques, renversent les liens, banalisent leur altérité, désamorçant ce qu'ils ont de radicalement autre, pour les ramener – on ne peut plus platement – au connu de l'art occidental[45].

À l'esthétique de l'altérité, récupérée par des analogies interculturelles, pour mieux fonder la notion d'universalité artistique présente dans le programme éditorial de Zervos ou dans les textes de Breton, s'oppose « une anti-esthétique de l'intransposable » ou « une esthétique de l'irrécupérable » soutenue avec force par Bataille et d'autres dans la revue *Documents* (1929-1930)[46]. Sous-titré « Doctrines, archéologie, beaux-arts, ethnographie », *Documents* se déclare résolument éclectique, combinant « l'irritant et l'hétéroclite si ce n'est l'inquiétant », affirmant la diversité culturelle, « un nivellement et une reclassification de catégories habituelles »[47]. Cette revue se présente comme un vaste collage où, par exemple, la photo d'un film américain est juxtaposée avec une photo d'écoliers africains en rang, la couverture du feuilleton policier *L'Œil de la police* avec la reproduction du tableau de Dali, *Le Sang est plus doux que le miel*, un dessin de Grandville avec une photographie de l'actrice Janet Flynn. Pour James Clifford, « *Documents* est […] une sorte de présentation ethnographique d'images, de textes, d'objets, d'étiquettes, un musée ludique qui collecte et reclasse ses spécimens simultanément »; les juxtapositions insolites de photos y créent « l'ordre d'un collage inachevé plutôt que celui d'un organisme

44. Leiris, « A Propos du musée des sorciers », *Documents* vol 1, n° 2, 1929.
45. Tzara, *Œuvres complètes,* IV, Flammarion 1982, pp. 319 et 508.
46. Breton, « Carnet de voyage chez les Indiens Hopi » (OCIII192).
47. Denis Hollier, « La Valeur d'usage de l'impossible », préface, *Documents* (1929-30), Jean-Michel Place, 1991, pp. xx et XXIII.

unifié »[48]. L'esthétique de Bataille, bien qu'exploitant également la juxtaposition, pose comme principe l'essentielle hétérogénéité des cultures et donc, la nature irrécupérable des objets culturels *autres*. Plus radicalement, l'altérité est une force de rupture située, non pas nécessairement dans un ailleurs géographique, mais faisant irruption dans l'espace illusoirement homogène du quotidien. Dans les pages de *Documents*, les photos et les articles répertorient les images déstabilisatrices des rues de Paris, les espaces marginaux de la ville, les graffitis sur les murs, les déchets des abattoirs, tout cela dans une célébration des matières – crachats, sperme, sang, matière fécale – du « bas matérialisme ». La *mappa mundi* des surréalistes est déboutée. À sa place on trouve un plan (incomplet) de Paris – préfigurant les cartes des Situationnistes – qui trace les fissures et les failles des lieux familiers, révélant les espaces *unheimlich* dans les rues mêmes de la ville. Une telle perception, fêtant l'informe – le non-lieu même de frontières, de distinctions – semble totalement échapper aux procédés du cartographe. Pour Leiris, la revue *Documents* a réussi à explorer « une zone sauvage où l'on s'aventure sans carte géographique ni passeport d'aucune espèce »[49].

Une troisième esthétique se dessine dans la pratique du collage de Max Ernst. Par opposition au projet totalisant d'analogies interculturelles d'un Zervos ou d'un Breton, ou à la notion de l'irrécupérable dans *Documents*, Ernst propose dans sa pratique artistique une coprésence de cultures qui n'est ni consensuelle ni conflictuelle. Dans son autoportrait imaginaire, par exemple, il se construit une double identité : d'une part, le dieu Pan et l'homme Papou, qui marquent une participation mythique avec la nature et la recherche d'une mythologie nouvelle (qui paraît, à l'occasion, comme le prolongement de l'ancienne) ; d'autre part, Prométhée le voleur de feu qui, dans une activité de déconstruction, joue avec les pièces détachées de cultures hétérogènes[50]. C'est ce dernier qui motive la *praxis* d'Ernst collagiste.

48. « Du Surréalisme ethnographique », p. 132. Sur la revue *Documents* se reporter à Catherine Maubon, « Documents : une expérience hérétique », *Pleine Marge*, n° 4, décembre 1986, pp. 55-67.
49. « Du Surréalisme ethnographique », pp135 et 136.
50. Leiris, « De Bataille l'impossible à l'impossible *Documents* », *Critique,* vol 15, n° 195-6, 1963.

Pour son roman-collage *Une Semaine de bonté* (1933), Ernst découpe dans le journal scientifique populaire *La Nature* des images d'objets ethnographiques, tels que les gigantesques têtes sculptées de l'île de Pâques ou des masques africains, et les colle dans un contexte déjà hypercodifié, celui du monde bourgeois du Second Empire, cadre familier des mélodrames du XIXe siècle. L'autre hante ces intérieurs claustrophobiques, salons, caves, wagons de trains, sous forme d'objets culturels déroutants qui déstabilisent les espaces clos grâce à leur présence énigmatique. Masques, monstres, reptiles constituent des irruptions inquiétantes de l'altérité dans l'espace du connu, signes réifiés de cultures étranges et étrangères, rendus d'autant plus troublants que les éléments des collages ont été assemblés de façon à gommer toute marque du procédé du collage. (Ernst fait des gravures à partir de ses collages – qu'il considère comme de simples maquettes – et retravaille souvent la plaque du graveur jusqu'à effacer les joints du collage afin de produire une image homogène.) Il recrée ainsi l'espace transitionnel des rêves, un espace *unheimlich* où le réel et le fantastique cohabitent malaisément[51]. La signification originelle de ces objets dépaysés de leur contexte d'origine – en tant qu'illustration pour un article ethnologique ou une pièce de musée – est à la fois reconnue et réprimée. Citons à titre d'exemple le chapitre « L'Île de Pâques » qui est dominé par les gigantesques têtes de pierre. Dans la dernière image de la séquence, le protagoniste, accroupi dans un décor chaotique, porte, inexplicablement, non plus la tête de l'île de Paques, mais un masque africain. Dans ce collage, le masque, objet culturel provenant d'un code dont on aurait perdu la clé, devient une forme figée parmi d'autres décombres d'objets et de squelettes, substitution aléatoire qui rompt avec le déroulement diégétique du récit. Dans ce mythe éclipsé devenu fiction court-circuitée, la signification originelle n'est présente qu'en creux, en tant qu'énigme, et le masque reste investi d'une charge expressive qui se rapporterait à un événement dramatique inconnu. Le masque, en dernière analyse, quelle que soit son origine, reste un élément proprement indigeste, littéral.

51. « Envers la ‹ nature › [...] on peut observer chez lui deux attitudes en apparence inconciliables : celle du dieu Pan et de l'homme Papou qui en possèdent tous les mystères et réalisent en se jouant l'union avec elle [...] et celle d'un Prométhée conscient et organisé, voleur de feu, qui, guidé par la pensée, la poursuit d'une haine implacable et lui adresse des injures grossières ». Ernst, « Au-delà de la peinture », *Écritures*, p. 268.

Breton et Ernst partagent bien une esthétique de l'appropriation et du montage d'éléments disparates. Toutefois, la pratique chez Ernst de collisions d'éléments hétérogènes à l'intérieur de l'homogénéité illusoire de l'espace pictural est bien plus radicale que le concept de Breton de collusions et d'intégration unifiante. Sur les murs de l'atelier de Breton la distance entre une tête esquimaude et un tableau de Chirico est annulée par un processus de récupération de l'altérité fondée sur la notion de l'universalité culturelle. Au contraire, lorsque des images monstrueuses ou non-occidentales envahissent les rues et les salons des collages de Max Ernst, leur différence est soulignée, elles fissurent de l'intérieur la stabilité de l'espace familier bourgeois. La pratique de Max Ernst ne peut être réduite à une récupération (bien qu'il y ait recyclage) ni à une irrécupérabilité (bien qu'il y ait déchirure de l'image) de l'altérité. En faisant de masques à portée mythique les syntagmes d'une nouvelle fiction, il les déplace latéralement. À la signification potentielle pleine et toujours renouvelée des objets ethnographiques chez Breton, qui puise dans le fonds de l'inconscient collectif pour les ramener à l'expérience subjective, s'oppose un processus de signification précaire chez Ernst. En isolant (presque) les images de l'altérité de leur contexte d'origine et en les intégrant (malaisément) dans une fiction, Ernst problématise non seulement le concept de l'autre mais, plus radicalement encore, le processus même de la signification.

Une dernière carte surréaliste marque les limites de la cartographie même. Il s'agit d'un tableau de Max Ernst, *L'Europe après la pluie*, daté de 1933, l'année de l'arrivée au pouvoir de Hitler. Sa surface rugueuse a été produite par le procédé de la décalcomanie – autre technique barbare – en plaçant une plaque de verre sur une couche de plâtre mouillée étendue sur du contreplaqué, et en la retirant rapidement. Elle évoque alors les contours d'une carte en relief, avec ses montagnes, ses fleuves, et ses mers ; et pourtant, la forme de l'Europe est méconnaissable, l'informe de la matière remplace les détails topographiques précis et les frontières distinctes des cartes habituelles. En œuvrant sur les marges des codes picturaux et cartographiques, Ernst répertorie les lieux mêmes de l'informe et de l'inconscient[52].

52. J'ai analysé l'appropriation par Max Ernst des images de cultures non-occidentales *in Surrealist Collage in Text and Image. Dissecting the Exquisite Corpse*, Cambridge University Press, 1998, pp. 125-8.

Les stratégies cartographiques qui viennent d'être explorées révèlent les transformations, secousses telluriques et glissements de terrain de la pensée surréaliste dans les années 1920 et 1930. Au dualisme manichéen du paradigme Orient-Occident s'oppose la résolution dialectique des espaces dans les expositions surréalistes, ou le processus hétérologique des collages de Max Ernst ou encore des pages de *Documents*. Aux frontières fluctuantes du surréalisme, la réalité est constamment transformée : l'Europe devient une verrue au bout de la masse asiatique ou un magma de la matière, l'île de Pâques fait irruption dans un salon parisien, et le Mexique envahit Montmartre[53].

DESNOS : AU-DELÀ DE L'EXOTIQUE ?

L'apport de Desnos à la fabrication de la carte du monde surréaliste, notamment dans le contexte du débat politique sur Orient-Occident, a été exploré dans la première partie de ce chapitre. Cette section portera sur les écrits de Desnos sur l'art. On montrera tout d'abord comment L'Orient, tout particulièrement par le biais du *topos* exotique, fournit à Desnos un intertexte pour évoquer l'étrangeté des espaces oniriques représentés dans les dessins et tableaux surréalistes. En deuxième lieu sera analysé le passage chez Desnos d'une esthétique du merveilleux exprimée par l'exotique, à une esthétique du réel, lorsque, évincé du groupe de Breton, il se rapproche de Bataille et du groupe de *Documents*.

La métaphore exotique paraît chez Desnos dès 1923 dans une lettre à Jean Carrive, pendant le « mouvement flou » qui marque la fin de l'expérience dada et précède l'établissement officiel du mouvement surréaliste :

> *Pour Dada c'est un petit vieux. Nous cheminons maintenant dans une sorte de désert ignoré des cartes. La pureté des banquises s'y allie à la solennelle chaleur des Saharas. Pour les forêts, la mer, les villes, les montagnes, les beaux mirages aussi tangibles que la réalité nous en tiennent lieu.*[54]

53. Un tableau de Dominguez, *Sans titre* (1937), produit aussi par la technique de la décalcomanie, présente la carte de l'Europe dont les contours sont peints en gouache. Un second tableau-décalcomanie d'Ernst titré *L'Europe après la pluie* (1940-2) reprend le motif de la forêt : la végétation foisonnante y grouille d'étranges créatures hybrides.
54. Dans les années 1950 les surréalistes reviendront à leur intérêt pour l'art non-européen, et notamment oriental.

L'évocation chez Desnos d'un voyage dans l'inconnu fait écho à l'injonction lancée par Breton – « Partez sur les routes » – dans son texte « Lâchez tout », qui marque la rupture avec dada en 1922[55]. C'est l'époque du désir de prendre le large par rapport à dada, suite à la rupture avec Tzara, et d'explorer de nouvelles formes d'expression. Desnos décrit un paysage monté de toutes pièces, qui combine mers polaires et déserts (en reprenant le stéréotype exotique « des Saharas »), et dont l'impossible localisation (« une sorte de désert ignoré des cartes ») et l'irréalité (« les beaux mirages ») le distinguent d'un paysage réel. Une rhétorique similaire informe les écrits de Desnos tout au long des années 1920, attestant que pour lui, comme pour Breton, la peinture, loin d'être un moyen d'expression distinct, n'est qu'un des modes de recherche du surréel en tant qu'au-delà poétique.

Au début du XXe siècle, Victor Segalen avait étendu le concept de l'exotique pour que celui-ci englobe toute expérience mentale qui se situe en dehors et au-delà de la réalité quotidienne[56]. C'est dans cette perspective que le discours exotique médiatise l'exploration du surréel. En effet, une altérité psychologique (les images de l'inconscient ou du rêve) est transposée en une altérité géographique (l'exotique) dans le *topos* du paysage antipodéen, et tout particulièrement dans le *telos* du voyage exotique, qui tentent de donner substance à la représentation picturale surréaliste en nommant l'insolite, en ramenant l'inconnu – la *terra incognita* de l'expérience du surréel, de l'espace onirique – au connu d'un discours familier. L'intertexte exotique permet à Desnos de découpler l'image de la réalité objective et de la déréaliser, c'est-à-dire de la surréaliser. Tout comme Breton, Desnos accorde la priorité à la vision sur l'imitation de la réalité (« De Michel-Ange au fabricant de roses en tissu, il y a peu de différence, encore que ma préférence va-t-elle sans hésitation au fleuriste »[57]), à la représentation du rêve sur la technique picturale : « La technique devant être constamment au

54. Un grand nombre d'artistes (dont Masson) entreprennent le voyage en Orient pour y étudier la calligraphie et la philosophie. Breton fait appel à la pensée chinoise contre la pensée occidentale dualiste (voir par exemple OCIII626).
Desnos, lettre à Jean Carrive (23 février 1923), Robert Desnos, Herne, n° 72, 1987, p. 286.
55. Breton, « Lâchez tout », *Littérature ns*, n° 2, 1er avril 1922, p. 10 (OCI263).
56. Victor Segalen, *Essai sur l'exotisme*, Montpellier : Fata Morgana, 1978.
57. Desnos, « Picabia », *Paris-Journal*, 18 janvier 1924 (EP77).

service de l'esprit, ne saurait trouver en elle-même sa fin », annonce-t-il, de façon programmatique (EP108). Par ailleurs, il considère la peinture comme la représentation d'un espace transitionnel ou liminaire, ou, pour être plus précis, comme une trajectoire, d'où la métaphore du voyage entre le réel et le surréel, l'ici et l'ailleurs. Cependant, face à la métaphore prédominante chez Breton de la peinture comme fenêtre ouvrant sur un paysage « *à perte de vue* », Desnos, s'engageant davantage dans ce paysage imaginaire, propose celle de la porte qui s'ouvre. Les toiles de Picabia sont comparées à des « portes ouvertes sur un univers incessamment renouvelé » (EP97), tandis que dans les œuvres de Chirico, « les portes fermées s'ouvraient d'elles-mêmes sur de mystérieux paysages » (EP111). L'artiste adopte non pas un rôle passif — tel celui d'un Ernst spectateur de ses hallucinations[58] — mais le rôle héroïque de conquistador de nouveaux espaces mentaux. Dans cette perspective, les surréalistes sont imaginés en « prospecteurs du rêve » (EP213), Picabia est « aventurier » (EP75) ou « alpiniste » (EP98), Christophe Colomb ou Edison (EP115), Malkine est lui aussi « un grand explorateur de ces pays du rêve » (EP87), tandis que Tanguy est imaginé comme « empereur en ce moment dans le pays des coccinelles […] roi des coucous, menant combattre son armée vers la plaine où les corbeaux s'ébattent » (EP212)[59].

Cependant, Desnos s'intéresse moins à la peinture comme référent qu'à la trajectoire mentale de l'artiste d'une part, ou à la subjectivité du poète-spectateur d'autre part. Le dépaysement, conséquence de l'exploration des rêves et de l'inconscient, est transcodé dans le voyage exotique, paradigme de la distance géographique, qui a une fonction semblable à l'allégorie du peintre préhistorique ou au mythe de la création du monde, paradigmes de la distance temporelle eux-mêmes analysés dans les essais sur Miró. Les paysages qu'évoque Desnos se réfèrent moins à un espace iconographique qu'à un espace psychique. Dans un amalgame entre paysages extérieur et intérieur, l'artiste avance aveugle : « je vous vois marcher les yeux bandés mais d'un pas

---

58. *Écritures*, p. 259.
59. Le même topos se trouve dans les textes sur l'art de Breton. Voir par exemple : « Comme Colomb, qui allait découvrir les Antilles, se croyait sur la route des Indes, au vingtième siècle le peintre s'est trouvé en présence d'un nouveau monde avant de s'être avisé qu'il pouvait sortir de l'ancien » (SP51).

assuré sous les grands eucalyptus du cauchemar et sous les mélèzes murmurants de l'inspiration » (EP213). Desnos envisage ainsi le surréel comme un espace à conquérir et à parcourir, mais également à reconnaître (comme souvenir de l'espace de l'inconscient), un espace surréel dont le tableau ne serait que la trace extérieure et le paradigme exotique un expédient discursif.

Ses textes confrontent, d'autre part, la subjectivité du poète-spectateur qui répond aux représentations picturales en les prolongeant par le verbe. Comme Marie-Claire Dumas l'a observé à propos de Desnos : « Le commentaire ne vise pas tant à établir une distance réflexive entre le spectateur et l'œuvre qu'à produire un contact, à prolonger l'effet du tableau dans le tissu des mots »[60]. L'intertexte littéraire apporte alors son soutien à l'écriture esthétique de Desnos : des innovations radicales dans le champ pictural, comme celles de Picabia, Malkine ou Tanguy, sont lues, moins en termes picturaux que littéraires. Ainsi *Les Fleurs du mal*, *Les Illuminations*, voire les clichés de la littérature populaire orientaliste, sont insérés comme modèles paradigmatiques pour dire la nouveauté picturale. C'est dans cette perspective que Desnos lit un peintre comme Masson à travers Baudelaire :

> *Dans un port de l'extrême Levant une foule étrange, où les femmes nues qui écrasent des grenades sur leurs seins coudoient des colporteurs décapités, se presse. Ils disent qu'ils attendent un homme que le ciel et l'amour inspirèrent. De grands bateaux rouges entrent dans le port. Un seul marin en descend en maillot rayé de bleu. Les hommes sages disent que c'est lui, qu'il s'appelle André Masson et que c'est la révolution qui l'envoie en éclaireur.* (EP209-10)

Le texte est moins une description de tableaux particuliers (bien qu'il prenne des motifs picturaux comme points de départ, par exemple *L'Armure* 1925) qu'une fable évoquant, dans une sorte d'exotisme intérieur, l'exploration par l'artiste – mythifié comme prophète attendu depuis longtemps ou marin solitaire envoyé par les forces révolutionnaires – d'espaces inconnus jusqu'ici de l'inconscient. Le commentaire sur l'art des années 1920 est truffé de références aux qualités

60. Marie-Claire Dumas, Préface, *Écrits sur les peintres*, p. 24.

poétiques ou lyriques des tableaux (nous l'avons constaté au chapitre I) qui ignorent la spécificité matérielle ou picturale de l'œuvre d'art pour s'épancher sur son effet. Desnos fait parfois allusion à l'expérience de dépaysement via des références aux lieux qui connotent l'altérité de l'exotique pour l'Européen, comme « l'extrême Levant » dans le texte cité ci-dessus, ou l'allusion aux temples mexicains dans une évocation des tableaux de Malkine : « Nous nous heurterons à des ruines mexicaines et à des temples enfouis sous les lianes » (EP92). De même, dans un essai sur Picabia, Desnos évoque « les Tombouctou fabuleux et les Californie désertes » (EP75), dont les substantifs pluriels et les adjectifs stéréotypiques attestent moins une désignation géographique qu'un simple effet de rhétorique. Ailleurs, Desnos fait allusion, dans un vague simplificateur, à des « îles bienheureuses » (EP91), à des « contrées vierges » (EP88), voire à des paysages extraterrestres, « paysages étrangers à la planète » (EP73), « [s]ouffles des autres planètes » (EP106), ou encore à des terres imaginaires qui ne peuvent être cartographiées, « un monde sans latitude ni longitude » (EP73). Ces paysages ne peuvent être évoqués que par le biais d'une rhétorique de l'excès : « Mais le pays de Klee est si lointain que nous n'y parviendrons jamais, sans la miraculeuse vitesse de propagation de la lumière et des regards. Il suffit d'ouvrir les yeux, on part, on est parti, on est arrivé ! » (EP113). La topographie des paysages mentaux, délibérément vague, se projette à une distance irréductible (« Klee nous conduit au pays le plus lointain, pays que jamais peintre ait imaginé » EP112) ou dans un paysage apocalyptique (« déserts sulfureux [...] description cruelle et minutieuse des lendemains de catastrophe » EP119)[61].

L'altérité du surréel semble donc être résorbée – ou tout au moins fortement encadrée – par le recours à un *nexus* de clichés orientalistes. Et même lorsque de telles références sont rejetées ou déniées, le paradigme exotique – fustigé par Aragon comme « ce langage à fusil rouillé »[62] – continue à fonctionner comme balise, encore que signalé explicitement comme déficient (autre façon de dire l'indicible ?), pour évoquer le surréel comme un lieu que le poète prétend situer au-delà de l'exotique lui-même :

61. Pour Sidra Stich cette dernière image fait allusion aux paysages apocalyptiques de la guerre de 1914-18. *Anxious Visions : Surrealist Art*, Berkeley : University Art Museum et New York : Abbeville Press, 1990, p. 86.
62. *Traité du style*, p. 80.

> *Pour aller dans les îles bienheureuses je ne prendrai pas de carte, je ne m'embarrasserai pas de boussole : je dirai à Georges Malkine de me conduire. Le chemin qu'il prendra sera tortueux et étrange. Nous connaîtrons la nuit froide des pôles et les mers trop calmes et trop chaudes de l'équateur… Nous nous heurterons à des ruines mexicaines et à des temples enfouis sous les lianes. Un jour enfin nous aborderons aux Îles bienheureuses. « Ce n'est pas là » nous dira Malkine et cet infatigable voyageur partira vers la découverte impossible.* (EP91)

Alors que les récits de voyage d'un Loti ou d'un Gide, en tant que voyageurs-témoins, exploitaient la rhétorique d'un exotisme qui se voulait naturaliste, le langage exotique du xxᵉ siècle, et notamment celui de Desnos, tout en semblant se cantonner dans le cadre du discours exotique classique, déclare l'insuffisance de cette rhétorique, l'exposant comme langage stéréotypé, évitant ainsi la facilité du discours sur l'*indicible*. Ainsi Maurice Nadeau rejette :

> *le fétichisme bâtard des catalogues [il fait illusion à la mode pour l'art africain et océanien dans les années 1920] au profit d'une rénovation du champ visuel tout entier parcouru par des êtres actifs à la recherche d'un nouveau monde qui cette fois déborderait les cartes géographiques si chères aux siècles voyageurs de la modernité.* [63]

De même, Desnos tient à distinguer l'œuvre d'un Picabia « de l'exotisme et de la recherche imbécile de la couleur locale » (EP77).

Ces espaces imaginaires sont donc reconnus comme étant fabulations, fabriqués (« paysages mystérieux et inconnus dont vous étiez le créateur » EP88) ou non-existants (« vers la découverte impossible » EP91). Le texte de Desnos semble s'embarquer innocemment dans une description des paysages surréels, puis nie toute possibilité de les approcher. Dans le texte sur Malkine cité ci-dessus, il remarque : « ce n'est pas là ». Loin de fournir au lecteur une description (imparfaite) ou un commentaire sur un paysage pictural (pittoresque), le langage exotique, désignant plutôt que décrivant les images de l'altérité, a une fonction performative. La métaphore exotique est donc utilisée moins comme « figure figurative » (illustrative, narrative, descriptive) que

---

63. Nadeau, *Le Temps du surréel*, pp. 228-9.-

comme « figure figurale »[64]. Tandis que la figure figurative peut être nommée, la figure figurale dit l'innommable. Il s'agit donc d'une forme du discours exotique essentiellement ritualisée, qu'on pourrait lier à la rhétorique du sacré, basée sur une polarisation du sacré et du profane, reprenant les polarisations quotidien/exotique, réel/surréel. Des critiques tels que Michel Carrouges ont montré que la rhétorique du surréel est bien située à un carrefour intertextuel entre les paradigmes littéraires et religieux[65]. Ceci manifeste le paradoxe entre les textes qui déclarent ouvertement le caractère irrécupérable de l'expérience surréelle dans les allusions répétées à l'« au-delà » des lieux exotiques, et une écriture qui prétend résister à la clôture, tout en la récupérant par l'utilisation – essentiellement parodique – du langage toujours approximatif de l'exotisme.

L'expression de l'inouï ou du *jamais vu* dans les écrits de Desnos, a été analysée ici dans le contexte de l'intertexte littéraire. Toutefois, elle doit aussi être lue dans le contexte plus général du commentaire sur l'art de la fin des années 1920 et du début des années 1930. Nous l'avons constaté dans la première partie de ce chapitre, les pages de *Cahiers d'art* et de *Documents* explorent la question de l'altérité esthétique, que celle-ci soit spatio-temporelle ou mentale. Il a été suggéré que deux esthétiques s'opposent à l'époque : d'une part, une esthétique de la récupération de l'altérité dans la notion d'universalité culturelle, d'autre part, une esthétique de l'irrécupérabilité de l'altérité telle qu'elle a été défendue dans les pages de *Documents*. Or, la position de Desnos semble fluctuer entre ces deux esthétiques. Dabord il fait écho au concept avancé par Zervos de relativisme culturel. Dans cette perspective, l'œuvre d'Ernst est reliée à une filiation artistique : « Il semble que ce petit-fils athée de Bosch en désespoir d'enfer ait recréé les épouvantables merveilles des âges lointains » (EP113). À partir de 1930, toutefois, la position de Desnos s'éloigne du surréalisme de Breton, distance qui se manifeste dans ses écrits par une référence insistante au réel. Sa participation à *Documents* avec la critique du roman-collage d'Ernst, *La Femme 100 tête*s par Max Ernst, et « Bonjour, M. Picasso » (tous deux

---

64 Sur la distinction entre « figure figurative » et « figure figurale », voir Jean-François Lyotard, *Discours, figure*, Klincksieck, 1971, p. 211.
65. Michel Carrouges, *André Breton et les données fondamentales du surréalisme*, Gallimard, 1950.

datés de 1930), ainsi que sa préface à une exposition des œuvres de Picabia (1931), le placent dans l'orbite de l'esthétique de Bataille, où les tableaux sont interprétés comme des actes (d'agression) plus que des images (du rêve), des objets ayant bien une présence réelle et non simplement des images à charge symbolique[66]. L'article sur Max Ernst commence par une image de l'artiste comme un être sanguinaire :

> *Le poète est un loup pour la poésie. Il la combat, la vainc et la déchire à belles dents et à longues griffes. Il s'en nourrit. Semblable à la lutte éternelle, au combat sans merci des amants, une passion forte comme la haine et la mort unit et oppose à la fois le poète et son idéale maîtresse. Sans ce goût du meurtre et du sang, pas d'œuvre valable dans ce domaine.*
>
> *C'est ce goût du meurtre, cette saveur du sang qui caractérise l'œuvre de Max Ernst et, en particulier,* La Femme 100 têtes…

Cette perspective bataillienne s'accompagne d'une critique de la position de Breton, dont l'essai de l'année précédente sur *La Femme 100 têtes* fournit l'intertexte polémique à celui de Desnos[67]. Alors que Desnos évoque le roman-collage de Max Ernst en termes de luttes violentes, de meurtre et de sang, Breton explore son aspect merveilleux à la lumière des livres d'enfants et des illustrations démodées. Si « le loup » est bien présent dans le texte de Breton, il ne s'agit point de la bête sauvage du texte de Desnos, mais d'un animal bien apprivoisé qui hanterait les salles de bal, le « loup de dentelle noire qui recouvrait les cents premiers visages de la fête ». De même, tandis que Breton fait allusion à l'expérience de dépaysement à la fois de l'artiste et du spectateur, Desnos souligne l'aspect *réel* des collages : « Pour le poète il n'y a pas d'hallucinations. Il y a le réel. Et c'est bien au spectacle d'une réalité plus étendue que celle communément reconnue telle que nous convie l'inventeur des collages ». À la fin de son article, il thématise explicitement le déplacement du merveilleux vers le réel : « Max Ernst arrache ainsi un lambeau au merveilleux et le restitue à la robe déchirée du réel. Et rien désormais ne sera plus

---

66. Desnos, « Bonjour, M. Picasso », *Documents,* vol 2, n° 3, 1930 ; « La Femme 100 têtes de Max Ernst », *Documents,* vol 2, n° 4, 1930 (EP133-4) ; « Picabia », préface d'exposition, galerie Bernheim, 1931 (EP137-40).
67. Breton, « Avis au lecteur pour *La Femme 100 têtes* » (OCII302-6).

commun qu'un Titan au restaurant ». Il faut donc conclure qu'à l'analyse bretonienne des collages d'Ernst comme une forme de *détournement* du réel qui crée le surréel, Desnos oppose le mouvement inverse, à savoir un mouvement vers le réel. Et bien que Desnos semble revenir au paradigme exotique lorsqu'il fait allusion au « pays de *La Femme 100 têtes* », il le situe désormais, non pas dans un au-delà poétique, mais dans un réel bien présent, identifié par des images précises, où le rêve se matérialise :

> *c'est situé à telle distance du point de chute des titans, à l'ombre de l'escalier qui vit la fuite de l'Éternel, non loin de la grotte étrange où s'ébattent des souris insolites, dans le territoire d'apanage des tremblements de terre et des envois flexibles de ballons.*[68]

Ses allusions à des images spécifiques de *La Femme 100 têtes*, ainsi que sa lecture des collages en tant qu'images littérales, s'opposent à la lecture métaphorique que fait Breton du roman-collage, qui en désamorce l'étrangeté. Dans un article datant de 1929, « La Peinture surréaliste », Desnos avait déjà mis l'accent sur la littéralité du tableau :

> *il y a une manière surréaliste de le regarder. Laquelle ? La plus simple : le regarder comme un spectacle réel, dont l'existence tombe sous le sens et, par conséquent, est absolue, indéniable et qu'il convient de subir comme la pluie et le beau temps, la neige et l'orage, le cyclone et le tremblement de terre.* (EP109)

Il en est de même dans la préface de Desnos à l'exposition de Picabia à la galerie Bernheim en 1931. Dans un glissement de la saisie optique (le tableau comme fenêtre ou porte) à la saisie haptique (le tableau comme objet), Desnos considère les tableaux de Picabia comme des objets, ayant le même statut qu'une voiture ou un animal :

> *Sa peinture est une création et non une reproduction. Elle prend place dans la nature au même titre que le brin d'herbe, l'automobile ou le raton laveur. Elle dédaigne d'être une image avant d'être un objet. Elle est poétique et non artistique.* (EP138)

68. Desnos fait allusion aux collages de *La Femme 100 têtes*, Carrefour, 1929, pp. 82, 137, 118 and 126 ; reproduits dans Werner Spies, Max Ernst. *Les collages. Inventaire et contradictions*, Gallimard, 1974, fig. 320, 353, 340 et 344.

Désormais Desnos situera l'œuvre d'art dans le monde réel, comme un objet, conformément à l'esthétique de la présence élaborée dans *Documents*. C'est ainsi que, dans un numéro spécial de *Documents* sur Picasso, celui-ci est ré-évalué comme artiste réaliste, en riposte à l'appropriation de l'artiste par le surréalisme[69]. Dans sa contribution à ce numéro, « Bonjour, Monsieur Picasso », Desnos décrit les lieux de Paris où il a rencontré l'artiste, devant la gare St Lazare et passage Jouffroy (EP130), mais ne fait aucune allusion à ses œuvres[70]. Une démarche semblable est à l'œuvre dans son essai sur Miró paru dans *Cahiers d'art* en 1934 (texte cité au chapitre II), dans lequel Desnos décrit l'atelier de Miró au 45 rue Blomet, où il a lui-même vécu à partir de 1926, à la suite de Masson et Miró[71]. Comme dans le cas de Picasso, Desnos situe Miró dans un contexte réel : l'atelier de l'artiste, dont les murs sont recouverts « d'immenses toiles très nues où resplendissait plus fréquemment le rouge bonnet catalan ». Dans un coin de l'atelier, sur une table, recouverte des jouets de Mayorque, étranges petits gnomes et animaux en plâtre multicol-ores : « Ces petites créatures semblaient sorties de *La Ferme* », observe Desnos. Il accorde ainsi aux tableaux de Miró le même statut – objets contre les murs blancs de son atelier – qu'aux jouets multicolores qu'ils côtoient. Cette insistance sur la réalité concrète de l'œuvre d'art contraste on ne peut plus clairement avec le dépassement lyrique des tableaux, par le biais des dérives exotiques antérieures de Desnos mais aussi par celui des fioritures métaphoriques d'un Breton.

Loin de tout *ailleurs* exotique, Desnos situe désormais l'œuvre d'art dans l'*ici* de sa présence physique, le lieu même de sa création, l'atelier du peintre, où il est objet parmi les objets qui l'entourent. Par cet accent mis sur l'œuvre d'art comme objet concret, Desnos participe d'une démarche propre au groupe de *Documents*. Leiris situe les sculptures de Giacometti dans le monde réel. S'il considère les sculptures comme des *fétiches*, c'est moins dans l'optique freudienne du fétiche

69. *Hommage à Picasso, Documents,* vol 2, n° 3, 1930. Voir le chapitre V pour une analyse de ce numéro spécial.
70. Voir Mary Ann Caws, « Le Regard de Robert Desnos », *in Katharine Conley et Marie-Claire Dumas,* eds., Robert Desnos pour l'an 2000, Gallimard, 2000, pp. 145-53.
71. Desnos, « Joan Miró », *Cahiers d'art,* vol 9, n° 1-4, 1934, pp. 25-6 (EP143-6).

comme substitut d'une perte, que comme présence réelle, « la forme objectivée de notre désir », l'accent étant mis sur l'aspect concret des œuvres, « si concrètes, si évidentes, absolues comme les créatures que l'on aime », Leiris ira jusqu'à les rapprocher des objets quotidiens, « ainsi qu'un meuble dont nous pouvons user, dans la vaste chambre étrangère qui s'appelle l'espace »[72]. Dans cette perspective Rosalind Krauss définit le fétichisme chez un Bataille ou un Leiris comme « pouvoir réel d'objets réels »[73]. Hugnet considère lui aussi les œuvres de Picasso comme des *fétiches* :

> *Picasso a créé des fétiches, mais ces fétiches ont une vie propre. Ils sont non seulement des signes intercesseurs, mais des signes en mouvement. Ce mouvement les a rendus concrets. Entre tous les hommes, ces figures géométriques, ces signes cabalistiques : homme, femme, statue, table, guitare redeviennent des hommes, des femmes, des statues, des tables, des guitares, plus familiers qu'auparavant, parce que compréhensibles, sensibles à l'esprit comme aux sens. Ce qu'on appelle la magie du dessin, des couleurs, recommence à nourrir tout ce qui nous entoure et nous-mêmes.*[74]

Objet avant tout, le tableau n'est plus astreint à la notion (déréalisante) de la peinture comme fenêtre. Cette évolution du concept de l'œuvre d'art en tant que représentation ou réalité optique (la peinture comme fenêtre ou porte), à l'œuvre en tant qu'objet ou réalité haptique (l'œuvre comme fétiche, objet concret), se généralise chez les surréalistes « orthodoxes » au début des années 1930 avec l'intérêt qu'ils manifestent pour l'objet et la sculpture. Ainsi, Yves Tanguy commente d'étranges dessins de formes organiques comme s'il s'agissait d'objets à saisir, à façonner, dont il détaille les textures, les couleurs et les fonctions :

> *L'objet ci-dessus, de la grandeur de la main et comme s'il était pétri par elle, est en peluche rose. Les cinq terminaisons du bas qui se replient sur l'objet sont en celluloïd transparent et nacré. Les qua-*

72. Leiris, « Alberto Giacometti », *Documents,* vol 1, n° 4, 1929.
73. « Michel, Bataille et moi », p. 11.
74. Hugnet, « L'Iconoclaste », *Cahiers d'art,* vol 10, n° 7-10, 1935, p. 220.

tre trous dans le corps de l'objet permettent d'y passer les quatre grands doigts de la main.[75]

La notion de l'appréhension de l'œuvre artistique en tant que réalité concrète sera développée dans le prochain chapitre.

75. Yves Tanguy, « Poids et couleurs », *Le Surréalisme au service de la révolution*, n° 3, 1931, p. 27.

IV. MATIÈRE OU MÉTAMORPHOSE: DALI ET PICASSO

MERDE

André Breton

EXCRÉMENT EXQUIS: DALI

« En 1929 le public parisien remarqua un jeune homme appelé Salvador Dali; ce jeune homme occupa tout de suite un fauteuil de premier rang à l'extrême-gauche du surréalisme »[1]. Dali se rend à Paris entre avril et juin 1929 pour collaborer avec Buñuel au tournage d'*Un Chien andalou*, dont la première a lieu en juin au Studio des Ursulines. Il est présenté par Miró au groupe surréaliste et aux collectionneurs d'art[2]. En novembre 1929, à la galerie Goemans à Paris, a lieu sa première exposition; y sont exposés onze tableaux et deux dessins, la plupart datant de 1929[3].

La réaction de la critique est partagée. D'une part, « Flouquet », comparant l'observation du détail chez Dali à l'art perse et japonais, déclare qu'il « exprimait toute la poésie, à la fois terrible et douce, du freudisme »[4]. D'autre part, Tériade critique l'exposition pour son air provincial (« tout cela paraît vieux, province, voire désespoir de province qui veut être à la page ») et sa virtuosité emphatique (« des fantaisies qui sentent le renfermé familial, des gesticulations révolutionnaires, très ‹ bébé nerveux ›, enfin des virtuosités de toutes sortes qui font des pieds et des mains pour nous étonner »)[5]. Deux groupes

---

1. Dali, « Les Pantoufles de Picasso », *Cahiers d'art,* vol 10, n° 7-10, 1935, p. 208; *Oui* 2, p. 72.
2. Dali, *La Vie secrète de Salvador Dali* (1952), Gallimard, Coll. « Idées» , 1979, pp. 217 et 220.
3. Sont exposés: de 1929 *Le Jeu lugubre, Les Accommodations des désirs, Les Plaisirs illuminés, Le Sacré-Coeur, L'Image du désir* (ou *L'Énigme du désir*), *Visage du Grand Masturbateur* (ou *Le Grand Masturbateur*), *Les Premiers Jours du printemps, Homme d'une complexion masculine écoutant le bruit de la mer, Portrait de Paul Éluard*; de 1927 *Les Efforts stériles* et *Appareil et main.*
4. Flouquet, « Salvador Dali », *Monde,* 30 novembre 1929.
5. Tériade, « Dali (galerie Goemans, 49 rue de Seine) », *L'Intransigeant,* 25 novembre 1929; *Écrits sur l'art,* p. 222.

tentent d'annexer l'artiste à leur mouvement : celui de Breton pour la cause surréaliste « orthodoxe », et celui de Bataille, avec parmi d'autres Leiris, Masson, Desnos, Vitrac, autour de la revue *Documents*. Au-delà des rivalités personnelles, les positions intellectuelles des deux hommes sont fondamentalement opposées : l'idéalisme de Breton entre en conflit avec la position résolument matérialiste de Bataille. Cette polémique est liée au débat politique contemporain. Les surréalistes, qui ont adhéré au Parti Communiste en 1927, privilégient une (difficile) cohabitation sur l'assimilation totale au Parti. Ils sont critiqués par les officiels du parti pour leurs prises de position « idéalistes ». Les textes sur Dali se font l'arène d'une joute polémique entre Breton, féru d'un « idéalisme gâteux », et Bataille, « philosophe excrément ».

Breton accueille avec enthousiasme le jeune artiste dans le mouvement surréaliste. Il rédige la préface du catalogue de l'exposition[6]. Le numéro de décembre de *La Révolution surréaliste* (n° 12) reproduit deux des œuvres exposées, *Les Accommodations des désirs* (acheté par Breton) et *Les Plaisirs illuminés*. Dans le même numéro on trouve le scénario *Un chien andalou* de Buñuel et Dali

La préface de Breton constitue une véritable annexion de l'artiste au mouvement surréaliste. Elle fait partie d'un réseau de textes de Breton, Bataille, Crevel et Dali lui-même, centrés sur deux interprétations radicalement différentes de l'œuvre d'art, à savoir l'esthétique de la matérialité et celle de la transposition de l'œuvre. Dès les premiers mots du texte, Breton fait montre d'une attitude ambivalente envers le personnage : « Dali est ici comme un homme qui hésiterait [...] entre le talent et le génie, on eût dit autrefois le vice et la vertu » [7]. Breton exprime ainsi une réaction partagée entre l'enthousiasme pour le jeune artiste et des réserves quant à la facilité apparente de son talent et aux dangers de son appropriation par le groupe des surréalistes dissidents. D'une part, les tableaux de Dali sont présentés comme des œuvres surréalistes. Breton attire tout particulièrement l'attention sur le pouvoir hallucinatoire de sa peinture : « tout dépend de notre pouvoir

6. Breton, « Première exposition Dali » (OCII307-9). Cet essai n'a pas été repris dans *Le Surréalisme et la peinture*.

7. José Pierre parle d'une opposition manichéenne entre un « Salvador Dali surréaliste » et « Avidadollars ». « Breton et Dali », *Salvador Dali. Rétrospective*, Centre Georges Pompidou et Musée d'Art Moderne, 1979, p. 140.

d'*hallucination volontaire* [...] L'art de Dali, jusqu'à ce jour le plus hallucinatoire qu'on connaisse [...] ». Les métaphores utilisées par Breton
– le tableau comme fenêtre donnant sur un paysage intérieur (« C'est
peut-être, avec Dali, la première fois que s'ouvrent toutes grandes les
fenêtres mentales et qu'on va se sentir glisser vers la trappe du ciel
fauve »), ou comme paysage mythique ou exotique (« la Cimmérie [...]
ces contrées lointaines ») reprennent les stratégies rhétoriques que
déploie Breton dans « Le Surréalisme et la peinture » pour parler des
tableaux de Tanguy, Miró ou Ernst, objets de l'analyse du chapitre I. Il
accorde ainsi aux tableaux de Dali un cachet d'authenticité surréaliste
en les insérant dans l'orbite surréaliste, tout en passant sous silence,
par une lecture sélective, la vision dalinienne axée sur l'excès et la
transgression.

Lorsqu'il commente les tableaux de Dali, Breton énumère des motifs
picturaux récurrents – têtes de lions, fourmis et fourmiliers, scarabées,
paysages sans arbres – mais il n'avance aucune interprétation :

> *Nous sommes littéralement happés [...] à la vue de cette tête de*
> *lion, grande comme la colère, de ce masque à anse duquel je me*
> *retiens encore de penser quoi que ce soit – car j'ai peur – et qui sem-*
> *blent vouloir tourner indéfiniment [...] non seulement dans ces*
> *tableaux mais encore à l'intérieur de nous.*

Breton exprime ici l'effroi ressenti devant des images qui semblent
aspirer le spectateur à la fois dans l'espace représenté et dans ses propres profondeurs psychiques. Il préfère mettre en relief l'effet émotionnel des tableaux plutôt que leur signification, signalant par la
forme interrogative combien les tableaux l'interpellent : « Que peuvent
bien vouloir ces curieux scarabées roulant devant eux, derrière eux,
une boule énorme, et trébuchant, et jamais las, comme nous parais-
sons vouloir rouler la terre ? » Il s'agit en fait d'une question qui n'en
est pas une. Et même s'il suggère que les images pourraient bien
cacher « quelque chose » (« Le secret du surréalisme tient dans le fait
que nous sommes persuadés que quelque chose est caché derrière
eux »), il se retient d'explorer ce qui pourrait bien s'y trouver. Breton
laisse entendre qu'il existe un sens mais n'en révèle aucun, préférant
de la sorte préserver les qualités énigmatiques et l'aura poétique des
tableaux. Ce qui frappe le plus, pourtant, c'est qu'aucune référence

n'est faite aux motifs picturaux, récurrents eux aussi, de démembrement, de décomposition, de fragmentation, si ce n'est une allusion
passagère à l'excrément dans la référence à « un personnage à la chemise merdeuse » dans la toile *Le Jeu lugubre*[8].

Toutefois, la préface de Breton est plus qu'un récit enthousiaste de
la découverte (l'invention) d'un nouveau peintre surréaliste. En effet,
il fait montre d'une réticence certaine devant le succès commercial et
social que connaît Dali dès son arrivée à Paris parmi les « mites » et
la « vermine » des amateurs d'art et des aristocrates de la capitale –
allusion aux mécènes tels que le vicomte et la comtesse de Noailles,
qui avaient acheté *Le Jeu lugubre*. Allant plus loin, il avertit du danger
qu'encourt Dali à être adopté par « certains ‹ matérialistes › », dans une
allusion à peine voilée au groupe de Bataille :

> *De l'autre côté, il y a l'espoir: l'espoir que tout ne sombrera pas quand
> même, que l'admirable voix qui est celle de Dali ne se brisera pas pour
> commencer à son oreille, du fait que certains « matérialistes » sont intéres-
> sés à la lui faire confondre avec le craquement de ses souliers vernis*[9].

La préface doit être lue comme une attaque dans la polémique engagée
entre Breton et le groupe de Bataille autour de la revue *Documents*, d'où
l'allusion ironique à « la ‹ documentation › triomphante »[10]. Il s'agit en
effet, de la part de Breton, d'une annexion stratégique de Dali au surréalisme pour contrer l'entreprise de cooptation menée par Bataille lui-
même. Au-delà des différends personnels entre les deux hommes, de
profondes dissensions idéologiques s'expriment dans leurs textes de
1929-1930[11]. En effet, la préface de Breton constitue une riposte à la
charge de Bataille qui figure dans « Matérialisme », publié dans

8. Jack Spector, interprétant *Le Jeu lugubre* comme une critique de Chirico dans les
références parodiques au *Retour du fils prodigue* et à *L'Énigme d'un jour*, affirme que Dali
cherchait par là à gagner l'approbation des surréalistes. *Surrealist Art and Writing 1919/39.
The Gold of Time*, Cambridge University Press, 1997, p. 115-6.
9. En 1952, Breton exprime de nouveau des réserves sur le « cas » Dali: « Quelques
réserves qu'on sera amené à faire par la suite sur sa technique académique [...] il est indé-
niable que le contenu poétique, visionnaire, de ces toiles est d'une densité et d'une force
explosive exceptionnelles » (OCIII528).
10. La préface de Breton contient d'autres allusions au groupe *Documents*. Voir les notes
de Marguerite Bonnet (OCII1472).
11. Sur la polémique Bataille/Breton, voir Jean-François Fourny, « À Propos de la querelle
Breton-Bataille », *Revue d'histoire littéraire de la France*, vol 84, n° 3, mai-juin 1984, pp. 432-
8 ; Marie-Christine Lalla, « Bataille et Breton: le malentendu considérable», *in Surréalisme*

Documents en juin 1929[12]. Dans cet article Bataille pourfendait les tendances idéalistes de ceux qui se disaient matérialistes :

> *La plupart des matérialistes, bien qu'ils aient voulu éliminer toute entité spirituelle, sont arrivés à décrire un ordre des choses que des rapports hiérarchiques caractérisent comme spécifiquement idéaliste. Ils ont situé la matière morte au sommet d'une hiérarchie conventionnelle des faits d'ordre divers, sans s'apercevoir qu'ils cédaient ainsi à l'obsession d'une forme idéale de la matière, d'une forme qui se rapprocherait plus qu'aucune autre de ce que la matière devrait être.*

Il y opposait une définition résolument non-dialectique du matérialisme :

> *Il est temps, lorsque le mot matérialisme est employé, de désigner l'interprétation directe, excluant tout idéalisme, des phénomènes bruts, matérialisme qui, pour ne pas être regardé comme un idéalisme gâteux, devra être fondé immédiatement sur les phénomènes économiques et sociaux*[43].

C'est ainsi que l'irrécupérabilité de la matière chez Bataille s'oppose à sa transformation métaphorique chez Breton. À la critique implicite du surréalisme bretonien faite par Bataille (« un idéalisme gâteux »), Breton répondra, dans sa préface à l'exposition de Dali, en soulignant le pouvoir des images de l'artiste à évoquer un pays imaginaire :

> *la Cimmérie, seul lieu qu'à nouveau nous avons découvert et que nous entendons nous réserver. Dali, qui règne sur ces contrées lointaines, doit être instruit de trop nombreux et de trop coupables exemples pour se laisser déposséder de sa merveilleuse terre de trésors.*

et philosophie, Centre Georges Pompidou, 1992, pp. 49-61. Pour Fourny les divergences doctrinales entre Breton et Bataille recouvrent de profonds sentiments d'envie et de rivalité de la part de ce dernier, alors que Lalla situe le débat à un niveau essentiellement philosophique.

12. Bataille, « Matérialisme », *Documents,* vol 1, n° 4, juin 1929, p. 170 ; *Œuvres complètes* I, pp.179-80. Voir aussi « Figure humaine », *Documents,* vol 1, n° 5, septembre 1929, pp. 194-200 ; *Œuvres complètes* I, pp. 181-5.

13. Breton citera ce passage dans son *Second Manifeste* suivi du commentaire : « Comme on ne précise pas ici ‹ matérialisme historique › […] nous sommes bien obligés d'observer qu'au point de vue philosophique de l'expression, c'est vague et qu'au point de vue poétique de la nouveauté, c'est nul » (OCI825).

Breton, tout comme Desnos (voir le chapitre III) évoque un pays mythique, ici la Cimmérie – les Grecs désignaient ainsi un pays de brume situé aux limites de la terre[14] – un lieu exotique (« contrées lointaines […] terres de trésor »), dénotant, non pas le paysage représenté, mais l'effet du tableau sur le poète-spectateur, effet qui va au-delà des représentations. Pour Breton les « phénomènes bruts » sont sublimés dans une esthétique de dépassement de l'espace pictural lorsqu'il fait allusion à un « paysage second » et qu'il affirme que « quelque chose est caché derrière » les objets de la peinture.

Bataille figure parmi les nombreuses personnes à courtiser Dali dès l'arrivée de celui-ci à Paris au printemps 1929. On trouve en effet des affinités entre la pensée des deux hommes, et notamment dans le concept du matérialisme. Dans « Nouvelles Limites de la peinture » (1928), Dali associe fleurs et putréfaction dans une métaphore sadienne qui sera reprise dans « Le Langage des fleurs » de Bataille[15]. Par ailleurs, le dernier numéro de la revue d'avant-garde catalane *L'Amic de les arts* (31 mars 1929) est illustré de photos de gros plans de doigts, qui ont peut-être influencé Boiffard pour les clichés d'orteils qui illustrent l'article de Bataille, « Le Gros Orteil », paru dans *Documents* en novembre 1929[16]. Dans le numéro de septembre de *Documents*, Bataille reproduit trois tableaux de Dali : *Le Sang est plus doux que le miel*, *Baigneuses* et *Nu Féminin*. Par ailleurs, dans un article intitulé « Œil » il fait une critique positive de « ce film extraordinaire », *Un Chien andalou* : « Quelques faits très explicites se succèdent, sans suite logique il est vrai, mais pénétrant si loin dans l'horreur que les spectateurs sont pris à partie aussi directement que dans les films d'aventures »[17]. En octobre 1929 Dali expose deux tableaux à l'exposition *Abstrakte und Surrealistische Malerei und Plastik* organisée par le groupe *Documents* au Kunsthaus de Zurich.

Bataille répond à la préface de Breton par un essai sur Dali, « Le Jeu

---

14. Rimbaud évoque ce pays mythique, pays des morts où se rend Ulysse, dans *Une Saison en enfer* : « par une route de dangers ma faiblesse me menait aux confins du monde et de la Cimmérie, patrie de l'ombre et des tourbillons ». *Œuvres complètes*, p. 111.

15. Dali, « Nouvelles Limites de la peinture », *L'Amic de les arts*, n° 22, 29 février 1928 ; *Oui 1*, 1971, p. 44-62 ; Bataille, « Le Langage des fleurs », *Documents*, vol 1, n° 4, juin 1929, pp. 160-4 ; *Œuvres complètes* I, pp. 173-8.

16. Dawn Ades, « Morphologies of Desire », *in* Michael Raeburn, *Salvador Dali : The Early Years*, Londres : South Bank Centre, 1994, p. 147.

17. Bataille, « Œil », *Documents*, vol 1, n° 4, septembre 1929, p. 216 ; *Œuvres complètes* I,

lugubre », publié dans le numéro de décembre de *Documents*[18]. Une pre-mière version, intitulée « Dali hurle avec Sade » (qui n'a été publiée qu'en 1970), attaquait de face la préface de Breton :

> *Les éléments d'un rêve ou d'une hallucination sont des transposi-tions ; l'utilisation poétique du rêve revient à une consécration de la censure inconsciente, c'est-à-dire de la honte secrète et des lâchetés. La terreur des éléments réels de la séduction est d'ailleurs le nœud même de tous les mouvements qui composent l'existence psy-chologique, et il n'est pas étonnant de trouver de toutes parts des échappatoires : la poésie, dont le bon renom persiste dans tous les sens, est, dans la plupart des cas, l'échappatoire la plus dégradante. D'autre part, il ne peut être question que la séduction cesse d'être terrible, mais seulement que la séduction soit la plus forte, si épou-vantable que soit la terreur.*[19]

Ici, Bataille se positionne contre l'art comme transposition ou forme d'évasion poétique et en faveur d'une confrontation directe avec le tableau, source de *séduction* qui s'apparente à la terreur – notion qu'il développera dans *Le Jeu lugubre*. Cette analyse devait faire partie d'une étude sur le complexe d'infériorité, qui n'a jamais été publiée : Bataille soumet à une lecture psychanalytique le tableau, l'interprétant comme l'expression d'un complexe d'infériorité, d'angoisse de castration et d'impuissance sexuelle. Mais cette analyse détaillée du tableau de Dali constitue en même temps une critique acerbe de la préface de Breton.

Dès la première phrase de l'essai, Bataille riposte à la préface de Breton : « Le désespoir intellectuel n'aboutit ni à la veulerie ni au rêve, mais à la violence », en détournant les termes de Breton (« De l'autre côté, il y a l'espoir ; l'espoir que tout ne sombrera pas »). Par opposition à l'approche essentiellement poétique de Breton, Bataille met l'accent sur des images de putréfaction, de bestialité, de démembrement et d'abjection. La stratégie polémique de Bataille est indirecte : ses attaques visent Breton sans le nommer. Son argument est construit sur une série de déclarations binaires : « Contre les demi-mesures, les

p. 188. Les tableaux de Dali sont reproduits dans *Documents*, pp. 217 et 229.

18. Bataille, Le « Jeu lugubre », *Documents,* vol 1, n° 7, décembre 1929, pp. 369-72 ; *Œuvres complètes* I, p. 211-6.

19. Bataille, « Dali hurle avec Sade », *Œuvres complètes* II, Gallimard, 1970, p. 113.

échappatoires, les délires trahissant la grande impuissance poétique, il n'y a qu'à opposer une colère noire et même une indiscutable bestialité ». D'une part il réfute violemment la lecture poétique des tableaux de Dali, citant les propos de Breton, souvent approximativement, malmenant son texte. Il ne le nomme pas explicitement, mais fait allusion à lui, comme interlocuteur absent, par une série de termes péjoratifs : « la grande impuissance poétique », « irrésolus à tous crins », « cet idéalisme idiot », « une complaisance poétique émasculée ». D'autre part il expose sa propre position matérialiste, rejetant la région mythique de « Cimmérie » comme une forme d'évasion de la réalité, lui opposant une interprétation plus violente :

> *Les rêves et les Cimméries illusoires restent à la portée d'irrésolus à tous crins dont l'inconscient calcul n'est pas si malhabile puisqu'ils mettent innocemment la révolte à l'abri des lois [...] les rasoirs de Dali taillent à même nos visages des grimaces d'horreur qui probablement risquent de nous faire vomir comme des ivrognes cette noblesse servile, cet idéalisme idiot qui nous laissaient sous le charme de quelques comiques gardes-chiourmes.*

La lecture de Dali faite par Bataille est filtrée à travers les images de mutilation et de violence de Sade, mais aussi du film *Un Chien andalou*, ou encore de *l'Apocalypse de St Sever*, un manuscrit illuminé du XIe siècle sur lequel Bataille avait publié un texte dans *Documents*[20]. Il poursuit sa charge en citant à nouveau la préface de Breton, afin de lui opposer sa propre interprétation de la toile de Dali :

> *Ceci permet de demander sérieusement où en sont ceux qui voient s'ouvrir pour la première fois les fenêtres mentales toutes grandes, qui placent une complaisance poétique émasculée là où n'apparaît que la nécessité criante d'un recours à l'ignominie.*

Breton avait écrit : « C'est peut-être, avec Dali, la première fois que s'ouvrent toutes grandes les fenêtres mentales ». Dans le dernier paragraphe du texte de Bataille, Breton est encore une fois cité et violemment pris à partie, son approche poétique traitée d'acte de lâcheté : « [I]l est devenu impossible dorénavant de reculer et de s'abriter dans les ‹ terres de trésors › de la Poésie sans être publiquement traité de

20. Bataille, « Apocalypse de Saint-Sever », *Documents,* vol 1, n° 2, mai 1929 ; *Œuvres complètes* I, pp. 164-70.

lâche ». Breton avait écrit, on le rappelle : « Dali, qui règne sur ces contrées lointaines, doit être instruit de trop nombreux et de trop coupables exemples pour se laisser déposséder de sa merveilleuse terre de trésors » [21].

Adoptant une position délibérément anti-esthétique, Bataille déclare que « les peintures de Picasso sont hideuses [...] celles de Dali sont d'une laideur effroyable ». Mis en présence des tableaux de Dali, il prétend réagir non pas en tant que poète, mais comme une bête : « Je tiens ici uniquement [...] à pousser moi-même des cris de porc devant ses toiles ». Alors que Breton n'avait fait que mentionner en passant « la chemise merdeuse » du personnage à l'avant-plan droit du *Jeu lugubre* et avait hésité sur le seuil d'une interprétation dans son désir de préserver la qualité énigmatique du tableau, Bataille, quant à lui, fait de « l'ignoble souillure » l'élément central de sa lecture psychanalytique détaillée du tableau, qu'il interprète en fonction du scénario œdipien de souillure, punition, castration et ignominie[22]. N'ayant pu obtenir les droits de reproduction du *Jeu lugubre*, Bataille illustre son article par un dessin schématique. En effet, Dali avait écrit lui-même au vicomte Charles de Noailles, propriétaire du tableau, pour lui demander de ne pas accorder à Bataille les droits de reproduction pour son article[23]. Le récit interprétatif de Bataille est inscrit sur le schéma lui-même, contrastant donc avec la topographie imaginaire de la Cimmérie esquissée par Breton, et qui serait difficile à repérer sur la toile. Tous deux font donc du tableau de Dali un prétexte à des lectures dévoyées, aberrantes, qui tirent le peintre vers leur propre univers, du merveilleux ou de l'abject[24]. Chacun poursuit son idée et annexe la toile à la problé-

21. Bataille citera de nouveau les paroles de Breton dans son « cadavre », « Le Lion châtré » (1929) : « Un faux bonhomme qui a crevé d'ennui dans ses absurdes ‹ *terres de trésor* ›, ça c'est bon pour religion, bien assez bon pour petits châtrés, pour petits poètes, pour petits mystiques-roquets. Mais on ne renverse rien avec une grosse gidouille molle, avec un paquet-bibliothèque de rêves ». *Œuvres complètes* I, p. 219.
22. Brassaï devait se rappeler le tableau autrement : « Le *Jeu lugubre*, avec les excréments minutieusement peints répandus dans les tiroirs entrouverts d'une commode ». *Conversations avec Picasso* (1964), Gallimard, 1997, p. 53. Il fait ici l'amalgame de plusieurs œuvres de Dali.
23. « Cher ami, mon ami Paul Éluard me dit que vous devez donner les photos de mes tableaux à *Documents*. Je vous aurais beaucoup de reconnaissance de ne pas le faire, car les idées de cette revue et surtout de Georges Bataille sont exactement à l'opposé des miennes ». Lettre manuscrite reproduite dans *Salvador Dali. Rétrospective*, p. 153.

matique du moment.

La polémique se poursuivra avec le *Second Manifeste du surréalisme*, publié dans le dernier numéro de *La Révolution surréaliste* (n°12) en décembre 1929. L'approche de Breton est ouvertement dialogique : il s'adresse nommément à l'adversaire (« M. Bataille »), le citant longuement avant de réfuter ses arguments[25]. À la célébration par Bataille de la bestialité, de la matière ignoble et de la putréfaction, Breton riposte en privilégiant la sublimation freudienne et la transmutation alchimique de la matière. Contre le « retour offensif du vieux matérialisme antidialectique » (OCI825) de Bataille, Breton défend la dialectique hégélienne[26]. Alors que Bataille élabore une logique du contradictoire, qui préserve le dualisme et la négativité dans une apologie passionnée de l'irréductible hétérogène, Breton développe la notion du « point suprême » ou « point de l'esprit » qui résorberait les contradictions. Il défend une poétique de l'homogénéité esthétique, adoptant ainsi une position idéaliste, dans la filiation des philosophes romantiques allemands, contre les « philosophes excréments » – l'expression est de Marx (OCI826) [27].

Quelle était la position de Dali par rapport à la querelle entre Bataille et Breton et aux idées que ceux-ci défendaient ? Dès le début de 1928, Dali affirme dans une lettre à son ami le poète espagnol Federico García Lorca son adhérence au mouvement de Breton, mais aussi son indépendance vis-à-vis du surréalisme :

24. Dans la notice « Salvador Dali » pour *L'Anthologie de l'humour noir*, rédigée en 1936, reprise sous le titre « Le ‹ cas › Dali » (SP130-5), Breton fera une analyse psychanalytique du peintre, focalisant sur les rapports entre *surmoi* et narcissisme.

25. « [S]i convaincu que soit le pamphlétaire, si plein de l'évidence qu'il porte face au désordre du monde, son argumentation n'est jamais unilatérale ; il a besoin de l'objection, de la réfutation – qu'il pourra à son tour réfuter ». Marc Angenot, *La Parole pamphlétaire*, Payot, 1982, p. 285.

26. « Là encore, c'est une valeur d'usage de la dialectique, plus que la dialectique elle-même, qui se trouvait mise en cause dans ces lignes fort polémiques de Georges Bataille : il ne déplaisait pas au ‹ directeur › de *Documents* que le surréalisme [...] fut démasqué comme une ‹ humilité devant le système › (là même où Breton revendiquait une liberté devant le réel) comparable à la ‹ crainte de Dieu ›, ou comme un art du ‹ paradoxe sénile › (là même où Breton revendiquait un certain renversement des valeurs) comparable [...] à l'‹ escamotage › philosophique hégélien. C'était là, sans doute, aux yeux de Bataille, le plus mauvais tour à jouer aux surréalistes que de les fédérer sarcastiquement sous la bannière du ‹ panlogisme › de Hegel ‹ et de ses ‹ conséquences grossières › ». Didi-Huberman, *La Ressemblance informe ou le gai savoir visuel selon Georges Bataille*, p. 227.

27. Le langage scatologique était répandu à l'époque comme insulte. Voir par exemple la critique faite de *L'Age d'or* : « tas d'excréments bolcheviques ». *Figaro*, 7 décembre 1930.

Le surréalisme est un des moyens d'Évasion.

Mais l'important, c'est l'Évasion elle-même.

Je commence à développer mes propres moyens, en dehors du surréalisme, mais celui-ci est quelque chose de vivant.[28]

Son article « Nouvelles Limites de la peinture » (1928) – dont la parenté avec la pensée de Bataille a déjà été soulignée – était aussi marqué par l'influence de Breton, dont les textes y sont cités ou paraphrasés, notamment sa préface au catalogue de l'exposition Jean Arp[29]. De même, dans « Joan Miró », également de 1928, Dali se place résolument dans la mouvance de Breton :

> *Les peintures de Miró nous mènent, par les chemins de l'automatisme et de la surréalité, à apprécier et constater approximativement la réalité elle-même, tout corroborant ainsi à la pensée d'André Breton, pour qui la surréalité serait contenue dans la réalité et vice versa.*[30]

En 1929-1930, Dali, « [c] e jeune Catalan nourri à l'excès de littérature surréaliste »[31], participe pleinement aux activités du groupe de Breton. Il conçoit le frontispice du *Second Manifeste du surréalisme* (Simon Kra, 1930) dont Breton lui dédicace un exemplaire : « À Salvador Dali, dont le nom est pour moi synonyme de la révélation au sens éblouissant et toujours un peu foudroyant où je l'ai toujours entendu, avec mon affection, ma confiance et mon espoir absolument sans limites »[32]. Par ailleurs, Dali rédige le scénario d'un documentaire sur le surréalisme – jamais réalisé – censé inclure une déclaration de Breton[33]. Il illustre *L'Immaculée conception* de Breton et Éluard (José Corti, 1930) ainsi que *Artine* de Char (Éditions Surréalistes, 1930). Ses analyses psychanalytiques de *L'Angélus* de Millet ainsi que de la

---

28. *Salvador Dali: The Early Years*, p. 38.
29. Ian Gibson souligne la convergence des positions de Dali et Breton exprimée dans cet article. *The Shameful Life of Salvador Dali*, Londres : Faber & Faber, 1997, pp. 177-9.
30. « Joan Miró», *Oui 1*, p. 78.
31. Tériade, *Écrits sur l'art*, p. 222.
32. *Salvador Dali: the Early Years*, p. 45.
33. Dali, « Documentaire — Paris 1929 », *La Publicat*, avril-juin 1929; *Oui 1*, pp. 124-45. Voir Dawn Ades « Salvador Dali. An Unpublished Scenario », *Studio International*, n° 993-4, 1982, pp. 63-77.

légende de Guillaume Tell, fondées sur les polarisations conscient/inconscient, vie éveillée/rêve, se situent dans une perspective dialectique, le rapprochant de la position des surréalistes.

C'est dans *L'Âne pourri* (1930), publié dans le premier numéro du *Surréalisme au service de la révolution*, qu'il se positionne par rapport à Breton et Bataille, tout en refusant de se faire récupérer par l'un ou l'autre parti[34]. D'une part, faisant écho à Breton, il rejette ouvertement le matérialisme de Bataille, « tout le vieux matérialisme que ce monsieur prétend sénilement rajeunir en s'appuyant gratuitement sur la psychologie moderne ». D'autre part, à la fin de l'article il nuance son adhésion au groupe de Breton, qu'il qualifie d'« [i] déalistes sans participer à aucun idéal ». Il donne l'exemple de l'image d'un âne en putréfaction. Celui-ci a beau paraître réel, « réellement et horriblement pourri, couvert de milliers de mouches et de fourmis », l'image reste néanmoins multiple, créée par le désir :

> *[R] ien ne peut me convaincre que cette cruelle putréfaction de l'âne soit autre chose que le reflet aveuglant et dur de nouvelles pierres précieuses. Et nous ne savons pas si derrière les trois simulacres, la merde, le sang et la putréfaction, ne se cache pas justement la désirée « terre de trésors ». Connaisseurs des simulacres, nous avons appris depuis longtemps à reconnaître l'image du désir derrière les simulacres de la terreur, et même le réveil des « âges d'or » derrière les ignominieux simulacres scatologiques.*

Dali semble prendre le parti de Breton — dont il cite la « terre de trésors », dans l'affirmation que la réalité matérielle (« cette cruelle putréfaction de l'âne ») est transformée (« le reflet aveuglant et dur de nouvelles pierres précieuses »). Cependant, il concentre aussi son attention sur « la merde, le sang et la putréfaction », et fait écho au langage de Bataille lorsqu'il se réfère aux « ignominieux simulacres scatologiques ». Mais la défense de l'excrément par Dali est trop exubérante, participant de la joie qu'a l'enfant à manipuler ou à transformer la matière fécale, pour pouvoir être pleinement identifiée soit à l'esthétisation de la matière de Breton soit au « bas matérialisme » de Bataille. À vrai dire, Dali remet en question les positions à la fois

---

34. Dali, « L'Âne pourri », *Le Surréalisme au service de la révolution*, n° 1 juillet 1930, pp. 9-12 ; *La Femme visible*, Éditions Surréalistes, 1930 ; *Oui 1*, pp. 155-60.

de Breton et Bataille et réoriente le débat. En introduisant la notion de « simulacre », soit une image ni symbolique ni réelle, Dali déplace le débat sur la lutte manichéenne entre excrément et transposition vers la théâtralisation de l'ambiguïté, élaborée dans son concept de la « paranoïa-critique » [35]. Il définit l'image paranoïaque comme simulacre, moyen de déstabiliser la réalité ou « moyen de systématiser la confusion » :

> *L'image double (dont l'exemple peut être celui de l'image d'un cheval qui est en même temps l'image d'une femme) peut se prolonger, continuant le processus paranoïaque, l'existence d'une autre idée obsédante étant alors suffisante pour qu'une troisième image apparaisse (l'image d'un lion, par exemple) et ainsi de suite jusqu'à concurrence d'un nombre d'images limité uniquement par le degré de capacité paranoïaque de la pensée.*

Il fait ici allusion à son tableau *Dormeuse, cheval, lion invisibles* (reproduit SP74[36]) exposé dans le foyer du Studio 28 lors de la première du film *L'Age d'or* (1930). Dans *La Femme visible,* le texte est illustré par un dessin schématique qui rend visible le processus de transformation entre personnage féminin, cheval et lion. En mettant l'accent sur une série d'images visuelles produites par un procédé associatif, Dali passe du concept bretonien de verticalité, de profondeur et de latence de la double image à un concept de latéralité, d'une série ouverte d'images multiples, dont la réalisation extrême sera le tableau *L'Énigme sans fin* de 1938[37]. L'élaboration métaphorique de Breton contraste avec la pensée sérielle chez Dali. Le processus associatif latéral, qui diffère le sens, indique une pensée résolument non-dialectique. Par ailleurs, Dali oppose le mode actif de la paranoïa-critique à « l'automatisme et autres états passifs ». Et pourtant, dans leur « Prière d'insérer » à *La Femme visible*, Breton et Éluard cherchent à récupérer pour le surréalisme la

35. Sur le simulacre chez Dali, voir René Crevel, *Dali ou l'obscurantisme*, Éditions Surréalistes, 1930.
36. La tableau date de 1930 et non de 1932 comme il est indiqué dans *Le Surréalisme et la peinture.*
37. Marc J. LaFontain, situant Dali dans le contexte de la pensée postmoderne, distingue la pensée de Breton, basée sur la profondeur et la latence, l'identité et la totalité, de celle de Dali qui élabore la latéralité et « con-fusion », différence et dissémination, *Dali and Postmodernism. This is not an essence*, State University of New York Press, 1977, p. 4 *passim*.

paranoïa-critique dalinienne qu'ils définissent comme la réunion entre pensées dialectique et psychanalytique. Il s'agit d'interpréter la pensée de Dali en conformité avec le *Second Manifeste* dominé par la dialectique hégélienne et la psychanalyse freudienne :

> *La pensée dialectique conjuguée à la pensée psychanalytique, l'une l'autre se couronnant de ce que Dali appelle, d'une manière saisissante, la pensée paranoïaque critique, est le plus admirable instrument qui ait encore été proposé pour faire passer dans les ruines immortelles le fantôme-femme au visage vert-de-grisé, à l'œil riant, aux boucles dures qui n'est pas seulement l'esprit de notre naissance, c'est-à-dire le Modern Style, mais encore le fantôme toujours plus attirant du devenir.*[38]

La pensée résolument non-dialectique de Dali le rapprocherait-elle donc de celle de Bataille ? L'image scatologique de Dali, nous l'avons constaté, est profondément ambiguë. Comprenant à la fois les notions de matérialité et de sublimation, elle se distingue de la « basse séduction » de Bataille, qui privilégie la matérialité de l'image. Prenons l'exemple sadien de la rose et de la putréfaction, élaboré par Bataille dans « Le Langage des fleurs », pour distinguer leurs positions respectives. Bataille affirme que « l'intérieur d'une rose ne répond pas du tout à sa beauté extérieure, que si l'on arrache jusqu'au dernier les pétales de la corolle, il ne reste plus qu'une touffe d'aspect sordide ». Pour lui la rose n'est rose que dans sa décomposition. Au contraire, lui rétorque Breton dans le *Second Manifeste* dans une phrase mallarméenne : « la rose, privée de ses pétales, reste *la rose* » (OCI827). Dali, quant à lui, joue avec fleur et putréfaction dans une image qui récuse toute hiérarchie : « les fleurs sont intensément poétiques précisément parce qu'elles ressemblent aux ânes pourris ».

Cela n'empêche pas Dali de jouer à l'occasion avec le langage et les idées de Bataille. Sa capacité à assimiler le langage de l'autre se rencontre dans un texte qui paraît en 1935 dans *Cahiers d'art*, « Les Pantoufles de Picasso », texte considéré par Zervos – tout au moins au dire de Dali – comme une des analyses les plus pertinentes de l'œuvre du peintre[39]. Il s'agit en fait de la réécriture d'un texte de Sacher-

---

38. Breton et Éluard, « Prière d'insérer », Dali, *La Femme visible* (OCI1028).

Masoch, « La Pantoufle de Sapho » (1859), qui a été totalement absorbé et retravaillé à travers le discours paranoïaque-critique, en fonction du langage bataillien du bas matérialisme. L'emprunt n'aurait pas été remarqué à l'époque, mais une comparaison entre les deux textes fera ressortir le travail de réécriture :

[Sacher-Masoch]

[…] Mais, quand elle paraissait drapée à la grecque, sur les planches, quand sa superbe voix laissait tomber les ondes mélodiques de la langue rythmée, quand son génie invoquait des figures d'une vérité saisissante et d'une dignité surhumaine, elle entraînait les cœurs, comme jamais aucun artiste ne l'avait fait. À ces moments, elle devenait belle, d'une beauté antique et qu'on eût crue sortie d'un sarcophage ancien [...]

[Dali]

[…] Mais quand Picasso, par hasard et très tard dans la nuit, apparaîtra un instant à son balcon, drapé à la grecque, quand son superbe casque de travail laissera tomber sur la rue La Boétie les ondes lumineuses annonçant aux passantes que son génie vient d'invoquer des figures d'une laideur accablante et d'une indignité surhumaine, Picasso entraînera les cœurs et les reins flottants des noctambules comme aucun artiste ne l'a encore jamais fait. À ce moment, Picasso deviendra d'une beauté ignominieuse et on le croira sorti d'un lointain relief aztèque représentant un sacrifice ensanglanté, terriblement civilisé, dégénéré et apothéosiquement gâteux [...]

Le processus de réécriture se caractérise par la substitution, l'élaboration, et surtout la dégradation du texte d'origine. Tout en conservant le cadre narratif du texte pastiché, Dali en a modifié le décor et les personnages. L'héroïne de Sacher-Masoch, la chanteuse Sophie, est remplacée par Picasso, tandis que la Vienne du dix-neuvième siècle

39. « Les Pantoufles de Picasso ». Le texte de Sacher-Masoch est reproduit en vis-à-vis de celui de Dali *in La Vie publique de Salvador Dali*, Centre Georges Pompidou, 1979, pp. 52-4. Dans une interview de 1929, Dali avait violemment critiqué Picasso, le mettant du côté de la tradition : « C'est un peintre de plus dans l'Histoire de l'Art » (*Oui 1*, p. 120), ce qui explique sans doute l'impertinence de son pastiche.

devient la France des années 1930. Les verbes au passé sont trans-posés au futur, donnant au texte un ton prophétique. Aux allusions classiques de l'hypotexte, caractérisées par la sublimation de la figure humaine (« des figures d'une vérité saisissante et d'une dignité surhu-maine »), est substituée une esthétique se rapprochant de la notion de bassesse de Bataille (« des figures d'une laideur accablante et d'une indignité surhumaine »). Le paradigme esthétique de la culture gréco-romaine (« un sarcophage ancien ») cède la place à la référence aux rites sacrificiels sanglants des anciens Mexicains (« d'un lointain relief aztèque représentant un sacrifice ensanglanté »), dans une image qui réanime le sens originel du mot grec (sarcophague = « qui mange les chairs »), et fait écho à l'essai de Bataille, « Soleil pourri ». Le discours hyperbolique paranoïaque-critique réussit à occulter l'hypotexte tout en faisant un clin d'œil (un pied de nez) au langage et aux idées de Bataille. Quant à la peinture de Picasso – simple prétexte – elle sort indemne de ce petit exercice de style.

Ayant réglé son compte avec la rhétorique bataillienne, Dali con-fronte dans *Comment on devient Dali* le débat avec Breton sur *Le Jeu lugubre* (« On y voyait un homme de dos dont les caleçons laissaient fil-trer des excréments parfaitement moulés »)[40]. Il raconte que Breton, choqué par cette image, « exigeait que j'affirme que ce détail scat-ologique était un faux-semblant ». Dali rétorque sur un ton burlesque en déclarant que « la merde portait bonheur et que son apparition dans son œuvre surréaliste était le signe d'une chance nouvelle pour le mou-vement tout entier », et en attribuant aux « allusions excrémentielles » une lignée historique. Sa critique emportée des surréalistes est digne du cadavre de Bataille :

je compris dès ce jour-là que j'étais en présence de révolutionnaires

---

40. Dali, *Comment on devient Dali. Les aveux inavouables de Salvador Dali*, Laffont, 1973, p. 139. Voir aussi ces propos de Dali: « lorsque ce dernier [Breton] vit mon tableau, il hésita longtemps devant certains éléments scatologiques, car au premier plan, on voyait de dos, une silhouette dont les caleçons étaient maculés d'excréments. L'aspect involontaire de cet élément, si caractéristique dans toute l'iconographie psychopathologique, aurait dû lui suf-fire. Mais il fallait que je me justifie, en disant que ce n'était qu'un simulacre des excré-ments. Cette étroitesse d'esprit, si idéaliste en elle-même, fut, à mon point de vue, le ‹ vice d'intelligence › fondamental de cette première période du surréalisme. On établissait des hiérarchies là où il n'en était pas besoin. Un excrément et un morceau de cristal de roche surgis tous deux du subconscient, se valaient. Par contre, ces surréalistes niaient les hiérar-chies de la tradition ! ». *La Vie secrète de Salvador Dali*, pp. 229-30.

en papier hygiénique, pétris de préjugés petits-bourgeois et en qui les archétypes de la morale classique avaient déposé des marques indélébiles. La merde leur faisait peur. La merde et l'anus. Quoi de plus humain cependant et de plus nécessaire à transcender!

Double intertexte – Bataille et le scatologique, Breton et la transposition – mais affiliation ni à l'un ni à l'autre, ce dans une mise à distance féroce. Dali se faufile entre les rets tendus par les deux *leaders*, il se défile vers autre chose.

UNE HISTOIRE DE MOUCHES : PICASSO

« À lui seul et à tant de reprises, il a allumé le feu d'artifice dans ma prunelle. Je retrouve mes jeunes yeux quand j'évoque ma première rencontre avec l'œuvre de Picasso », déclare Breton en 1961[41]. Dès l'époque dada, Breton s'intéresse à Picasso grâce aux écrits d'Apollinaire qui avait aussi présenté le jeune poète à l'artiste[42]. Dans les textes de 1922 le nom de Picasso est lié à ceux de Duchamp et Picabia comme exemples d'artistes ayant rompu avec l'art d'imitation[43]. Une toile cubiste de Picasso, *Les Amoureux* (1919), est reproduite dans *Littérature* (nouvelle série, n°10) en mai 1923. L'artiste est ensuite affilié au groupe de Breton contre Tzara, mais aussi contre les Puristes de *L'Esprit nouveau*, qui reproduisent et commentent les œuvres de Picasso. Les surréalistes rédigent un « Hommage à Pablo Picasso » qui défend, contre la critique de Tzara et de Picabia, la participation de l'artiste aux décors des ballets *Mercure* de Léonide Massine[44]. Et dès 1925, Breton proclame officiellement, dans la première partie du « Surréalisme et la peinture », Picasso membre du mouvement surréaliste. (SP7). Picasso est présent nonseulement dans l'essai de Breton mais aussi dans le numéro même de *La Révolution surréaliste* où l'essai est publié, ce par la reproduction de cinq tableaux : *Les Demoiselles d'Avignon* (tableau acheté par Jacques

41. Breton, « 80 carats… mais une ombre », *Combat-Art,* n° 83, 6 novembre 1961, p. 2 (SP116).
42. Voir l'excellente analyse des rapports entre Picasso. et Breton par Elizabeth Cowling, « ‹ Proudly we claim him as one of us › : Breton, Picasso, and the Surrealist Movement », *Art History*, vol 8, n° 1, mars 1985, pp. 82-104.
43. Breton, « Clairement », *Littérature* ns, n° 4, septembre 1922 (OCI265) ; « Caractères de l'évolution moderne et ce qui en participe », conférence prononcée à l'Ateneo, Barcelone en 1922 (OCI297-8).
44. « Hommage à Pablo Picasso », *Le Journal littéraire* n° 9, 21 juin 1924, p. 11.

Doucet en 1922 sur la recommandation d'Aragon et de Breton), *Jeunes filles dansant devant une fenêtre* (1925), *Arlequin* (1924), *Étudiant* (1913) et *Écolière* (1920). Ces trois derniers illustrent l'article de Breton.

Dans son essai, Breton rejette la peinture académique basée sur le modèle extérieur en faveur d'« un *modèle purement intérieur* », qui a sa source chez les poètes du dix-neuvième siècle, dont les hallucinations verbales seraient réalisées concrètement par Picasso qui a su « donner corps à ce qui était resté jusqu'à lui du domaine de la plus haute fantaisie » (SP5). Picasso est présenté comme un voyageur intrépide dans des terres jusqu'ici inexplorées, ses tableaux (et notamment *L'Homme à la clarinette* 1912) sont considérés comme la preuve tangible « que l'esprit nous entretient obstinément d'un *continent futur* et que chacun est en mesure d'accompagner une toujours plus belle Alice au pays des merveilles » (SP6). On retrouve ici la métaphore exotique analysée au chapitre III dans les essais de Desnos. Breton, ayant choisi d'illustrer son article par des peintures cubistes de Picasso, situe le moment crucial de sa carrière en 1909, c'est-à-dire au cœur de la période cubiste, « entre ‹ L'Usine, Horta de Ebro › et le portrait de M. Kahnweiler ». Il refuse cependant de réduire l'œuvre de Picasso au cubisme – « ‹ Cubisme ›, ce mot dérisoire » [45]. Il approprie Picasso pour le surréalisme (« nous le revendiquons hautement pour un des nôtres » SP7), tout en rejetant, avec une certaine roublardise, toute étiquette, ajoutant – dans une note en bas de page! – « [f] ût-ce l'étiquette surréaliste » [46]. Pourtant il tient à lire les tableaux de Picasso à la lumière du surréalisme. D'une part les tableaux sont un point de départ pour une envolée lyrique :

> *Du laboratoire à ciel ouvert continueront à s'échapper à la nuit tombante des êtres divinement insolites, danseurs entraînant avec eux des lambeaux de cheminées de marbre, tables adorablement chargées, auprès desquelles les vôtres sont des tables tournantes, et*

45. Éluard fera écho à cette observation : « les tableaux de Picasso dérisoirement appelés cubistes ». « Je parle de ce qui est bien », *Cahiers d'art,* vol 10, n° 7-10, 1935; *Œuvres complètes* I, p. 942.
46. Cowling analyse le choix des reproductions de Picasso et leur disposition dans les pages de *La Révolution surréaliste* pour montrer l'annexion de Picasso au surréalisme par Breton. « ‹ Proudly we claim him as one of us ›. Breton, Picasso, and the Surrealist Movement ».

tout ce qui reste suspendu au journal immémorial « LE JOUR »… (SP6)

Il fait allusion aux motifs des tableaux reproduits dans *La Révolution surréaliste* : aux fruits sur la table au premier plan des *Demoiselles d'Avignon*, ou aux *Jeunes filles dansant devant une fenêtre*. D'autre part Breton loue l'artiste pour son « esprit […] d'évasion » et interprète ses toiles en termes d'images oniriques :

> *Vous avez laissé pendre de chacun de vos tableaux une échelle de corde, voire une échelle faite avec les draps de votre lit, et il est probable que, vous comme nous, nous ne cherchons qu'à descendre, à monter de notre sommeil.* (SP6)

Malgré la modalisation (« il est probable ») qui atténue le propos, malgré aussi la distinction quelque peu gauche qu'il établit entre *vous* et *nous*, sa lecture des toiles de Picasso situe celles-ci pleinement dans le domaine de l'exploration du monde onirique et par conséquent dans une perspective surréaliste. Pour ce faire, il utilise une métaphore transformant la corde qui figure dans certaines toiles cubistes de Picasso en une *échelle* qui permet au spectateur de pénétrer dans le monde du rêve évoqué dans les tableaux.

La fabrication d'un « Picasso » surréaliste sera bien sûr contestée par le groupe rassemblé autour de *Documents*, et ceci dès le premier numéro de la revue, qui publie un essai de Carl Einstein, « Pablo Picasso. Quelques tableaux de 1928 », illustré de reproductions de tableaux[47]. Dans ce texte Einstein rejette d'office toute interprétation de la peinture comme représentation de l'inconscient : « On sort avec lui de l'hallucination fataliste et stable de Freud, formule limitée dans laquelle l'inconscient est représenté, d'une manière métaphysique, comme une substance constante ». Il affirme par conséquent que les tableaux de Picasso ne sont ni commentaire ni paraphrase d'une réalité donnée ; au contraire, prétend-t-il d'une manière quelque peu embrouillée, « ils proviennent de l'au-delà d'une immanence immédiate ». Un an plus tard, dans « Toiles récentes de Picasso », publié aussi dans *Documents*, Leiris analyse, à la lumière de « Figure humaine » de

---

47. Einstein, « Pablo Picasso. Quelques tableaux de 1928 », *Documents,* vol 1, n° 1, 1929, pp. 35-8.

Bataille, une série de quatorze toiles de Picasso datant de 1929-1930[48]. Les tableaux qui illustrent l'article sont constitués de têtes et de membres disparates ou assemblés de sorte à suggérer des formes organiques vaguement anthropomorphes, mi-acrobates, mi-araignées. Leiris critique la position adoptée par Breton sur l'artiste dans « Le Surréalisme et la peinture ». Il récuse la construction du personnage de Picasso comme « une sorte d'homme en révolte, ou bien plutôt en fuite […] devant la réalité », *visionnaire* ou *mage*, hostile au monde réel. Il affirme au contraire « le caractère foncièrement réaliste de l'œuvre de Picasso ». Selon Leiris, le sujet des dernières œuvres de l'artiste, loin d'avoir sa source dans « le monde fumeux du rêve » ou d'être ouvert à une interprétation symbolique (qu'il dénigre, en faisant écho au texte de Breton, comme « un merveilleux de bas étage genre tables tournantes »), a de solides assises dans la réalité : « Le réel est alors éclairé par tous ses pores, on le pénètre, il devient alors pour la première fois et *réellement* une RÉALITÉ ». Rejetant l'annexion surréaliste de Picasso, Leiris défend le peintre comme réaliste :

> *La véritable liberté* […] *ne consiste en rien à nier le réel ou « s'é-vader » ; bien au contraire, elle implique la reconnaissance nécessaire du réel, qu'il faut alors de plus en plus creuser et miner, pousser en quelque sorte jusqu'à ses ultimes retranchements ; et c'est en ce dernier sens surtout qu'on a le droit de dire que Picasso est libre — le peintre le plus libre qui jamais ait existé, — lui qui connaît mieux que quiconque le poids exact des choses, l'échelle de leur valeur, leur matérialité.*

À l'échelle imaginée par Breton, Leiris riposte en évoquant une échelle réelle, qui serait capable de mesurer le poids et la densité des objets réels. C'est donc toute la question du réel qui se pose dans cette polémique. Alors que l'échelle de Breton permet de dépasser les limites du réel, celle de Leiris rattache l'œuvre solidement au réel. Les personnages de Picasso sont considérés à la fois comme d'« authentiques organismes mis *debout* » et comme « *terre à terre* ». Leiris loue leur *humanité* (« le comble de l'humain ») contre l'*imbécillité* d'une lecture sur-

---

48. Leiris, « Toiles récentes de Picasso », *Documents,* vol 2, n° 2, 1930 ; *Un Génie sans piédestal et autres écrits sur Picasso,* Fourbis, 1992, pp. 23-31. Leiris écrit quinze textes sur Picasso (articles, préfaces d'expositions, critiques d'exposition) entre 1930 et 1989.

réaliste en termes mystiques (il détourne les propos de Breton) : « Il faudrait une imbécillité sans égale pour aimer ces œuvres sous le prétexte mystique qu'elles nous aident à nous débarrasser de nos défroques humaines en étant *surhumaines* ». Faisant l'amalgame entre réel et réalisme, il défend les œuvres moins pour leur « réalisme » que pour leur « merveilleuse évidence » [49].

Un numéro spécial de *Documents*, *Hommage à Picasso*, suivra en mars 1930. Il comprend des textes écrits par les anciens collaborateurs de Breton : Baron (« Flammes »), Desnos (« Bonjour Monsieur Picasso »), Leiris (« Picasso »), Prévert (« Hommage-hommage »), Ribemont-Dessaignes (« Picasso météore »), Vitrac (« Humorage à Picasso »), et Bataille (« Soleil pourri »). Les interventions mêlent une charge virulente contre les critiques d'art ou « critiques dard » (Prévert), la suite de la polémique avec Breton, et la défense en règle d'un Picasso réaliste. Dans la notice biographique, les rédacteurs — comme l'avait fait Breton lui-même — rejettent toute étiquette (fût-ce l'étiquette « surréaliste »…) pour désigner ainsi les œuvres réalisées entre 1924 et 1930 : « Durant toute cette période, son activité est très variée et il est impossible de la grouper sous des désignations d'ensemble ». Ribemont-Dessaignes critique vertement la lecture anti-matérialiste que fait Breton du peintre :

> *La question du matérialisme se pose avec une ardeur souterraine, dont personne n'est exempt dans le pour et le contre. [...] À mon sens jamais l'inutilité de poser un tel problème, et d'opposer l'esprit à la matière, n'est apparue avec tant de clarté. Avec Picasso le matérialisme métaphysique s'effondre. À l'autre bout les surréalistes réclament gratuitement celui qui leur sert, pour bien des raisons, de phare, de quille, de vent et même d'océan.*

Récusant toute distinction entre esprit et matière chez Picasso, il termine son article en affirmant « l'évident monisme » de son œuvre, par contraste avec le « matérialisme métaphysique » qui serait celui de Breton. Dans ce même numéro, Bataille analyse dans « Soleil pourri »

---

49. Voir la critique de l'essai de Leiris par Catherine Maubon : « L'attaque, dit-on, est la meilleure des défenses et l'on ne sait plus ici avec qui, de Breton ou de l'ex-surréaliste qu'il était, Leiris entendait régler ses comptes ». « ‹ Au pied du mur de notre réalité › . Leiris et la peinture », *Littérature,* n° 79, octobre 1990, p. 91.

l'ambivalence du soleil, tel qu'il est présenté dans le mythe d'Icare qui « partage clairement le soleil en deux, celui qui luisait au moment de l'élévation d'Icare et celui qui a fondu la cire, déterminant la défection et la chute criarde quand Icare s'est approché trop près ». Le soleil qui rend possible le vol d'Icare se conjoint au soleil destructeur responsable de sa chute. Extrapolant le mythe, Bataille évoque le soleil de la clarté et la rationalité helléniques, dont les valeurs sont inversées dans le soleil sacrificiel aveuglant des cultes mithraïques ou aztèques. Appliquant ensuite cette opposition au domaine artistique, Bataille affirme que la peinture classique correspond à « une élévation d'esprit sans excès », tandis que dans la peinture moderne :

> la recherche d'une rupture de l'élévation portée à son comble, et d'un éclat à prétention aveuglante a une part dans l'élaboration, ou dans la décomposition des formes, mais cela n'est sensible, à la rigueur, que dans la peinture de Picasso[50].

Les tableaux de ce dernier sont identifiés (partiellement) par Bataille au soleil « aveuglant » dans leurs formes en décomposition. Bataille voit chez Picasso les mêmes forces de décomposition qu'il avait déjà décelées dans l'œuvre de Miró, dans l'article analysé au chapitre II[51].

« Picasso résiste à toutes les âneries d'un numéro qui lui est spécialement consacré », affirme René Crevel dans une critique acerbe du numéro spécial de *Documents* sur Picasso[52]. En 1932, un numéro spécial de *Cahiers d'art* sur Picasso constitue une contre-attaque à l'appropriation de Picasso par le groupe de *Documents*[53]. Ce numéro accorde une place importante aux surréalistes. Breton y reproduit un extrait du texte sur Picasso paru en 1925 dans la première partie du *Surréalisme et la peinture* (« La route mystérieuse… agitation puérile » SP5-7). Éluard reprend son poème « Pablo Picasso », publié dans *Capitale de la douleur*

50. Bataille développera ce thème dans « La Mutilation sacrificielle et l'oreille coupée de Vincent Van Gogh », *Documents,* vol 2, n° 8, 1930, pp. 451-60; *Œuvres complètes* I, pp. 258-70.
51. Yves-Alain Bois et Rosalind Krauss observent que les reproductions qui illustrent l'article de Bataille, des dessins datant de 1929 d'une figure féminine couchée et des formes abstraites géométriques, ne corroborent en rien une telle lecture. En effet, au moment de la publication de *Documents*, Picasso explorait le « bas matérialisme » défendu par Bataille dans ses constructions et assemblages de ficelle, étoffe, clous et autres matières pauvres. *L'Informe. Mode d'emploi*, Centre Georges Pompidou, 1996, p. 75.
52. Crevel, « Critique d'art », *Le Surréalisme au service de la révolution,* n° 1, 1931, p. 12.
53. *Picasso, Cahiers d'art,* vol 7, n° 3-5, 1932.

(1926)[54]. En reprenant des textes déjà parus, l'objectif est manifestement d'établir une continuité avec le « Picasso » des années 1920, surréaliste malgré lui, passant sous silence le « Picasso » réaliste forgé dans *Documents*[55]. Par ailleurs, la revue défend un Picasso résolument « poétique ». Par exemple, Christian Zervos fait allusion au « lyrisme aigu et constant » des œuvres du peintre. Dans « Picasso ou la peinture au XXᵉ siècle », Georges Hugnet pour sa part fait montre d'une véritable surenchère verbale : « Picasso a joué, de ce point de vue, le rôle plus important dans la peinture actuelle. Il vit dans un état de poésie constant. Il rend un perpétuel hommage à la poésie. Et la poésie lui rend hommage qui l'habite sans discontinuer ». Le texte ne se départ guère de ce ton emphatique : Picasso, qui aurait exercé une influence sur les peintures surréalistes, serait « le peintre le plus porteur et le plus générateur de poésie ». Finalement Hugnet lie la pratique du peintre aux recherches des poètes dans le domaine de l'inconscient :

> *Aux découvertes dans la poésie de l'inconscient et de son activité, Picasso propose le fonctionnement poétique de son œuvre. Ce que des êtres intuitifs entendaient jadis par l'inexprimable quand ils imploraient l'inspiration, les poètes ont mis la main dessus. Picasso, au sens le plus strict du mot, prend la poésie dans la main. Il s'exalte à son contact. Il peint sans métaphores, sans comparaisons. Parti de la réalité, il atteint la réalité dans son essence.*

Une telle exaltation de la part de Hugnet nous renseigne bien peu sur les toiles de Picasso, mais atteste de l'utilisation excessive du mot *poésie* dans les textes sur l'art des années 1920 et 30 qui a été constatée dans l'introduction. À force de répétition, ce substantif se vide de sens, véritable massue au service d'une visée homogénéisante des activités surréalistes.

Le texte de Breton « Picasso dans son élément » sera publié l'année suivante dans le premier numéro de la revue *Minotaure* (Picasso est l'auteur du collage de la couverture : un Minotaure), illustré par des photographies de Brassaï des ateliers de Picasso (rue la Boétie à Paris et à Boisgeloup) et de ses assemblages[56]. Le texte, rédigé à la suite de

---

54. Éluard, « Pablo Picasso », *Œuvres complètes* I, p. 178.
55. Le texte d'Apollinaire, « Picasso et les papiers collés » (publié en 1913 dans *Les Peintres cubistes*) y est également repris.

la visite de Breton à l'atelier du peintre, prend comme sujet les objets et sculptures qui s'y trouvent. Breton observe l'artiste au travail, et met l'accent sur le devenir de l'œuvre, remarquant comment les objets de l'atelier agissent les uns sur les autres, se transformant réciproquement. L'intérêt à l'époque pour le devenir de l'œuvre et l'activité du peintre est évident dans de nombreux textes qui racontent la visite à l'atelier du peintre, non seulement parmi les surréalistes – en témoignent l'essai de Desnos sur Picasso (1928) ainsi que son texte nostalgique sur Miró (1934), analysés au chapitre III – mais aussi dans les revues d'avant-garde[57]. La nature polémique de l'article éclate lorsque Breton affirme sa position contre celle de ses adversaires :

> *À tous ceux qui ne veulent prêter à Picasso que le désir d'étonner, qui persistent, les uns pour lui en savoir gré, les autres pour lui en tenir rigueur, à ne considérer de l'extérieur que ses audaces, je ne manquerai pas d'opposer cet argument susceptible de faire valoir comme aucun autre la mesure admirable d'une pensée qui n'a jamais obéi qu'à sa propre, qu'à son extrême tension.*

Cette prise de position vise en partie Bataille et d'autres et, en particulier, leur présentation dans le numéro spécial de *Documents,* d'un Picasso réaliste. C'est l'occasion pour Breton d'attaquer l'artiste réaliste comme « le peintre à l'école du perroquet », et d'affirmer, non sans superbe, « qu'il soit permis de considérer avec quelque hauteur les tardifs enfantillages du prétendu ‹ réalisme › artistique, dupe aveuglément des *aspects.* »

L'approche de Breton se déclare d'emblée dialectique : « la conception qu'il [Picasso] s'est faite de son œuvre peut passer pour absolument dialectique » [58]. L'analyse de la *Composition au papillon,* reproduite dans *Minotaure* à la première page de l'essai juste au-dessous du titre, semble bien corroborer cette lecture (tableau reproduit SP102). Il s'agit d'un objet-tableau de petites dimensions, combinant de vrais objets

---

56. Breton, « Picasso dans son élément », *Minotaure,* n° 1, juin 1933, pp. 4-22 (SP101-14, OCII361-72).

57. *Cahiers d'art* reproduit des photographies par Dora Maar de l'atelier de Picasso. *Cahiers d'art* vol 10, n° 7-10, 1935, et vol 12, 1937.

58. Philippe Bernier observe le fondement hégélien de l'article : « Breton en pleine période hégélienne s'efforce d'appuyer sur certaines idées de Hegel le plaisir poétique que lui donne l'œuvre de Picasso, dont il souligne d'emblée l'unité » (OCII1517).

– papillon, feuille sèche, étoffe, ficelle, punaise – sur un fond clair peint à l'huile. Pour Breton, les éléments réels de l'assemblage sont transformés pour créer une nouvelle composition unifiée :

> *Tout ce qu'il y a de subtil au monde, tout ce à quoi la connaissance n'accède que lourdement par degrés : le passage de l'inanimé à l'animé, de la vie objective à la vie subjective, les trois semblants de règnes, trouve ici sa plus surprenante résolution, parvient à sa plus mystérieuse, à sa plus sensible unité.*

Breton file une métaphore alchimique pour évoquer l'unité de l'œuvre : la toile devient « la ravissante cuve blanche » où les éléments picturaux sont transformés par « la chimie universelle ». De même, les objets de l'atelier de Picasso sont transformés par l'artiste – et le poète – grâce au « pouvoir accordé à l'homme d'agir sur le monde pour le conformer à soi-même ». Objets et assemblages sont appréhendés dans leur devenir, « l'interminable gestation qui, à travers eux, se poursuit ». Plus généralement, l'œuvre de Picasso est désignée en fonction d'un perpétuel « dépassement » – avatar peut-être de « l'échelle d'évasion » ?

En même temps, dès l'entrée en matière, le regard de Breton se pose sur les objets de l'atelier de Picasso : le vrai papillon collé sur la toile, les pots de peinture sur le sol, la pile de boîtes à cigarettes sur la cheminée, les babioles accrochées sur une branche, « toque de vizir de pacotille, petits ‹ Mickey › ou ouistitis des fêtes foraines, joujoux de clinquant ». Il met alors l'accent sur la matérialité des œuvres : l'utilisation de couleur non-différenciée (Breton cite les propos de Picasso au critique d'art Tériade), les matériaux éphémères de ses collages cubistes (« La lumière a fané, l'humidité, par places, a très sournoisement soulevé les grandes découpures bleues et roses »), les imperfections du bois ou des papiers découpés (« désobéissances du ciseau, accidents du bois »). Porteur de jumelles plus souvent que d'une loupe, Breton scrute bien rarement avec une telle précision les tableaux d'un artiste. Il va jusqu'à considérer l'œuvre d'art comme une forme d'*excrétion* (« L'œuvre ainsi réalisée doit […] être considérée comme produit d'une faculté d'*excrétion* particulière »), et met l'accent sur les matières périssables utilisées par l'artiste (« les guitares stupéfiantes faites de mauvaises planches »). Les illustrations photographiques de Brassaï – des pots de peinture sur un sol couvert de taches de peinture et de boîtes vides, des assemblages et sculptures empilés sur une cheminée, des détritus dans l'âtre, des assemblages faits de racines d'arbres, d'une corne, d'un plumeau – mettent en relief la matérialité du travail de l'artiste.

Vers la fin de l'article, Breton raconte que Picasso lui a montré une toile inachevée composée d'un grand empâtement qui, selon l'artiste, représente un excrément, allusion qui deviendrait évidente une fois qu'il y aurait ajouté des mouches[59]. L'artiste exprime son regret de ne pas avoir à sa disposition un véritable excrément, mélangé de noyaux, tel ceux qui sont produits par les enfants lors de la cueillette des cerises à la campagne. Cette remarque incongrue donne lieu à une réflexion de la part de Breton sur l'(in) assimilé dans la création artistique :

> *Le goût électif pour ces noyaux à cette place me parut, je dois dire, témoigner le plus objectivement du monde de l'intérêt très spécial qui mérite d'être porté à ce rapport de l'inassimilé et de l'assimilé, dont la vocation dans le sens du profit de l'homme peut passer pour le mobile essentiel de la création artistique.*[60]

S'agirait-il d'une reprise ironique du concept bataillien du « non-assimilé » en tant que totalement autre, tel qu'il est élaboré dans « L'Esprit moderne et le jeu des transpositions ? »[61]. Une telle réflexion permet à Breton de surmonter tout sentiment de dégoût qu'il aurait pu ressentir devant la présence d'un véritable excrément, « tache autour de laquelle la magie du peintre allait seulement commencer à s'exercer ». La répulsion de Breton est ainsi déplacée, sublimée par le biais de la réflexion sur la création artistique. Selon Jean-Yves Bois, Breton s'aventure pour un instant dans le territoire de l'ennemi: « Breton n'en a pas moins accepté de mettre un moment le nez dans la fange. [...] Il y a bien eu usurpation passagère, empiétement momentané sur le territoire de Bataille »[62]. Il est toutefois difficile d'imaginer Breton faire sienne, à cette époque, une position qu'il a tant combattue depuis 1929. Il serait

59. Les mouches avaient déjà bourdonné dans la polémique avec Bataille. Voir le *Second Manifeste du surréalisme* (OCI825).
60. Mary Ann Caws, à propos du passage de l'inassimilé à l'assimilé dans le système esthétique de Breton, remarque que celui-ci se perd dans la forêt « pour un tas de merde merveilleuse par ses noyaux en puissance ». « Regardez-les regarder, Breton-Tzara », *Chassé-croisé Tzara-Breton, Mélusine,* n° 17, 1997, p. 191.
61. Bataille, « L'Esprit moderne et le jeu des transpositions », *Documents,* vol 2, n° 8, 1930, pp. 49-52 ; *Œuvres complètes* I, pp. 271-4.

plus vraisemblable de conclure que Breton – tout comme le fera Dali deux ans plus tard dans son texte sur Picasso – répond à Bataille sur le ton du persiflage ou de l'ironie : « Je me surpris à imaginer ces mouches brillantes, toutes neuves, comme Picasso saurait les faire ». Breton maintient ainsi sa position au pôle opposé de celui du défenseur du « bas matérialisme » – position partagée par Picasso, dont le ton enjoué est caractéristique d'un artiste qui a toujours refusé d'être étiqueté. Toujours est-il que Breton rejette implicitement la position de Bataille dans la toute dernière phrase de son article, où la matière fécale disparaît comme par magie dans une envolée burlesque :

> *Tout s'égayait ; non seulement mon regard ne se souvenait de s'être porté sur rien de désagréable, mais encore j'étais ailleurs où il faisait beau, où il faisait bon vivre, parmi les fleurs sauvages, la rosée : je m'enfonçais librement dans les bois.*

L'allusion aux bois rappelle la forêt comme métaphore de l'inconscient, *topos* bien connu depuis les « vivants piliers » de Baudelaire jusqu'aux séries des *Forêts* de Max Ernst des années 1920. Il y a clairement de l'auto-parodie dans le style ampoulé de Breton, et l'ironie éclate dans la répétition des clichés (« il faisait beau […] il faisait bon vivre »). Finalement, lorsque Breton déclare que « [la fleur] la plus idéale est rapidement réduite à une loque de fumier aérien », l'intertexte inavoué mais réfuté, fait allusion à la polémique sur la rose et sa putréfaction, à laquelle nous avons déjà fait allusion à propos de Dali.

La stratégie polémique utilisée dans cet essai diffère de celle des textes analysés dans la première partie de ce chapitre, bien que l'objet ne varie guère. Tandis que les charges verbales de Breton sont habituellement ouvertement dialogiques (il cite longuement l'adversaire avant de le réfuter), dans son essai sur Picasso sa stratégie est plus subtile. Il donne l'impression de céder au matérialisme, pour ensuite le réfuter par une surenchère rhétorique qui mène à la réaffirmation de sa propre position. Il faut cependant noter que ce texte est contemporain de la rédaction des *Vases communicants*, dans lequel Breton cherche à réconcilier matérialisme et dialectique. L'essai sur Picasso possède une dimension doublement conjoncturelle, faisant partie d'un

---

62. *L'Informe. Mode d'emploi*, pp. 78-9.

dialogue avec le frère ennemi, certes, mais explorant, dans le domaine esthétique, la réconciliation si difficile entre matière et esprit qui est traitée simultanément dans ses textes théoriques.

« Texte éblouissant », s'écriera Brassaï au sujet de l'article de Breton, « mais d'un parti pris surréaliste flagrant » [63]. Dans sa critique du premier numéro de *Minotaure*, Bataille, pour sa part, fait des commentaires positifs sur les illustrations de Brassaï, mais déclare que l'article de Breton « n'ajoute rien aux essais du même auteur recueillis dans ‹ Le Surréalisme et la peinture ›» – quitte à critiquer tout de même l'utilisation excessive du mot *dialectique* : « Le fait que le terme de *dialectique* traîne à peu près d'un bout à l'autre d'une telle revue ne témoigne que d'une bonne volonté confuse de profiter de certaines facilités déplorables du vocabulaire marxiste » [64]. Breton, en un mot, n'apporte toujours rien de valable !

En dépit (ou peut-être à cause) de l'annexion enthousiaste d'un Picasso prétendument surréaliste dans les textes de Breton de 1925 et 1933, les rapports entre le peintre et le groupe de Breton restent pour le moins équivoques. Il a des affinités évidentes avec les surréalistes et participe aux expositions du groupe, tout en restant résolument attaché au monde réel. En 1938 *Le Dictionnaire du surréalisme* comporte une entrée pour Picasso « dont l'œuvre participe objectivement au surréalisme depuis 1926 » [65]. Dans le texte de 1961 cité au début de cette section Breton reconnaîtra enfin que l'attachement continu de Picasso à l'objet le distinguait du surréalisme et l'aveuglait :

> *Ce qui durablement a fait obstacle à une plus complète unification de ses vues et des nôtres réside dans son indéfectible attachement au monde extérieur (de l'‹ objet ›) et à la cécité que cette disposition entretient sur le plan organique et imaginatif.* [66]

Cette critique atteste moins de la cécité du peintre que de celle du poète, dont le jugement sévère est motivé non par des raisons esthétiques mais par des considérations sociopolitiques : le succès commer-

---

63. *Conversations avec Picasso*, p. 50.
64. « Minotaure », *La Critique sociale*, n° 9, septembre 1933, p. 149 ; *Œuvres complètes* I, p. 337.
65. OCII832. La notice sur Picasso n'est pas signée.
66. Le texte cité fait ironiquement écho, comme l'a remarqué Elizabeth Cowling, à l'évaluation par Leiris des rapports de Picasso au surréalisme. « ‹ Proudly we claim him as one of us›. Breton, Picasso, and the Surrealist Movement ».

cial des œuvres de Picasso, et l'exploitation à des fins politiques (stalinistes) « de tant de fallacieuses et exsangues colombes ». Breton termine cependant son texte par un regard nostalgique jeté sur le passé d'où surgit *l'échelle* des songes devenue *escalier*: « Là est la marche qui me manque lorsque je rêve de gravir, le cœur battant comme autrefois, l'escalier de Picasso ». Pour Breton, comme toujours, la véritable œuvre d'art donne prise à l'imagination du poète qui en prolonge la résonance par le langage poétique.

MATIÈRE OU MÉTAPHORE ?

L'analyse des textes de Breton, Bataille et d'autres dans ce chapitre ainsi que dans les chapitres précédents, atteste d'une polarisation de la conception de l'œuvre d'art qui est considérée par les uns dans sa matérialité même, par les autres comme transposition du réel. Cette polarisation donne lieu à deux types de discours divergents sur l'art: le premier rejette la métaphore, le deuxième au contraire est fondé sur le processus métaphorique ou, tout au moins, sur des procédés associatifs. Résumons ces deux stratégies (anti)rhétoriques.

Dans sa préface à la réimpression de *Documents*, Denis Hollier parle d'« une esthétique de l'irrécupérable », faisant allusion à la résistance à toute transposition esthétique dans la revue, qui remplace le rêve par la photo, la métaphore par le document, et qui considère les œuvres d'art comme « un réel intraitable à la métaphore »[67]. Pour Bataille, qui valorise l'hétérogénéité du réel, l'excrément reste excrément dans toute sa matérialité. Il ne peut être transposé, c'est-à-dire récupéré pour la poésie par une pirouette rhétorique. D'où sa conception de la peinture comme geste plus que représentation, qu'atteste son récit dramatisé de la *décomposition* des objets dans la peinture de Miró, ou de leur *altération* chez Picasso[68].

La question de la matérialité ou de la transposition de l'œuvre d'art se pose tout particulièrement au tournant des années 1930, époque où

---

67. Denis Hollier, « La Valeur d'usage de l'impossible », pp. XXIII et XXI. « *Documents* ne veut ni l'imagination ni le possible. La photographie y prend la place du rêve. Et si la métaphore est la figure la plus active de la transposition surréaliste, le document en constitue la figure antagoniste, agressivement anti-métaphorique. Avec lui, l'impossible, c'est-à-dire le réel, chasse le possible » (p. XXI).

68. Selon Leiris, il est pratiquement impossible de rester dans l'hétérogène et le matériel sans glisser vers l'esthétique. Après une discussion avec Picasso (11 mai 1929) il note:

les artistes surréalistes fabriquent des œuvres – collages, assemblages, tableaux-composition – à partir de matériaux pauvres : le papillon de Picasso cité plus haut, mais aussi des assemblages et des collages de Miró, ou encore d'Ernst. Elle se pose non seulement dans le face-à-face Breton-Bataille, mais également dans le cas du parcours de Desnos dont nous avons suivi, au chapitre III, le passage d'une conception de l'œuvre d'art comme surréelle (évoquée dans le *topos* de l'exotisme) à une conception basée sur l'œuvre comme objet réel (dans les textes de 1930 sur Picabia et Picasso) ; par Hugnet et Leiris qui attribuent à l'objet d'art le statut de *fétiche* ; et également par Éluard qui, en 1935, souligne l'importance du réel dans l'œuvre de Picasso :

> *À partir de Picasso, les murs s'écroulent. Le peintre ne renonce pas plus à sa réalité qu'à la réalité du monde. Il est devant un poème comme le poète devant un tableau. Il rêve, il imagine, il crée. Et soudain, voici que l'objet virtuel naît de l'objet réel, qu'il devient réel à son tour, voici qu'ils font image, du réel au réel, comme un mot avec tous les autres.*[69]

Ce désir d'implanter l'œuvre dans le réel se retrouve, on le verra, chez Aragon (voir le chapitre V), qui passe dans les années 1930 d'une conception du tableau comme succédané de la poésie à une notion du tableau comme objet réel, rejetant le « poétique » surréaliste (Max Ernst) pour le « réel » politique (Heartfield).

Au mouvement descendant du « bas matérialisme » défendu par Bataille – et par un Picasso qui souligne la matérialité de l'œuvre en souhaitant ajouter des mouches à sa toile – s'oppose chez Breton un mouvement ascensionnel de transposition de la réalité. Nous venons d'en constater un exemple, bien qu'auto-parodique, dans sa dérive verbale à partir de l'empâtement de Picasso. Au contraire de Bataille, la matière picturale pour Breton est toujours transformée, dépassée – d'où la métaphore des métaphores, le *topos* alchimique, qui sera analysé au chapitre VI. La chose picturale est avant tout signe, qui ouvre sur (la possibilité d')une signification, une analogie ou une association, et

---

« Vu Picasso. Parlé du burlesque et de son équivalent avec le merveilleux (Reich). Actuellement, il n'y a plus moyen de faire passer une chose pour laide ou répugnante. La merde même est jolie ». Pour Leiris, en effet, Bataille serait encore trop « ‹ esthétiquement › matérialiste ». *Journal 1922-1989*, Gallimard, 1992, p. 154 et 147.
69. Éluard, « Physique de la poésie », *Œuvres complètes* I, p. 938.

même lorsque Breton parle de « mystère », d'« énigme », il s'agit toujours d'un signe latent, inconnu, voire inconnaissable, donc d'un au-delà quelconque. D'où la critique de Bataille de l'idéalisme supposé de Breton : « il pourrait facilement être entendu […] qu'une tout autre raison que la faculté de se perdre dans le jeu des transpositions les plus inouïes ou les plus merveilleuses, a poussé à peindre ou à écrire… » [70].

Cependant, dans les démarches d'un Breton ou d'un Desnos, peut-on parler d'un procédé proprement métaphorique ? Les « petites équations » chez Leiris, comme on l'a vu au chapitre II, font bientôt place à une dérive métonymique qui mime les procédés de l'artiste lui-même. Les essais sur l'art constituent moins un procédé analogique qu'un procédé homologique – démarche parallèle à l'œuvre plutôt que démarche en miroir[71]. D'où les textes où le poète mime les techniques de l'artiste (textes collages ou textes automatiques) qui refont le geste de l'artiste, cette fois-ci par le biais de la matière verbale. Le texte, prolongeant le tableau en tant qu'événement pictural, se fait lui-même événement verbal, devient un acte performatif[72]. Par conséquent, si métaphore il y a, elle est souvent élaborée non pas dans le sens étroit fondé sur le principe analogique, mais dans le sens le plus large du terme en tant que langage poétique. Par ailleurs, la stratégie proprement analogique est souvent subvertie ou révélée comme inadéquate. Deux modes de subversion de la démarche analogique se dessinent dans notre *corpus*.

Tout d'abord, nous l'avons constaté, le *topos* exotique tel qu'il est utilisé par Desnos, propose des analogies moins avec l'espace représenté qu'avec la démarche du peintre (et du poète) en tant qu'explorateur ou conquérant. On s'aperçoit que c'est en visant un *au-delà* ou un *entre* qu'il atteste des limites mêmes de l'analogie, comme l'a démontré l'analyse des propos de Desnos sur Malkine (« Ce n'est pas

70. « L'Esprit moderne et le jeu des transpositions », *Œuvres complètes* I, p. 274.
71. Pour Pascaline Mourier-Casile, le rapport entre le texte et l'image est moins mimétique qu'homologique, « inscrivant dans son espace propre – textuel – dans sa propre matière – langagière – le tracé de ses propres figures et sa trajectoire spécifique. » « Miró/Breton, *Constellations* : cas de figure», p. 196.
72. « *Le Surréalisme et la peinture* apparaît alors comme un texte *performatif* qui dans son écriture critique tente de produire ce qui est en jeu dans l'œuvre picturale. » Marie-Paule Berranger, « Épiphanie de l'image surréaliste », *Lire le regard. André Breton et la peinture*, p. 108.

là ») au chapitre III. Un exemple probant de cette démarche rhétorique se trouve dans « Le Surréalisme et la peinture » à propos des tableaux de Tanguy :

> *À égale distance de ces anciennes ville du Mexique que sans doute à jamais dérobe à l'œil humain la forêt impénétrable, des lianes qui s'échevellent par leurs couloirs géants, des papillons impossibles qui s'ouvrent et se ferment sur leurs escaliers de pierre de mille marches, à égale distance de ces villes et d'un « Ys » dont il a retrouvé la clé, se faisant place une nuit dans les jardins de coraux, guidé par la seule lueur d'un siphonophore, il me tarde de rejoindre Yves Tanguy en ce lieu qu'il a découvert. Découvert, une dernière fois, comme tout ce qu'on découvre, comme le Phénix porte en soi le secret de ses cendres.* (SP43)

Breton évoque, d'une part, un lieu géographiquement situable, le Mexique des Mayas, qui reste toutefois invisible (« que sans doute à jamais dérobe à l'œil humain la forêt impénétrable ») et invraisemblable (« des papillons impossibles »), et d'autre part, un site englouti (« dans les jardins de coraux »), la ville légendaire d'Ys. Ces deux paysages — temples au cœur de la forêt tropicale, monde sous-marin — évoquent par la métaphore les étranges paysages de Tanguy. Cependant le texte est bien *déroutant* car le poète situe la peinture de Tanguy non pas au cœur de ce *jamais vu*, mais entre (« à égale distance ») ces deux espaces, c'est-à-dire dans un non-lieu correspondant à une *latence* du tableau, invisible et indicible. Dans un texte datant de 1942, Breton observe au sujet du même artiste : « Avec lui nous entrons pour la première fois dans un monde de latence totale : ‹ En tout cas, rien des apparences actuelles ›, avait promis Rimbaud » (SP178). Breton passe ainsi à travers la métaphore (le cliché) exotique pour déboucher sur un au-delà non seulement du tableau, mais aussi du langage, qui pointe plus qu'il ne décrit un point mental qui reste une potentialité (« il me tarde de rejoindre Yves Tanguy ») qui ne peut être circonscrit — si ce n'est en creux — ni par la peinture de Tanguy ni par le langage poétique de Breton[73].

En second lieu, la démarche analogique est subvertie par le procédé d'énumération. Les accumulations d'images chez un Hugnet ou un

---

73. Sur la latence dans les textes de Breton, voir Riffaterre, « L'Ekphrasis lyrique », p. 137.

Leiris sont moins des analogies (dont l'œuvre serait miroir) que des associations libres (dont l'œuvre serait tremplin). L'analogie revient au tableau alors que l'association libre s'en éloigne pour poursuivre sa propre trajectoire. « Qu'on ne s'attende donc pas à ce que je parle positivement sculpture. Je préfère DIVAGUER », déclare Leiris à propos de Giacometti[74]. Ces divagations verbales se manifestent par une élaboration latérale (Péret), une dérive ducassienne (Leiris), un cheminement parallèle au stimulus visuel (« proses parallèles » de Breton), ou encore par la série ouverte d'images multiples (Dali). Les images s'accumulent et s'écroulent simultanément dans un discours non-hiérarchique qui récuse rigoureusement toute fixation analogique, soulignant au contraire le flux et l'instabilité de la signification[75].

Tout comme dans les « beau comme » de Lautréamont, les marques syntaxiques de l'analogie restent, pour mieux être débordées par la force centrifuge des associations verbales :

> *Les touches de Tamayo me font penser à celles de ces papillons du genre sphinx dont certaines espèces arborent ses couleurs (sphinx de troène, smérinthe du peuplier), qui sont doués d'une puissance de vol incomparable et n'évoluent qu'au centre du crépuscule autour de fleurs.* (SP234)

Le texte bascule : une analogie devient une élaboration métonymique qui poursuit son vol loin des *touches* de départ. C'est ce qu'évoque Breton lorsqu'il fait allusion à la rupture de la pensée discursive et à la dérive de la pensée analogique : « j'aime éperdument tout ce qui, rompant d'aventure le fil de la pensée discursive, part soudain en fusée illuminant une vie de relations autrement féconde »[76].

---

74. « Alberto Giacometti », p. 210.
75. Pour Didi-Huberman, qui commente le texte de Leiris sur Arp paru dans *Documents*, l'excès même des analogies est un processus de « *dé-figuration* ». *La Ressemblance informe ou le gai savoir visuel selon Georges Bataille*, p. 147.
76. *Signe ascendant*, p. 7.

V. LE « ROMAN » DU COLLAGE: ARAGON ENTRE ERNST ET HEARTFIELD

De 1935, passons sans peine à 1960.

Louis Aragon

Le collage pour Aragon est un objet paradoxal, contradictoire, sans cesse remis en cause: tantôt réduit à un procédé technique, tantôt au contraire magnifié aux dimensions d'un « test significatif de [sa] propre aventure spirituelle »[1]; revendiqué comme objet d'*obsession* constante de 1923 à 1975, pourtant passé sous silence pendant 25 ans; célébré comme possédant un pouvoir de subversion radicale, mais aussi dénigré comme un jeu sans conséquence. Aragon affiche un malin plaisir à se contredire, faisant allusion aussi bien à « cet ensemble disparate d'écrits »[2] qu'à la continuité du « roman » du collage qu'il est censé être en train d'écrire[3]. Comment rendre compte en effet de pratiques apparemment aussi divergentes que le collage cubiste de Picasso qui emprunte ses éléments directement au réel, le collage surréaliste de Max Ernst qui élabore des associations métaphoriques, les photomontages de John Heartfield où domine la charge satirique, ou les collages de Jiri Kolar qui juxtaposent le périssable et l'impérissable?

Si Aragon se réfère au « roman » du collage, c'est pour mettre en évidence – souvent après coup, il est vrai – la continuité de sa pensée sur l'art. Si nous reprenons le terme « roman », c'est avant tout pour en démonter les mécanismes de fabrication, comme nous l'avons fait dans les chapitres précédents à propos de constructions discursives de « Picasso » ou « Miró », ou encore comme l'histoire de la « peinture surréaliste » telle qu'elle est racontée par Breton (chapitre I). Le présent chapitre a pour objectif l'analyse de cette fabrication de l'his-

1. Aragon, « 1923-1965 », *Les Collages* (1965), Hermann, Coll. « Savoir sur l'art », 1980, p. 8.
2. *Les Collages*, p. 20.
3. Aragon, *Écrits sur l'art moderne*, Flammarion, 1981, p. 254. Les références à cet ouvrage seront indiquées dans le texte par l'abréviation EAM suivie de la page.

toire du « collage », écrite et réécrite par Aragon entre les années 1923 et 1975. Dans un premier temps, celle-ci se fait à coup d'oppositions ouvertes : collage cubiste contre collage surréaliste, Max Ernst contre John Heartfield, réalisme contre surréalisme. Cette première phase aurait, pour certains critiques, les qualités d'un drame plus que d'un roman, voire d'« un opéra en formation »[4], où les oppositions sont mises en scène comme dans une tragédie. Dans un deuxième temps, Aragon lance une tentative de récupération de son propre discours lorsqu'il revient sur ses écrits antérieurs pour privilégier la continuité entre les différentes étapes de sa pensée, en subordonnant notamment l'histoire du surréalisme à celle du réalisme[5]. Il cherche alors à faire de son itinéraire politique et esthétique un roman, soit une narration lisse, sans fissure, gommant toutes oppositions. Ainsi Max Ernst, évincé par Heartfield en 1935, retrouve sa faveur en 1975 ; ainsi Hoffmeister est relié en 1960 au Heartfield d'avant-guerre, la brèche de 25 ans étant colmatée à force d'autocitations. Ce chapitre retrace dans les écrits d'Aragon le parcours de ses propos sur le collage, pour montrer combien celui-ci reste subordonné à son itinéraire idéologique. Dans le drame qu'il déroule sous nos yeux s'affronteront deux grands protagonistes : Max Ernst et John Heartfield. Car il s'agit avant tout pour Aragon – comme pour Breton, Bataille ou Leiris, on l'a constaté dans les chapitres précédents – de « faire la preuve par la peinture » que les choix idéologiques et éthiques faits par l'écrivain sont bien fondés :

> Le rapport d'Aragon avec la peinture est singulier. C'est toujours, exactement comme pour Breton, le moyen de faire la preuve par la peinture – la preuve en quelque sorte matérielle, visible, objective – que la démarche créatrice dans laquelle on est engagé est, elle aussi, objective, absolument valable.[6]

Comme Bataille ou Leiris, Aragon poursuit un dialogue avec Breton : à la défense de la vocation collective de l'art chez l'un, s'oppose chez

4. « Aragon *tenario* nous a donné ici mieux qu'un livre : un opéra en formation », commente Daniel Bougnoux à propos des *Écrits sur l'art moderne*. « Aragon/peinture : les miroirs croisés », *Lisible-visible*, *Mélusine* n° 12, 1991, p. 165.
5. En 1969 Aragon écrira : « [Breton] semble m'avoir alors poussé dans cette voie, un réalisme surréaliste. Mais plus tard, la rupture m'entraîna à choisir la voie *socialiste* du réalisme. » *Je n'ai jamais appris à écrire ou les incipit*, Genève, Skira, 1969, pp. 57-8.
6. Pierre Daix, *Aragon. Une vie à changer*, Flammarion, 1994, p. 323.

l'autre la défense de la liberté individuelle de l'artiste et de l'autonomie de la pratique artistique.

Pourquoi le collage ? On retrouve tout au long des écrits d'Aragon une constante : le collage pose la question du réel dans l'art, de son intrusion ou de son appropriation, de sa transformation ou de sa remise en question. Le collage est conçu selon lui comme un lieu de contradiction, entre un réel importé de toutes pièces et un réel transformé, entre la négation de la réalité et la création d'une « réalité nouvelle », entre matières périssables et images impérissables. En effet, le collage dérange, il prend des réalités toutes faites et les assemble pour contrer, contredire, construire le réel : « ceux dont je parle ou j'ai parlé, je n'ai jamais eu pour eux d'attention que parce qu'ils dérangeaient, déclassaient, bousculaient le pot de fleurs » (EAM254). En passant du « poétique » surréaliste au « réel » politique, Aragon, tout comme Desnos, rejette dès 1930 la notion de l'objet d'art comme succédané de la poésie. Toutefois, contrairement à Desnos, Aragon, en affirmant que le collage agit désormais dans le domaine social et politique, conçoit le réel et l'art dans une perspective purement idéologique.

LE COLLAGE AU SERVICE DU SURRÉALISME : MAX ERNST

C'est en 1923, avec « Max Ernst, peintre des illusions »[7], qu'Aragon oppose le procédé *poétique* des collages dadaïstes ou (proto -)surréalistes d'Ernst au procédé dit *réaliste* des papiers collés cubistes : « Le collage devient ici un procédé poétique, parfaitement opposable dans ses fins au collage cubiste dont l'intention est purement réaliste ». Picasso avait emprunté directement au réel les objets à *dé-peindre* : « Pour les cubistes, le timbre-poste, le journal, la boîte d'allumettes, que le peintre collait sur son tableau, avaient la valeur d'un test, d'un instrument de contrôle de la *réalité* même du tableau »[8]. L'élément collé a ainsi le statut d'un objet réel – il reste timbre ou journal – donnant au tableau son ancrage dans le monde réel, sa *certitude* (le terme est emprunté à

---

7. « Max Ernst, peintre des illusions » (1923), *Les Collages*, pp. 23-9 (EAM12-16).
8. Aragon reprend cette notion dans une conférence de 1935 : « cubistes collant un journal ou une boîte d'allumettes au cœur du tableau, histoire de reprendre pied dans la réalité » (EAM49).

Braque)[9]. Pour Aragon, l'irruption d'un objet dans l'espace du tableau cubiste constitue un élargissement du concept du réalisme traditionnel, plutôt que sa critique radicale. Le tableau s'envisage comme un espace hétérogène, car deux modes ontologiques normalement tenus séparés se superposent : le mode existentiel (présentation de l'objet) et le mode esthétique (représentation de l'objet). Le collage cubiste fonctionne à la fois comme présence et représentation, comme objet réel et réaliste, dans une assimilation similaire à celle observée chez Leiris à propos de Picasso (voir le chapitre IV)[10]. Aragon élabore ainsi, dès 1923, ce qui sera la constante de sa position à l'égard du collage, soit l'intégration délibérée entre les plans existentiel (domaine du réel, de l'éthique) et esthétique (domaine du réalisme). Cette intégration des plans est manifeste dans l'affirmation hyperbolique de l'importance du monde réel lorsqu'Aragon campera doublement les papiers collés de Braque dans le monde réel. L'artiste aurait eu l'idée d'utiliser le papier mural « dans la misérable chambre de l'hôtel Roma qui avait une si belle vue sur les usines de la banlieue nord de Paris » (EAM33). Aragon opère ici un glissement métonymique, du papier collé de la *misérable* chambre à la *belle* vue du paysage urbain industriel, de l'objet pictural à l'environnement réel.

À la présence de l'objet réel dans les papiers collés cubistes – et ici Aragon propose une lecture très restreinte du cubisme – s'oppose sa transformation dans les collages de Max Ernst. De sorte que, si la contradiction habite le niveau existentiel de l'objet dans le collage cubiste qui affiche des matériaux hétéroclites, elle fonctionne dans le collage de Max Ernst au niveau iconographique. L'article d'Aragon énumère les étapes de la production artistique, en commentant notamment les collages exposés à la première exposition de Max Ernst à Paris, « La Mise sous whisky marin ». Organisée en 1921 par le groupe dada à la

9. En 1965, Aragon comparera le procédé d'intégration d'un élément réel dans l'espace du tableau à celui de la citation dans le texte. Ainsi, lorsque Picasso prend un objet quotidien, et l'incorpore tel quel dans son tableau, « Picasso *cite* cette chemise, comme il *citerait* un timbre-poste ». « Collages dans le roman et le film », *Les Collages*, p. 109.
10. « Ici [dans le collage cubiste], l'œuvre d'art est appelée réaliste dans la mesure où elle organise son espace à partir de, en fonction de, autour d'un fragment provenant de *la réalité* ». Ana Gonzalez-Salvador, « La ‹ chose à dire › : pièces à l'appui. À propos des *Collages* d'Aragon, 1965 », *in* Jean Arrouye, *Écrire et voir : Aragon, Elsa Triolet et les arts visuels*, Aix-en-Provence : Publications de l'Université de Provence, 1991, p. 141.

galerie Sans Pareil, cet événement – dont le vernissage est présenté comme une sorte de dada-*show* – est diversement apprécié par la critique. Les uns y voient un ensemble incohérent d'images, tel le journaliste anglais du *Daily Mail*, qui considère le mélange d'éléments totalement indigeste, « un cauchemar de langouste ». Il ne voit manifestement que la matière crue et non pas sa transformation : « Personne ne sait ce que les images veulent communiquer. Il y a des visages, des poissons, des bêtes, des dessins scientifiques et des chapeaux, le tout mélangé. Le résultat est… Dada »[11]. D'autres, au contraire, y décèlent une dimension poétique inédite, « point de départ nouveau, lyrisme, liberté »[12]. Parmi les critiques positives, celle de Jacques-Émile Blanche affirme que les œuvres exposées sont moins remarquables pour leurs qualités picturales que pour leur résonance poétique, conséquence de l'utilisation originale d'éléments quotidiens[13]. Aragon établit, lui aussi, un parallèle entre modes d'expression verbale et picturale lorsqu'il observe que les éléments collés en évoquent d'autres « par un procédé absolument analogue à celui de l'image poétique ». D'une part, l'image picturale se prolonge par un texte, d'où les courts poèmes qui font partie intégrante du collage, comme dans *Le Cygne est bien paisible*, accompagné du texte cité par Aragon :

> *C'est la 22ᵉ fois que Lohengrin quitte sa maîtresse pour la dernière fois – Nous sommes sur le Missouri supérieur, là où la terre a étendu son écorce sur quatre violons. – Nous ne nous reverrons jamais, nous ne combattrons pas contre les anges. Le cygne est bien paisible, il fait force de rames pour arriver à Léda.*

D'autre part, Aragon met l'accent sur la double image forgée par les composantes du collage. Il commente ainsi le collage *L'Ascaride de sable* :

> *Max Ernst est le peintre des illusions. Illusions partout : illusion cette caravane d'oiseaux extraordinaires traversant un désert, de*

---

11. « a lobster nightmare […] Nobody knows what the images are intended to convey. There are faces, and fishes, and animals, and scientific figures, and hats all jumbled together. The result is… Dada ». H.J. Greenwall, « Dada-ism let loose in a theatre », *Daily Mail*, 10 mai 1921.

12. Pierre Deval, « Au-delà de la peinture », *Promenoir*, n° 3, mai 1921.

13. Jacques-Émile Blanche, « Préface du professeur André Breton à la *Mise sous whisky marin* du Dr Max Ernst », *Comœdia*, vol 15, 11 mai 1921, p. 2.

> *près ce sont des chapeaux de femmes découpées dans un catalogue de*
> *grand magasin ; illusion ce glacier, ces arbres, ces personnages. Toute*
> *apparence, notre magicien la recrée.*

Contrairement à Breton qui, dès 1921, considère les collages de Max
Ernst en termes dialectiques, où la contradiction des réalités assem-
blées est dépassée – voire escamotée – dans la métaphore de l'étincelle et la création d'une réalité toute nouvelle[14], Aragon conçoit l'espace
du collage comme un lieu contradictoire, à la fois littéral et figuratif,
lieu où oiseaux et chapeaux sont co-présents. Loin de vouloir dépasser cette contradiction, il en dévoile les mécanismes, en réduisant la
métaphore plastique à une illusion optique, un trompe-l'œil. Il semble
plus soucieux de démonter les stratagèmes du « magicien » Max que
de prendre plaisir dans le pouvoir hallucinatoire de l'image (« Illusions
[…] illusion »). Il semblerait donc plus sensible que Breton à l'interac-
tion concrète des éléments du collage, ainsi qu'à leur pouvoir de résistance à la transposition. Aragon privilégie ainsi dans le collage ernstien
le moment de transformation, la visibilité du processus de détournement dans l'image double, procession d'oiseaux *et* chapeaux de femmes, haie *et* modèle de dentelle au crochet (*Dada Degas* 1920-21) : « Il
détourne chaque objet de son sens pour l'éveiller à une réalité nouvelle »[15]. La transformation se produit toutefois uniquement au niveau du
collage et non du texte d'Aragon, qui décrit simplement le procédé
pictural[16], contrairement à Breton qui mime au niveau de l'énonciation
le procédé de transformation de l'artiste en le prolongeant par la métaphore verbale (voir le chapitre I).

C'est bien la notion de transformation du réel que développera
Aragon lorsqu'il reprendra le débat sur le collage dans « La Peinture au
défi », préface du catalogue d'exposition de la première rétrospective de
papiers collés et collages (galerie Goemans, février 1930)[17]. Des années
plus tard, en 1960, il revendiquera pour sa préface une importance

14. « Max Ernst » (OCI246).
15. Voir André Mercier, « Aragon et Breton au ‹ Sans Pareil › », *in* Arrouye, *Écrire et voir*,
pp. 181-90.
16. Jacqueline Chénieux-Gendron observe à propos de la transformation de la pipe d'écu-
me qui figure une sirène dans *le Passage de l'Opéra* : « L'objet se métamorphose : il change de
forme sans que sa mutation passe par les mots ». « De la Sauvagerie comme non-savoir »,
p. 10.

séminale: « C'est probablement le premier texte systématique qui ait tendu à faire l'historique de cet art nouveau en notre siècle »[18]. Aragon remédie à l'absence quasi-totale d'intérêt critique pour le sujet en proposant un bilan du collage depuis le début du vingtième siècle, allant des papiers collés cubistes (Braque, Picasso) aux collages dada (Duchamp, Picabia) et surréalistes (Tanguy, Masson, Magritte, Malkine). Ernst reste pourtant la figure initiatrice. Contrairement à l'article de 1923, où Aragon tentait en quelque sorte d'apprivoiser le collage – il explique le caractère modéré du texte de 1923 par le fait qu'il le destinait au couturier mécène Jacques Doucet, qu'il souhaitait encourager à acheter des tableaux d'Ernst[19] – le ton du texte de 1930 est combatif, Aragon attribue au collage un pouvoir de subversion radicale, car celui-ci « met en question la personnalité, la propriété artistique, et toutes sortes d'autres idées qui chauffaient sans méfiance leurs pieds tranquilles dans les cervelles crétinisées ». En produisant des collages, l'artiste fait la critique de la peinture traditionnelle, qui passera bientôt, au dire d'Aragon, « pour un divertissement anodin réservé à des jeunes filles et à des vieux provinciaux ». Il reprend l'idée de la vision double dans une analogie entre procédé pictural et littéraire: les éléments collés représenteraient quelque chose de nouveau « par une sorte de métaphore absolument nouvelle ». Cependant la dualité, voire la duplicité, du jeu optique soulignée dans l'article de 1923 fait place ici à une vision métamorphique où la transformation se réalise sous nos yeux mêmes:

> *C'est ainsi que naissaient ces fleurs étranges formées de rouages, ces échafaudages anatomiques complexes. C'est ainsi qu'un patron de broderie représentait ici avantageusement le turf d'un champ de course, que des chapeaux, ailleurs, se constituaient en caravane.*[20]

Loin de ramener le nouveau au connu en démontant le mécanisme du collage, Aragon en dépasse la contradiction initiale pour mettre l'accent sur la « nouvelle réalité » créée. Ce faisant, il se rapproche de la position de Breton. L'image double fait place à l'appréhension de l'image dans son devenir, mouvement inscrit dans le dynamisme des verbes (« naissaient... se constituaient »). Par ailleurs, Ernst a intégré les éléments collés dans sa composition en ajoutant un fond homogè-

18. *Écrits sur l'art moderne*, p. 189.
19. *Les Collages*, p. 12.
20. Aragon fait allusion aux collages dada d'Ernst: *La Grande Roue orthochromatique* (1919-20). *C'est le chapeau qui fait l'homme* (1920), *Dada-Degas* (1920-1), *L'Ascaride de sable* (1920).

ne : « avec un peu de couleur, un crayonnage, il tente d'acclimater le fantôme qu'il vient de précipiter dans un paysage étranger ». Par exemple, dans *L'Ascaride de sable*, il peint un fond jaune et bleu à la gouache et à l'aquarelle pour évoquer un paysage de désert ; et dans *C'est le chapeau qui fait l'homme*, il relie entre eux les chapeaux par des formes géométriques peintes à la gouache pour suggérer des personnages humains.

Moyen de création de réalités nouvelles, le collage est associé au *merveilleux*, défini par Aragon comme une rupture dans l'ordre de la réalité : « La réalité est l'absence apparente de contradiction. Le merveilleux, c'est la contradiction qui apparaît dans le réel »[21]. Le rapport au réel, profondément subversif, n'est fondé ni sur l'imitation (le miroir lisse de la représentation réaliste), ni sur la citation (l'incorporation cubiste d'un objet réel), mais sur la contradiction. Il s'agit, selon Jacques Leenhardt, d'une poétique nouvelle issue d'un rapport au réel conflictuel, qui est à la fois « un grincement et une question »[22]. Le collagiste brise en effet le miroir des apparences pour mettre en scène les fissures du réel. Dans une image quasi apocalyptique, Aragon souligne dans « La Peinture au défi » le pouvoir subversif des collages, ces « nouveaux fantômes » qui déstabilisent le réel :

> *Ce monde déjà se lézarde, il a en lui quelque principe de négation ignoré, il craque. Suivez la fumée qui s'élève, le coup de fouet des spectres au milieu de l'univers bourgeois. Un éclair est couvé sous les chapeaux melon. Il y a vraiment de la diablerie dans l'air.*[23]

Toutefois, plus que d'une simple « négation de la réalité », le merveilleux, selon Aragon, « naît du refus *d'une* réalité, mais aussi du développement d'un nouveau rapport, d'une réalité nouvelle que ce refus

---

21. *La Révolution surréaliste*, n° 3, 15 avril 1925, p. 30.
22. Jacques Leenhardt, « Préface », *Écrits sur l'art moderne*, p. VIII.
23. Voir aussi : « Ce moment que tout m'échappe, que d'immenses lézardes se font jour dans le palais du monde, je lui sacrifierais toute ma vie ». *Une Vague de rêves* (1924), Seghers, 1990, p. 9. Dans un texte de 1936 Ernst lui-même évoque le pouvoir de déstabilisation du réel que détient le collage : « *QUELLE EST LA PLUS NOBLE CONQUÊTE DU COLLAGE ?* C'est l'irrationnel. C'est l'irruption magistrale de l'irrationnel dans tous les domaines de l'art, de la poésie, de la science, dans la mode, dans la vie privée des individus, dans la vie publique des peuples. Qui dit collage, dit l'irrationnel. Le collage s'est introduit sournoisement dans nos objets usuels ». « Au-delà de la peinture », *Écritures*, p. 264.

a libérée »[24]. Ce rapport avec le réel est imaginé par Aragon comme un « drame immense », qu'il désigne comme lieu de dépaysement : « Le drame est ce conflit des éléments disparates quand ils sont réunis dans un cadre réel où leur propre réalité se dépayse ». Dans cette perspective sa définition du *miracle* – avatar du merveilleux – oscille entre négation et affirmation dialectiques :

> *Le miracle est un désordre inattendu, une disproportion surprenante. Et c'est à cet égard qu'il est la négation du réel, et qu'il devient, une fois accepté miracle, la conciliation du réel et du merveilleux. Le nouveau rapport ainsi établi est la surréalité [...] cette ligne réelle qui relie toutes les images virtuelles qui nous entourent.*

D'autre part, Aragon revendique pour le collage un pouvoir qui dépasse le poétique pour agir dans le domaine social et politique. Non seulement le collage fait le procès de la personnalité de l'artiste, dit-il, mais il a chez les dadaïstes allemands et les constructivistes une signification politique et une dimension morale :

> *Le rapport qui naît de la négation du réel par le merveilleux est essentiellement de caractère éthique, et le merveilleux est toujours la matérialisation d'un symbole moral en opposition violente avec la morale du monde au milieu duquel il surgit.*

« La Peinture au défi » constitue donc pour Aragon un texte charnière qui bascule, entre le moment négatif et l'accomplissement dialectique, entre portée poétique et politique, entre surréalisme et réalisme. Ce texte constitue également une réponse au *Second Manifeste* de Breton publié en 1929. Aragon et Breton soutiennent tous deux le caractère éthique de toute activité surréaliste. Cependant, alors que Breton soutient la liberté individuelle de l'artiste et l'autonomie de la pratique artistique, Aragon souligne la vocation collective de l'art dans la conclusion de son essai : « L'art a véritablement cessé d'être individuel [...] Les découvertes de tous entraînent l'évolution de chacun ».

---

24. Aragon définit également le surréalisme en fonction de ce double mouvement : « Le surréalisme a été, pour ce qu'il eut de légitime, une tentative désespérée de dépasser la négation de Dada et de construire, au-delà d'elle, une réalité nouvelle ». *Pour un Réalisme-socialiste*, Denoël et Steele, 1935, p. 79.

LE COLLAGE AU SERVICE DE LA RÉVOLUTION : JOHN HEARTFIELD

Entre 1930 et 1935, Aragon s'est rendu en Union Soviétique et a consommé la rupture avec les surréalistes. Désormais, le réel va primer sur le poétique dans son regard sur l'œuvre d'art. De cette période date « John Heartfield et la beauté révolutionnaire »[25], texte d'une conférence prononcée par Aragon le 2 mai 1935 à la Maison de la Culture à Paris, lors d'une exposition de 150 photomontages de l'artiste allemand, organisée par l'Association des écrivains et artistes révolutionnaires[26], « une exposition où il y a de quoi rêver et de quoi serrer les poings ». Le photomontage aurait d'abord été utilisé comme « simple jeu » par les dadaïstes allemands, dont Heartfield lui-même, mais aussi Grosz et Ernst : « En face de la décomposition des apparences dans l'art moderne, renaissait ainsi sous les aspects d'un simple jeu un goût nouveau, vivant de la réalité ». Pour évoquer la manipulation d'éléments collés du photomontage, Aragon fait allusion aux procédés poétiques de Rimbaud :

> *L'artiste jouait avec le feu de la réalité. Il redevenait le maître de ces apparences où la technique de l'huile l'avait fait peu à peu se perdre et se noyer. Il créait des monstres modernes, il les faisait parader à son gré dans une chambre à coucher, sur les montagnes de la Suisse, au fond des mers. Le vertige dont parle Rimbaud s'emparait de lui, le salon au fond d'un lac de la* Saison en enfer *devenait le climat habituel du tableau.*

À l'opposé de Heartfield, Ernst pataugerait toujours dans ce lac ludique : « Max Ernst met toujours aujourd'hui son point d'honneur à n'être pas sorti de ce décor lacustre, où, avec toute l'imagination qu'on voudra, il combine encore à l'infini les éléments d'une poésie qui a sa fin en elle ». Mais une telle critique révèle avant tout la cécité d'Aragon devant la dimension satirique des collages d'Ernst (nous y reviendrons

---

25. « John Heartfield et la beauté révolutionnaire », *Commune,* n° 21, 15 mai 1935, pp. 985-991 ; *Les Collages,* pp. 63-72 (EAM48-54).

26. L'Association des écrivains et artistes révolutionnaires (AEAR) fut créée en 1932 comme organe français de L'UIER (L'Union internationale des écrivains révolutionnaires), fondée en 1931 lors du Congrès de Kharkov, auquel participèrent Aragon et Sadoul.

plus loin). Heartfield, lui, dépassera Rimbaud pour s'engager dans une activité autrement sérieuse :

> *Ah, il s'agissait bien alors du faible miracle qu'est un salon au fond d'un lac, quand sur les automitrailleuses les grands marins blonds de la mer du Nord et de la Baltique parcouraient les rues avec des drapeaux rouges !*

Procédant de nouveau à coups d'oppositions, Aragon distingue le *jeu* du collage surréaliste du sérieux des photomontages de Heartfield : « John Heartfield ne jouait plus. Les bouts de photographies qu'il agençait naguère pour le plaisir de la stupeur, sous ses doigts s'étaient pris à *signifier* »[27]. Non que les éléments collés soient dépourvus de signification chez les surréalistes, mais pour Aragon, ils trouvent leur sens dans leurs rapports avec le monde subjectif du désir individuel. Au contraire, l'œuvre de Heartfield est située par référence au collectif, aux conflits sociaux et politiques. La dimension poétique des uns est rejetée au profit de la dimension politique de l'autre, et la psychanalyse comme clé de lecture est remplacée par la méthode dialectique. Le pouvoir poétique a fait place au pouvoir révolutionnaire. En fait, le photomontage est considéré comme moyen d'expression privilégié du matérialisme dialectique – promulgué comme méthode de création artistique lors du congrès de Kharkov de 1931, auquel Aragon assiste – que ce soit en Allemagne, en Union Soviétique ou en France.

Comme dans « La Peinture du défi », mais de manière bien plus tranchée dans le texte de 1935, l'esthétique est affirmée en tant qu'éthique, comme l'atteste le titre lui-même, « John Heartfield et la beauté révolutionnaire », ainsi que le refrain qui fait écho à Rimbaud, « John Heartfield sait aujourd'hui saluer la Beauté »[28] :

> *Il sait créer ces images qui sont la beauté de notre temps, parce qu'elles sont le cri même des masses, la traduction de la lutte des masses contre le bourreau brun à la trachée de pièces de cent sous. Il sait créer ces images réelles de notre vie et de notre lutte, poignantes et prenantes pour des millions d'hommes.*

27. Aragon reprend la même métaphore dans sa critique du réalisme bourgeois : « à l'heure où la réalité en feu ne permet plus qu'on joue avec elle. » « Défense du roman français », *Commune*, n° 29, janvier 1936, p. 564.
28. *Une Saison en enfer, Oeuvres complètes*, p. 112.

Dans sa conférence, Aragon souligne donc chez Heartfield la portée politique du photomontage, « une arme dans la lutte révolutionnaire du prolétariat ». Le critique Adolf Behne, définit les photomontages de Heartfield comme « photographie plus dynamite »![29] La plupart des photomontages (publiés dans le journal illustré populaire, *Arbeiter-Illustrierte-Zeitung*) incorporent des éléments collés, photos ou slogans, tirés de la presse populaire allemande. Les éléments découpés sont détournés dans le but de démasquer les contradictions et les conflits, les mensonges et les hypocrisies de la « réalité » politique de l'Allemagne d'Hitler. Par exemple, dans le photomontage auquel fait allusion la citation ci-dessus (« le bourreau brun à la trachée de pièces de cent sous »), Heartfield a collé une tête d'Hitler, bouche grande ouverte, au-dessus d'un buste-radiographie dont la trachée est remplie de pièces de monnaie. Ce photomontage représente littéralement la maxime inscrite sur le photomontage : « Adolf der Übermensch : schluckt Gold und redet Blech » [Adolf le surhomme : avale de l'or et débite de la camelote], dévoilant la collusion entre pouvoir politique et pouvoir financier. Ailleurs, Heartfield détourne l'imagerie populaire religieuse et nazie, comme dans *La Croix n'était pas encore assez lourde* ou *Arbre de Noël nazi* aux branches de la croix gammée. Le photomontage devient tout d'abord un moyen privilégié de dévoilement et de perversion du discours de la *doxa* : par le détournement satirique de clichés photographiques ou linguistiques, Heartfield déstabilise les significations reçues en mettant à nu les liens entre les agents du drame politique. La charge parodique résulte du découpage et de l'assemblage pervers et souvent crûment articulé d'images et de maximes. Il s'agit d'une stratégie de provocation destinée à mobiliser les masses, d'où l'utilisation d'images et de maximes populaires qui assurent la reconnaissance immédiate du détournement.

Aragon situe l'art de Heartfield dans la lignée du dadaïsme allemand, ce qui n'était pas pour plaire aux partis communistes allemand et russe, pour qui dada représente un mouvement bourgeois décadent. Par ailleurs, dans son désir de réconcilier art d'avant-garde et art réaliste, tout en prétendant que les précédents manquent, « malgré Goya, Wirtz et Daumier », Aragon insère Heartfield dans la lignée de l'art

---

29. Cité par Peter Pachnicke et Klaus Honnef, *John Heartfield*, New York : Harry N. Abrams, 1992, p. 263.

réaliste, « de toute la peinture des siècles », allant jusqu'à comparer les photomontages de Heartfield aux natures mortes de Chardin :

> *Il y a des natures mortes de Heartfield, comme celle où une balance penche sous le poids d'un revolver, ou le portefeuille de von Papen, comme cet échafaudage de cartes hitlériennes, qui me font invinciblement penser à Chardin.*

Cependant, malgré la référence à Chardin, le réalisme, et par conséquent pour Aragon, la véritable valeur des photomontages de Heartfield réside dans le fait qu'ils constituent un moyen privilégié de critique dialectique de la réalité :

> *avec pour palette tous les aspects du monde réel, brassant à son gré les apparences, il n'a d'autre guide que la dialectique matérialiste, que la réalité du mouvement historique, qu'il traduit en blanc et noir avec la rage du combat.*

Nous rencontrons dans cet essai une première ébauche par Aragon de sa définition du réalisme socialiste (qui sera développée en 1937 dans *Réalisme socialiste et réalisme français*) conçu non pas comme simple « peinture d'après nature », mais comme « lutte des éléments contradictoires ». Rien de nouveau ici, Aragon se faisant l'écho de la ligne officielle du parti communiste en matière artistique telle qu'elle est formulée par Andreï Jdanov, qui définit le réalisme socialiste au premier Congrès de l'Union des écrivains d'URSS (1934) comme suit :

> *Cela signifie tout d'abord connaître la vie afin de pouvoir la représenter véridiquement dans les œuvres d'art, la représenter non point de façon scolastique, morte, non pas simplement comme la réalité objective, mais représenter la réalité dans son développement révolutionnaire.*[30]

Dans cette perspective, les photomontages de Heartfield mettent en scène les moments de la lutte. Dans sa critique de l'exposition de Heartfield en URSS (1932), Fedorov-Davidov, directeur de la galerie

---

30. Cité par Serge Fauchereau, *La Querelle du réalisme*, Éditions Cercle d'Art, Coll. « Diagonales », 1987, p. 15. Pour le peintre Marcel Gromaire également, le réalisme est un devenir : « Qu'est-ce que le réalisme ? Qu'est-ce que le réel ? Le réel n'est pas seulement ce qui est à la portée de notre main, à la portée de notre œil, c'est aussi ce qui est à la portée de notre esprit, et ce qui n'est pas encore à la portée de notre esprit. Le réel s'étend de nous-mêmes aux limites inconnues du monde ». *La Querelle du réalisme*, p. 57.

Tretiakov à Moscou, présente le photomontage comme modèle paradigmatique de la description dialectique de la réalité. En effet, le photomontage aurait une double fonction : critiquer (négation d'une certaine réalité) et promouvoir (création d'une nouvelle réalité positive), double mouvement qui fait écho à la notion du merveilleux tel qu'il est défini par Aragon dans l'article de 1930. Selon Fedorov-Davidov, Heartfield serait plus fort dans la satire, la description du négatif[31]. Malgré quelques photomontages réalisés vers la fin des années 1920 où domine l'influence constructiviste (par exemple *Protégez l'Union Soviétique*), et lors de son séjour en URSS en 1932-1933 (photomontages présentant le lien organique entre le travailleur et la machine), considérés comme modèles d'unité formelle et donc idéologique, la plupart des photomontages de Heartfield font la critique de la réalité fasciste[32]. Aragon souligne justement la fonction de *négation* de la réalité officielle dans ces photomontages[33].

Vers la fin des années 1930 le photomontage, critiqué par les communistes pour son formalisme, est remplacé par un retour aux techniques traditionnelles. Par conséquent, entre 1935 et 1960, collages et photomontages disparaissent des textes d'Aragon qui, fidèle à la ligne du parti communiste, défend le réalisme, que ce soit le réalisme français (« Réalisme socialiste et réalisme français » 1938), notamment chez Courbet (« L'exemple de Courbet » 1952), ou le réalisme socialiste chez les artistes soviétiques (« Réflexions sur l'art soviétique » 1952) contre les recherches picturales de l'avant-garde. Si Aragon fait allusion au collage, c'est en tant que pratique d'expérimentation formelle à rejeter. Par exemple, dans un essai sur André Fougeron,

31. Pachnicke et Honnef, *John Heartfield*, p. 272.
32. Tandis que les photocollages originaux affichent le disparate des matériaux, leur reproduction en gomme l'hétérogénéité. Ils ont été reproduits dans *AIZ* par la technique de la photogravure, sur un papier brun mat, créant une homogénéité spatiale. Heartfield, tout comme Ernst, avait le souci du détail – il donnait des instructions précises à son retoucheur et son imprimeur – dans le but de créer un espace photographique cohérent et unifié. Voir Pachnicke et Honnef, *John Heartfield*, p. 44.
33. Les constructivistes, qui avaient dominé la technique de l'affiche et la propagande politique, sont condamnés. Lorsque Heartfield – exilé d'abord à Prague, puis en Angleterre – rentre en Allemagne de l'Est en 1950, le photomontage y est toujours considéré comme une déviation gauchiste. Ce n'est qu'en 1956, avec la libéralisation qui a suivi le 20ᵉ Congrès Soviétique, qu'il y sera réhabilité et nommé professeur à l'Akademie der Kunste à Leipzig.

promu après la guerre de 1939-1945 peintre officiel du parti communiste, Aragon déclare rechercher auprès des paysagistes français ou des portraitistes soviétiques « une leçon de métier, de respect du réel, du ‹ fini › et du ‹ rendu › dans le tableau fait pour *servir* et non pour *briller* »[34]. S'opposent alors à cette saine pratique « les vieux procédés de juxtaposition du surréalisme dans la peinture et les photos montages », ainsi que l'art non-figuratif qui domine les avant-gardes d'après-guerre. C'est l'époque où Breton réagit violemment contre les articles d'Aragon publiés dans *Les Lettres français*es, dont il est alors le directeur, avec « Pourquoi nous cache-t-on la peinture russe contemporaine ? » et « Du ‹ réalisme socialiste › comme moyen d'extermination morale »[35].

« De 1935, passons sans peine à 1960 », nous invite Aragon dans sa préface aux *Collages*, écrite en 1965 – le titre lui-même, « 1923-1965 », fait fi du passage des années ! Il est significatif qu'Aragon réédite dans *Collages* les textes de sa période surréaliste, qu'il avait passés sous silence pendant les trente années où régnait le réalisme socialiste. Il revient donc à la célébration de son « obsession » du collage, en 1960 avec « Adolf Hoffmeister et la beauté d'aujourd'hui »[36], texte où il reprend sa réflexion sur le collage en en colmatant on ne peut plus cavalièrement les fissures. « Haussez, si vous le voulez, les épaules, mais prenez garde : je fais ici ce que je faisais en 1930 et en 1935, et cette suite dans les idées devrait vous donner à réfléchir », gronde-t-il. C'est pourtant bien un saut périlleux qu'il exige de la part de son lecteur pour rétablir cette continuité ! Ici encore, rien de personnel dans ce revirement – supposé ne pas en être un – puisque nous sommes au moment où la déstalinisation apporte une libéralisation dans le domaine artistique, à laquelle *Les Lettres françaises* faisait fidèlement écho. Artiste tchécoslovaque, Hoffmeister utilise des journaux découpés, des éléments typographiques russes ou géorgiens pour évoquer les paysages et les villes de Géorgie. Le titre que donne Aragon à

34. « Toutes les couleurs de l'automne », *Les Lettres françaises,* n° 490, 12 novembre 1953 (EAM134).
35. « Pourquoi nous cache-t-on la peinture russe contemporaine ? » *Arts,* n° 341, 11 janvier 1952, pp. 1-2 (OCIII926-34) ; « Du ‹ réalisme socialiste › comme moyen d'extermination morale ». *Arts*, n° 357, 1ᵉʳ mai 1952, pp. 1 et 11 (OCIII945-48).
36. « Adolf Hoffmeister et la beauté d'aujourd'hui », *Les Lettres françaises,* n° 807, 14 janvier 1960 ; *Les Collages*, pp. 73-81 (EAM188-93).

son article se veut déjà signe de continuité – toute factice – avec son texte sur Heartfield de 1935, un lien construit à partir des longues citations tirées de ce dernier essai. (Une stratégie similaire est utilisée, on l'a vu au chapitre IV, par Éluard et Breton qui reprennent en 1932, pour le numéro spécial de *Cahiers d'art* sur Picasso, leurs essais des années 1920 afin de soutenir leur défense d'un Picasso surréaliste.) De plus, Aragon tente même d'établir une continuité avec ses écrits antérieurs sur le réalisme, tout en en élargissant la portée. Il déclare ainsi que les collages de Hoffmeister « s'inscrivent dans le cheminement *réaliste* de l'art, à un moment où les moyens classiques de la peinture sont très généralement détournés de la réalité, dans ce cheminement réaliste de l'art qui ne peut avoir de perspective que le socialisme ». Toutefois, dans sa définition de ce nouveau réalisme, l'imagination joue un rôle proche du procédé poétique du merveilleux des surréalistes, bien qu'Aragon se garde de l'admettre ouvertement : « Rêvez un peu sur ces bords de la mer Noire, ce jardin de plantes équatoriales, ces villas baroques d'Abkhazie, qui se font de la matière quotidienne des journaux, laissez aller votre esprit à la dérive de cette invention ». À la fin de l'article, si Aragon attire l'attention sur la contradiction apparente entre la défense du réalisme socialiste et celle du collage ou du photomontage, c'est pour conclure que la survie du réalisme dépend du renouvellement de ses moyens esthétiques. Il s'agit donc moins d'une évolution de la pensée d'Aragon que d'une stratégie imposée par le discrédit du réalisme socialiste qui a suivi les excès du stalinisme, et d'une ouverture encore toute timide aux formes artistiques de l'avant-garde. De plus, en affirmant dans sa préface de 1965 que « le réalisme n'est pas un système clos, un dictionnaire de recettes, mais un vertige, un désir, une passion »[37], Aragon retrouve le ton passionné des écrits des années 1920.

Le désir de nier toute solution de continuité par rapport à ses écrits antérieurs est également présent dans un texte sur Jiri Kolar (1969), autre artiste tchécoslovaque[38]. Rappelons qu'Aragon a apporté son soutien aux intellectuels et artistes tchécoslovaques en 1968. Situant Kolar dans la filiation de Heartfield et Hoffmeister, Aragon affirme

37. *Les Collages*, p. 20.
38. « Un Art de l'actualité : Jiri Kolar », *Les Lettres françaises,* n° 1282, 7 mai 1969 (EAM253-8). Jiri Kolar (1914-2002) fut poète et artiste.

que ce jeune homme « dérange » car il provoque le spectateur : « voilà qu'un jeune homme à son tour a mis en marche sa machine à dérouter l'esprit ». Le texte fait allusion à sa série de collages intitulée *Hebdomadaires* où il juxtapose chaque semaine de 1967 à 1970 coupures de presse et reproductions de tableaux : « Le grand calendrier de Jiri Kolar pour 1968 est un formidable pense-bête mis sur la manche du monde ». L'un d'entre eux, par exemple, rassemble des fragments de journaux, un paysage de Cézanne, une photo du premier ministre tchèque Dubcek, un joueur de pétanque et une boule-pomme ; intitulé *Die Angriffe werden nie enden* [Les attaques ne finiront jamais], il est signé « Cézanne ». Ici ce sont les matériaux des collages qui fascinent Aragon : Kolar combine la matière périssable (journal imprimé) et la matière impérissable (reproduction de tableaux de maîtres) qui est « découpée à son gré, mariée à la matière quotidienne et qui lui sert à dire les choses ». Ainsi, « par ce double blasphème du périssable et de l'intemporel, ses collages, ses simples collages remettent en question toutes les données de l'art ». Le périssable (qui se distingue de la « matière noble », la peinture à l'huile), c'est « le ver dans le fruit » – devenant ici pomme de Cézanne, la banane pourrie de Titus-Carmel – qui représente les espoirs révolutionnaires rongés de l'intérieur. Aragon affirme néanmoins sa foi en l'avenir : « il viendra d'autres hommes qui trouveront dans ce qui vous semble dérisoire les éléments d'exaltation de leur propre cause ».

Aragon reviendra au collage surréaliste avec *Bonjour Max Ernst,* paru en 1976, et publié également sous le titre « L'Essai Max Ernst »[39]. Dans cet essai, il se complaît longuement dans des terrains vagues : celui qui se trouve derrière son hôtel, envahi par les herbes folles, qui lui rappelle les *Forêts* du peintre : « tout se mettait à ressembler aux forêts de Max,

---

Il est membre du Groupe 42, le mouvement des artistes surréalistes tchèques. Fasciné par la manipulation graphique des mots, il produit des textes-collages : *Extrait d'acte de naissance* (1941), son premier recueil, juxtapose phrases entendues, impressions personnelles et extraits de journaux ; *Journées dans l'année* (1948) et *Années dans les journées* (1953) développeront cette « poésie journalière ». Il fait aussi des collages graphiques : c'est la manipulation-déformation des chefs-d'œuvre du passé qui l'intéresse avant tout. Il inventera tout un ensemble de techniques dont le *rapportage,* le *confrontage,* l'*analphabétogramme,* le *rollage* et l'*intercalage.* Voir Miroslav Lamac, « L'Univers collé de Jiri Kolar », *Opus International,* n° 9, 1968.

39. *Bonjour Max Ernst* (1975), Georges Visat, 1976 ; « L'Essai Max Ernst» (EAM312-47).

souvent toutes de bois, sans verdure, où les arbres ne sont qu'écorces, peut-être pétrifiés, déchirés ». L'écrivain s'égare également dans le terrain vague de sa propre pensée : on retrouve le narcissisme agaçant, les auto-citations multipliées, les « explosions de petits ‹ moi › ridicules »[40] tant dénigrées du temps où il était surréaliste. Il tente de faire, par bribes et par bonds, l'historique du parcours artistique d'Ernst – ses propos dispersés portent sur Loplop, *alter ego* de l'artiste, sur les romans-collages, sur les « collages purs » – mais le tout est entrecoupé de digressions, de dérives et de reprises, d'apartés et de glissements, dans une coulée automatique, charriant des échos de textes antérieurs, des pastiches rimbaldiens, dans un texte qui se veut collage en hommage à Ernst. Le regard porte moins sur l'œuvre que sur les fragments d'un savoir et d'une expérience qui n'ont visiblement pas été aiguisés et renouvelés par une confrontation avec les collages et tableaux.

Pour conclure, je voudrais moi aussi faire un retour – puisque Aragon lui-même nous y invite avec ses propres reprises, ses digressions, ses tours et détours – un retour, donc, sur les deux principaux protagonistes du « roman » d'Aragon, Ernst et Heartfield, et les pôles opposés (poétique et politique) dans lesquel il les cantonne, dans le but de montrer les limitations de la lecture du collage faite à coups d'oppositions parfois bien schématiques. Rappelons tout d'abord qu'entre 1930 et 1935, dans ce moment de bascule qu'Aragon a raconté et qui a été retracé dans ce chapitre, Ernst se noie d'avoir trop joué dans le « salon au fond d'un lac » rimbaldien, remplacé sur le devant de la scène par Heartfield qui, lui, occupe la terre ferme, l'arène publique de la révolution. Cependant, l'opposition qu'établit Aragon est fondée sur une vision partiale de l'artiste, puisque Max Ernst, loin de se complaire dans la poésie des espaces aquatiques, combine les deux pôles dans son œuvre, qui ne scinde nullement l'imaginaire et le réel en deux catégories séparées. À l'insu d'Aragon, les monstres du lac ont envahi les salons de la réalité, déstabilisant ainsi les assises du monde bourgeois. On le voit dans les romans-collages (*La Femme 100 têtes* 1929, *Rêve d'une jeune fille qui voulut entrer au Carmel* 1930, *Une Semaine de bonté ou les sept éléments capitaux* 1934), où figure la satire mordante de l'église, de l'armée et de la bourgeoisie, satire à laquelle

---

40. L'expression est de Breton (OCIII605).

Aragon aurait dû être sensible. Encore plus probant est, dans ce contexte, un collage de Max Ernst datant de 1926, intitulé *Rêves et hallucinations*, et qu'Aragon avait à portée de main lorsqu'il critiquait l'absence de contenu politique dans l'œuvre de ce dernier. Le collage en question porte deux dédicaces manuscrites : la première, sur une photographie de militaires, se lit « *Max Ernst 26 pour L.A.* » (ces initiales apparaissent aussi sur la mitre du cardinal), l'autre en bas à droite du collage : « *Pour Sandra, ce jeune homme que je ne suis plus, l'année de mes quatre-vingts ans, en souvenir des temps où elle m'empêchait de dormir sans le savoir. Aragon* ». Ernst avait réalisé ce collage en 1926 pour Aragon qui, à son tour, l'avait offert à Sylvie Danet en 1970. Il met en scène un dialogue personnel entre les deux hommes : le titre fait en effet écho au texte d'Aragon *Une Vague de rêves* (1924), tandis que les publicités collées rappellent *Le Paysan de Paris*, publié la même année. Notons surtout qu'il fonctionne comme un palimpseste, où l'on reconnaît plusieurs strates partiellement cachées et pourtant délibérément mises en scène, qui génèrent des significations multiples et mobiles, où se combinent, n'en déplaise à Aragon, satire sociale et réflexion sur le langage poétique[41].

Ce collage se situe dans la lignée du photomontage dada, à la fois par sa construction (dans la fragmentation visible des éléments collés, la juxtaposition d'éléments graphiques et iconiques), et par le choix des éléments collés (tirés de l'iconographie politique). Les principaux protagonistes de ce « drame » sont la bourgeoisie (l'élégant monsieur des publicités), l'église (le cardinal de Richelieu – une reproduction de Philippe de Champaigne – bâillonné, son crucifix remplacé par une fleur), et l'armée (la photographie d'une scène militaire). Le cardinal est à la fois soutenu par l'armée (ses pieds reposent sur les militaires) et domine celle-ci. Sa main pointe vers le bas dans un geste négligent comme s'il donnait sa bénédiction à la machine de guerre. L'armée, le capital et l'église prospèrent sur les ruines de la guerre déclenchée par la bourgeoisie, menée par l'armée, et sanctionnée par l'église. De

---

41. Pour une analyse de *Rêves et hallucinations*, voir Sylvie Lecoq Ramond, « Max Ernst (1891-1976), *Rêves et hallucinations*, 1926. Une acquisition du Musée d'Unterlinden à Colmar », *Revue du Louvre et des musées de France,* vol 41, n° 5-6, décembre 1991, pp. 88-90 ; Adamowicz, *Surrealist Collage in Text and Image. Dissecting the Exquisite Corpse,* pp. 26-32 (le collage y est reproduit à la page 27).

même, la juxtaposition de photographies de guerre et de slogans publicitaires détourne les significations dans un but satirique. Une publicité pour *Faineuf*, marque de cire pour meubles, placée au-dessous de la photographie d'une ville en ruines, fonctionne comme une légende satirique de la scène qui présente les effets destructeurs-constructeurs de la guerre, tandis que le slogan « *Tout ici est à neuf... Grâce à Faineuf* » peut se lire comme une allusion ironique aux programmes de reconstruction de l'après-guerre ainsi qu'une auto-référence au procédé du collage lui-même, qui a comme but de « faire du neuf » avec des images anciennes. Par ailleurs, les griffonnages sur la photo du cardinal (le bâillon, les initiales *L.A.* sur la mitre, la fleur), rappelant le geste duchampien, tournent en ridicule le personnage ecclésiastique, tandis que la dédicace à Aragon, écrite avec désinvolture sur un cliché qui célèbre sans doute la guerre, détourne un message social en l'utilisant comme support d'un dialogue personnel.

Ce collage, qu'Aragon a eu de longues années en sa possession, rend visible, effectivement, les « lézardes » du réel, que celles-ci soient d'ordre de l'esthétique ou du social. La « réalité nouvelle » créée par le recyclage d'images toutes faites a une portée à la fois poétique et satirique. Comme dans d'autres collages d'Ernst, l'interdit poétique rejoint l'interdit politique, combinant l'appel de Rimbaud à « changer la vie » et l'exhortation de Marx à « transformer le monde ». C'est précisément ce qu'Aragon, les yeux bandés par un parti pris matérialiste, a refusé de *voir* dans son analyse très partiale et partielle des collages de Max Ernst, proposant une grille de lecture à la lumière de sa position politique et de sa rhétorique polémique; récupérant les collages de ce dernier pour un *roman* prenant par endroits les dimensions d'une historiette, où Ernst finit par jouer le rôle de tête de Turc, lorsqu'Aragon fait l'éloge de Heartfield. Et quand Aragon reviendra à sa passion pour Ernst en 1976, c'est moins pour en renouveler la lecture que pour reprendre quelques observations sorties du fond du terrain vague de la mémoire.

VI. LE SURRÉALISME APRÈS 1945 : LE CHAUD ET LE FROID

C'est merveilleux d'être encore à ce point méprisé à notre âge.

Marcel Duchamp

« LE SURRÉALISME EN 1947 »

Dès son retour à Paris au printemps 1946, Breton cherche à la fois à assurer la pérennité du surréalisme en soulignant la continuité de ses activités avec celles d'avant-guerre, et à affirmer la vitalité du mouvement en lui prescrivant de nouvelles voies[1]. Le désir de permanence et d'ouverture est présent dans son texte « Victor Brauner : entre chien et loup », publié en juillet 1946 à l'occasion d'une exposition des œuvres du peintre à la galerie Pierre[2]. D'une part, Breton insère les tableaux de Brauner dans une continuité historique : annoncés par Victor Hugo et les romantiques allemands, comparés quant à leurs effets aux tableaux d'Uccello, de Bosch ou de Watteau, ils sont inscrits dans une filiation d'initiés, d'hérétiques, de révolutionnaires et de poètes. D'autre part, Breton attaque les tendances artistiques de l'après-guerre, « l'orientation nettement rétrograde de la peinture en France, au cours de ces dernières années », et défend un art du « *dépassement* » qu'il rapproche du sacré (« Devant la peinture actuelle de Brauner ma joie participe du sacré »), des mythes des Indiens d'Amérique et de la pensée occulte[3].

1. Sur le surréalisme des années d'après-guerre on se reportera à Béhar, *André Breton. Le grand indésirable*, pp. 374-448, Jacqueline Chénieux, *Le Surréalisme*, Presses Universitaires de France, 1984, pp. 130-43 ; Jean Schuster, « 1946-1966, les années maudites », *in André Breton. La beauté convulsive*, pp. 398-400.
2. Breton, « Victor Brauner. Entre chien et loup », *Cahiers d'art,* vol 45-6, 1946, pp. 307-11 (SP123-7). Ce même texte parut en anglais (traduit par Lionel Abel) comme préface au catalogue d'exposition *Victor Brauner* à New York (galerie Julien Lévy, avril 1947). Victor Brauner, peintre roumain, est introduit dans le groupe de Breton dès 1931.
3. Brauner avait en fait étudié la pensée ésotérique, l'alchimie et le tarot. José Pierre voit dans les tableaux de Brauner « davantage des oeuvres de magie didactique que des oeuvres porteuses de magie ». Dans cette perspective, *Naissance de la matière* (1940)

Cette double perspective soustend également la conception de l'exposition « Le Surréalisme en 1947 », organisée par Breton et Duchamp, qui eut lieu en juillet 1947 à la galerie Maeght. Dans son « Projet initial », extrait d'une lettre d'invitation aux participants, publié dans le catalogue de l'exposition, Breton présente les objectifs de l'exposition : « Il importe […] de réaffirmer une COHÉSION véritable et, par rapport aux précédentes manifestations de groupe, de marquer un certain DÉPASSEMENT »[4]. À cet objectif se conjoint le désir d'explorer « un MYTHE NOUVEAU », qui « existe aujourd'hui à l'état embryonnaire ou latent ». Cette allusion à un mythe qui n'a pas encore été pleinement formulé fait écho aux propos des artistes et critiques de l'avant-garde new-yorkaise des années 1940. Breton assigne ainsi à l'exposition une visée double, à la fois rétrospective et prospective.

L'exposition fut conçue et montée comme un espace initiatique[5]. Le visiteur traversait d'abord une section rétrospective, intitulée « Les Surréalistes malgré eux », qui comprenait des « présurréalistes » (Bosch, Arcimboldo, Rousseau et d'autres), ainsi que des peintres intégrés au mouvement avant la guerre (Masson, Dali, Magritte, Dominguez, Paalen et Picasso). Venaient ensuite les 21 marches d'un escalier correspondant aux 21 « arcanes majeurs » du tarot, faites de dos de livres des ancêtres des surréalistes, de Maturin, Baudelaire et Sade à Swedenborg, Fourier et Ducasse. Le visiteur traversait ensuite la « Salle des superstitions », conçue par l'architecte Frederick Kiesler[6], et la « Salle de pluie et de dédale », réalisée par Duchamp, où des rideaux de pluie tombaient du plafond. Il pénétrait enfin dans la section principale de l'exposition, la « Salle d'initiation », un espace

lui donne l'impression de se trouver « devant les devoirs du soir d'un bon élève ès figuration magique », les tableaux étant selon lui une simple illustration des thèmes de la magie et de l'ésotérisme (le double, l'androgyne, la dualité corps et esprit). *André Breton et la peinture*, Lausanne : L'Age d'homme, Coll. « Cahiers des avant-gardes», 1987, p. 299.

4. Breton, « Projet initial », in Breton et Duchamp, *Le Surréalisme en 1947*, Pierre à Feu, Maeght, juin 1947, pp. 135-8 (OCIII1367).

5. Pour une analyse de l'installation de l'exposition, voir Lewis Kachur, *Displaying the Marvelous. Marcel Duchamp, Salvador Dali and Surrealist Exhibition Installations*, Cambridge MA et Londres : MIT Press, 2001, pp. 200-6.

6. Frederick Kiesler avait contribué à la revue *VVV* à New York et conçu l'exposition-installation « Art of This Century » en 1942 à la galerie de Peggy Guggenheim à New York. Voir Cynthia Goodman, « The Art of Revolutionary Display Techniques », *in Frederick Kiesler*, New York : Whitney Museum of American Art, 1989.

labyrinthique conçu par Breton. Le critique d'art Pierre Guerre la décrit comme suit :

> *Là le mystère se fait poétique et sacré. Des fils d'Ariane transparents se tendent au-dessus du couloir. Tout est bleu nuit, secret, propice au rite, à l'initiation. Dans le trouble vraiment spécial, analogue à celui des aquariums et de certains sanctuaires oubliés, s'ouvrent de part et d'autre des alvéoles éclairées. Chacun est un autel magique, sur le modèle de ceux des cultes indien ou vaudou.*[7]

Chacun des douze autels, précise Breton dans « Projet initial », correspond à l'un des douze êtres mythiques tirés des cartes du tarot, aux signes du zodiaque, et aux douze heures du *Nuctameron* d'Apollonius de Thyane. Par exemple, le sixième autel est dédié à « L'Oiseau Secrétaire ou Serpentaire (cher à Max Ernst) », associé à Virgo, et à la sixième heure : « VIERGE – L'Oiseau Secrétaire : ‹ Immobile et sans crainte devant les monstres › (Ap. de T.) » (OCIII1368-9). Les œuvres exposées comprenaient non seulement la première génération des surréalistes, Miró, Matta, Tanguy, ou Arp, mais également de jeunes artistes tels que Riopelle, Baya, Hector Hyppolite, Scottie Wilson et Maria Martins.

L'exposition était ainsi ouvertement présentée comme une installation, un lieu théâtral, à forte charge discursive. Les associations ésotériques explicites de chaque étape déterminaient la lecture des œuvres, et le parcours constituait pour le visiteur une initiation à la pensée occulte. La surdétermination du cadre initiatique est manifeste dans le catalogue de l'exposition, *Le Surréalisme en 1947*[8]. D'une part, un tableau de Hector Hyppolite (peintre haïtien autodidacte et prêtre vaudou que Breton avait rencontré à Haiti en 1945-1946), *Papa Lauco,* est reproduit à la première page. D'autre part, dans sa préface, « Devant le rideau » – le titre fait allusion à l'espace théâtralisé de l'exposition – Breton situe celle-ci dans la lignée des grandes expositions surréalistes de 1938 (Paris) et de 1942 (New York), soulignant ainsi la continuité des activi-

---

7. Pierre Guerre, « L'Exposition internationale du surréalisme », *Cahiers du sud,* vol 26, n° 284, 1947, 677-81 ; *in André Breton, Herne,* p. 92.

8. Outre les textes de Breton, le catalogue comprend des textes théoriques et poétiques d'artistes et de poètes surréalistes ainsi que de nombreuses illustrations. La couverture de l'édition de luxe, conçue par Duchamp, présente un sein de femme en caoutchouc sur velours noir avec les mots « Prière de toucher ».

tés surréalistes, escamotant par la même occasion la grande rupture que fut la guerre[9]. Il affirme également le nouvel essor qu'apporte au mouvement la pensée ésotérique qui ancre le surréalisme dans une tradition littéraire et philosophique, tout en l'ouvrant à un nouveau mythe en formation. Finalement, le « Projet initial », cité ci-dessus, publié à la fin du catalogue, servait de guide à l'exposition. Cette emprise didactique sur le parcours du visiteur, qui se trouve contraint à une lecture univoque des œuvres, fut relevée par la critique. Denys Chevalier, par exemple, souligne la dimension didactique de cette présentation, affirmant que le surréalisme est passé de « machine à créer le mystère » à une « machine à élucider le mystère »[10].

L'exposition eut lieu dans un climat d'hostilité envers les surréalistes, notamment de la part des partis de gauche. Dans cette perspective, Jean-Paul Sartre avait fustigé les surréalistes pour leur absence d'engagement politique pendant et après la guerre, ainsi que pour leurs prétentions révolutionnaires et leur esprit bourgeois[11]. De même, dans une conférence intitulée « Le Surréalisme et l'après-guerre », prononcée à la Sorbonne le 11 avril 1947, Tristan Tzara tout nouvel adhérent au PCF, critique les surréalistes qui sont restés à l'écart des mouvements de la Résistance : « qu'est-ce aujourd'hui le surréalisme et comment se justifie-t-il historiquement, quand nous savons qu'il a été absent de cette guerre, absent de nos cœurs et de notre action pendant l'occupation ? ». Il ajoute que le surréalisme, campé sur des positions rétrogrades, a été laissé pour compte : « L'histoire a dépassé le surréalisme, car le monde ne saurait se fixer sur des positions immuables »[12]. À ces attaques, Breton et ses compagnons ripostent par un tract, « Rupture inaugurale » (daté du 14 juin 1947), qui s'en prend au stalinisme, défend le trotskisme, et réaffirme le caractère révolutionnaire du surréalisme. Le texte

9. Breton, « Devant le rideau », *Le Surréalisme en 1947*, pp.13-19 (OCIII740-9).

10. Denys Chevalier, « Exposition internationale du surréalisme », *Arts*, n° 123, 11 juillet 1947, pp. 1 et 5.

11. Jean-Paul Sartre, « Situation de l'écrivain en 1947 », *Les Temps modernes*, vol 2, 1947, pp. 1410-29 ; repris sous le titre « Qu'est-ce que la littérature ? », *Situations* II, Gallimard, 1948, pp. 202-29.

12. Tzara, *Le Surréalisme et l'après-guerre*, Éditions Nagel, 1948 ; *Oeuvres complètes* V, Flammarion, 1982, p. 71. Voir Anne-Marie Amiot, « Le Surréalisme et l'après-guerre : exécution partisane ou manifeste-prolégomène à une ‹ poésie dialectique › de l'avenir ? » *Chassé-croisé Tzara Breton*, *Mélusine*, n° 17, 1997, pp. 309-26. Pour un compte rendu de la conférence et des interventions de Breton, voir Béhar, *André Breton. Le grand indésirable*, pp. 384-5.13. Le titre complet était : « Rupture inaugurale, déclaration adoptée le 21 juin

conclut sur les mots : « LE SURRÉALISME EST CE QUI SERA »[13].
Les Surréalistes Révolutionnaires (dont Christian Dotremont et Noël
Arnaud) contre-attaquent, eux, avec « La Cause est entendue » (tract du
1er juillet 1947), où ils dénoncent l'importance accordée dans l'exposition à la pensée ésotérique et au mythe, et affirment leur foi en la voie
matérialiste dialectique de la poésie, concluant : « LE SURRÉALISME
SERA CE QU'IL N'EST PLUS »[14].

L'exposition, qui reçut 40 000 visiteurs, fut largement commentée
par la presse[15]. La réaction critique fut généralement mitigée, voire franchement hostile. Ses allures de spectacle ou de fête foraine attirèrent
notamment l'attention. Jean-Louis Bédouin fait allusion à « [l]a fureur à
peine contenue des uns, l'ironie des autres – on parla de Luna-Park, du
Grand-Guignol et des Folies Bergères »[16]. Dans sa critique de l'exposition Pierre Guerre, dans l'article déjà cité, fait allusion à « une sorte de
baroquisme qui sent le musée Grévin »[17]. Comme bien d'autres, il termine sa description détaillée de l'exposition par une évaluation mitigée,
déclarant que, bien que le surréalisme ait gardé son « pouvoir combatif », les moyens mis en œuvre ne sont plus convaincants :

> *De cette entreprise, on sent à la galerie Maeght tout le côté expérience,*
> *assemblages gratuits, démonstration par la ficelle et l'ampoule électrique.*
> *On se rend compte aussi que les moyens sont un peu usés : tant de liquides,*
> *de peinturlurages, de plumes, de verreries… Tout cela porte sa date […]*
> *On ne peut s'empêcher de penser que cette exposition est une rétrospective.*
> *Elle a un certain aspect foire dont elle comporte les sortes de stands et les*
> *dioramas. Voilà pour son côté stuc et carton, pour son côté ethnographie.*
> *Du moins, l'esprit y souffle sans jamais faillir à sa mission.*

Pour certains, en effet, l'exposition fut une rétrospective plus qu'un
renouvellement du surréalisme. À titre d'exemple, Jean Bouret, dans

13. Le titre complet était : « Rupture inaugurale, déclaration adoptée le 21 juin 1947 par le
Groupe en France pour définir son attitude préjudicielle à l'égard de toute politique partisane ». Ce manifeste (48 signataires) a été distribué quelques jours avant l'ouverture de
l'exposition.
14. « La Cause est entendue », *in* Mariën, *L'Activité surréaliste en Belgique (1924-1950)*, p. 412.
Voir aussi Roger Vailland, *Les Surréalistes contre la révolution* (juillet 1947), Éditions Sociales,
1948.
15. Voir *André Breton. La beauté convulsive*, p. 396.
16. Bédouin, *Vingt Ans de surréalisme*, p. 119.
17. Voir aussi René Barotta, « L'Exposition surréaliste. Trop ‹ d'attractions ›, pas assez
d'œuvres », *Libération*, 11 juillet 1947.

une critique de l'exposition au titre ironique, « Vieille Grenade dés-amorcée : le ‹ surréalisme › jette ses derniers feux dans la grandiose mise en scène de son exposition », insiste sur l'aspect passéiste de l'exposi-tion, et déclare le surréalisme moribond :

> *Peu importait à ces surréalistes-là que la France meure étouffée. Ils se cramponnaient à leurs chères petites idées qu'ils avaient eu tant de mal à acquérir. C'est donc la faillite sans gloire sur le plan humain, le refus de la lutte armée. Aujourd'hui, ils reviennent l'un après l'autre, demi-soldes d'un empire écroulé.*[18]

Marc Séguin porte un jugement similaire dans la revue *Arts* :

> *Cela, oserons-nous dire, ne va pas très au-delà de cette vieille guerre menée, dès les premiers assauts, contre le conscient, le délibéré, le raisonnable, au nom de l'inconscient, du rêve, du désir […] Voici que la « Centrale » se fait Église, et l'on regrettera que ces fiers individualistes […] se montrent si soucieux de lignage et de parentés occultes […] Pourquoi donc travestir ainsi en religion une expérience dont la féconde singularité réside peut-être en la conjonction passionnée de l'idée et du réel.*[19]

Le Figaro n'est pas en reste, Albert Palle déclarant que le surréalisme, venant après la destruction à l'échelle mondiale de la guerre, a perdu de sa charge subversive[20]. Quant aux Surréalistes Révolutionnaires, ils dis-tribuèrent à l'entrée de la galerie Maeght un anti-catalogue ou *Patalogue officiel*, intitulé *Le Surréalisme en 47*, portant sur la couverture un photo-montage d'un danseur oriental, parodie du thème ésotérique de l'expo-sition[21]. Breton et ses compagnons y sont épinglés pour avoir aban-donné le matérialisme dialectique en faveur de « l'odieuse notion de culte qui trouve ainsi paradoxalement dans le ‹ surréalisme › une chan-ce nouvelle de survivre ». Et Paul Nougé ne sera guère plus tendre lorsque, dans sa préface à une exposition de Magritte en 1948, il cri-tique lui aussi l'exposition de 1947 :

18. Jean Bouret, « Vieille grenade désamorcée : le ‹ surréalisme › jette ses derniers feux dans la grandiose mise en scène de son exposition », *Ce Soir*, 9 juillet 1947. Voir aussi Marie-Louise Barron, « Le Surréalisme en 1947, en retard d'une guerre, comme l'Etat-Major », *Les Lettres françaises*, 25 juillet 1947.
19. Marc Séguin, « Présence du surréalisme », *Arts,* n° 124, 18 juillet 1947, pp. 1 et 2.
20. Albert Palle, « L'Exposition internationale surréaliste », *Le Figaro*, 9 juillet 1947.
21. Mariën, *L'Activité surréaliste en Belgique (1924-1950)*, pp. 413-16. Un texte de l'anti-cata-logue, « En plein rideau », signé « André Normand », pastiche la préface de Breton 18.22.

Et l'on a feint de reconnaître l'expression théorique d'une pensée purement expérimentale dans de prétentieuses et incohérentes élucubrations où s'enchevêtrent des superstitions sordides, de laiteuses mystiques. Voici paraître les tarots, les horoscopes, les prémonitions, l'hystérie, le hasard objectif, les messes noires, la kabbale, les rites vaudous, le folklore sclérosé, la magie cérémonielle.

Il n'est plus question de citer André Breton, laissé pour compte.[22]

Toutefois, ces critiques hostiles ne semblent pas affecter Breton outre mesure. Dans une lettre à Jacques Kober datée du 4 août 1947, il déclare avec humour : « Toujours aussi infâme ? Comme m'écrit Duchamp, ‹ c'est merveilleux d'être encore à ce point méprisé à notre âge › »[23].

L'exposition ne fut donc pas perçue comme un nouveau départ, et les liens affichés du surréalisme avec la pensée ésotérique, en soulignant l'universalité de la pensée mythique, donnaient au mouvement une dimension utopique et un attrait transhistorique, voire a-historique, qui gommait la rupture que fut la guerre en soulignant la continuité entre les activités d'avant-guerre et d'après-guerre. La pensée ésotérique exprimait essentiellement le besoin chez les surréalistes de chercher des mythes de renouvellement dans un espace a-temporel, en dehors des contingences historiques.

LE SURRÉALISME ET LE PARIS D'APRÈS-GUERRE

Malgré les critiques qui décrétaient la fin du surréalisme, Breton et les jeunes critiques qui adhèrent au mouvement à la fin des années 1940 (parmi lesquels Jean-Louis Bédouin, José Pierre et Jean Schuster), cherchent bien à situer le surréalisme dans le contexte artistique du Paris de l'immédiat après-guerre. Dans « Comète surréaliste » (juin 1947), conçu à l'origine comme préface du catalogue pour l'exposition « Le Surréalisme en 1947 », les allusions à l'alchimie atemporelle côtoient les références à la conjoncture artistique parisienne[24]. Breton y fustige d'a-

---

22. Paul Nougé, « Les Points sur les signes », préface, exposition Magritte (Bruxelles, galerie Dietrich, janvier 1948) ; *in* Christian Bussy, *Anthologie du surréalisme en Belgique*, Gallimard, 1972, p. 320.

23. Jacques Kober, « Le Surréalisme en 1947. Retour d'André Breton à Paris : témoignage », *André Breton, Herne*, 1998, p. 85. Kober travaillait à la galerie d'Aimé et Marguerite Maeght depuis 1945 et participa à l'installation de l'exposition.

24. « Comète surréaliste » (OCIII750-9).

bord « le pichet de cuisine » des tableaux de l'époque, ainsi que les bouquets d'anémones, les barques, « la dame de complaisance », et… les trois pommes, modèle du retour aux valeurs artistiques traditionnelles de la France occupée, dans une allusion probable aux natures mortes de Braque, exposées à la galerie Maeght au moment de la rédaction de ce texte. Pastichant le langage marxiste, Breton déclare que « le pichet reste ici l'ennemi n°. I », et appelle au renouvellement des formes artistiques : « Assez d'hommes-pichets » ! Il poursuit en situant le surréalisme par rapport à ses deux bêtes noires d'après-guerre, le « réalisme » (socialiste ou académique) et « l'abstractivisme » (entendons, l'abstraction géométrique), ce dernier impliquant « une profonde démission du désir humain ». Le surréalisme, en revanche, est valorisé pour sa capacité à « traduire dans sa continuelle fluctuation le désir humain ». De même, dans sa préface à l'exposition de Jacques Hérold à la galerie des Cahiers d'Art en octobre 1947, Breton lance une attaque pleine de verve contre les défenseurs du réalisme :

> Et silence aux pires sourds qui dénoncent aujourd'hui le « non-dire » dans l'art, aux enliseurs patentés, aux vieux crocodiles qui prohibent le non-imitatif « sans rapport avec le réel » (comme s'il était au pouvoir de l'artiste d'instaurer des formes qui ne procèdent pas des données de la nature), « sans communication avec l'humain » (auquel ils sont comme on sait, intéressés à leur manière), à ceux qui, par haine de plus en plus délirante du plein air physique et mental, se pourlèchent à l'espoir d'expédier les peintres « dans le fond des mines » pour leur permettre de réaliser « l'effort pratique avec le peuple ». Assez, à tout jamais, de portraits de dictateurs et de généraux, assez de greuzeries à pleurer (SP202).

Comme dans ses textes polémiques les plus virulents d'avant-guerre – lors de la polémique avec Bataille, par exemple – Breton cite ses adversaires, réalistes de droite et de gauche, afin de ridiculiser leur position et de mieux démarquer la sienne. Dans un deuxième temps, il oppose aux peintres des profondeurs des mines – il fait allusion aux artistes tels que Francis Gruber – le peintre des profondeurs de l'inconscient, « des nappes et filons souterrains, hérissés des stalactites stalagmites des grottes » (SP202). Il fait allusion à la sculpture de Hérold *Le Grand Transparent* (1946), exposée à la galerie. Il s'agit d'un personnage masculin, dont le corps est construit d'un réseau prismatique de muscles, et dont la tête s'ouvre sur une structure de cristaux. Breton rapproche l'œuvre de Hérold de celle de Seurat, mais aussi de Malcolm de Chazal, allant jusqu'à juxtaposer leurs textes (*Sens Plastique,* de Chazal, 1947, *Points-feu* 1943, Hérold[25]), dont les propos sur la cristallisation et le magnétisme se font écho. Et il termine sa préface sur une envolée lyrique qui ouvre le texte sur un au-delà rêveur: « Jacques Hérold, le grain de phosphore aux doigts, sur sa forêt de radiolaires. Jacques Hérold, bûcheron dans chaque goutte de rosée » (SP206).

Ces textes révèlent la double direction de la pensée bretonienne: désir de positionner les artistes surréalistes sur la scène artistique de l'après-guerre contre les réalismes de gauche et de droite, et désir de définir la peinture surréaliste en fonction d'un *dépassement,* non seulement de la conjoncture historique, mais aussi de toute considération proprement picturale. De ce point de vue, la détermination chez Breton, Pierre et d'autres à distinguer la production artistique des surréalistes du réalisme socialiste, malgré leurs racines communes dans un art de la figuration, explique et leurs attaques virulentes contre le réalisme et les dérives poétiques qui attestent du dépassement tant recherché. Par ailleurs, plusieurs critiques de l'époque soulignent l'indifférence déclarée de Breton à l'égard la chose picturale. Parmi ceux-ci, Charles Estienne, critique d'art pour *Combat-Art*, qui s'était fait depuis la guerre le champion de l'art abstrait, dans un texte sur l'exposition surréaliste de 1947 intitulé « Surréalisme et peinture: parfois poètes, souvent illustrateurs, les surréalistes ne sont pas toujours peintres » (le titre lui-même est tout un programme!), critique Breton pour cette indifférence: « Breton ne croit pas à la peinture tout court, c'est-à-dire à une peinture confiante avant tout en l'efficacité de ses moyens, de son langage de lignes et de plans, de valeurs et de couleurs »[26]. De même, dans son bilan de l'art en France en 1947, il fait la

---

25. Jacques Hérold, « Points-feu » (1943), *in Le Surréalisme encore et toujours, Cahiers de poésie* n° 4-5, 1943; *Maltraité de peinture,* Falaise, 1957.
26. Estienne, « Surréalisme et peinture: parfois poètes, souvent illustrateurs, les surréalistes ne sont pas toujours peintres », *Combat*, 16 juillet 1947. Sur Charles Estienne, voir les études de Nathalie Reymond, « L'art à Paris entre 1945 et 1950 à travers les articles de Charles Estienne, dans *Combat* », *in Art et idéologies. L'art en occident 1945-1949*, Université de St Etienne: C.I.E.R.E.C. Travaux XX, 1976, pp.173-94; et « Charles Estienne, critique d'art», *in Geste, image, parole*, Université de St-Etienne: C.I.E.R.E.C. Travaux XIV, 1976, pp. 39-50.

critique de la peinture surréaliste en reprenant les propos de Breton lui-même : « c'est un message qui manque son départ, donc son arrivée, car le langage plastique n'est pour elle – Breton *dixit* – qu'un lamentable expédient »[27]. Léon Degand, critique d'art pour la revue communiste *Les Lettres françaises*, est encore plus acerbe dans sa dénonciation des contradictions entre le premier *Manifeste* (1924) de Breton et *Le Surréalisme et la peinture* (1928) :

> *Cette contradiction éclaire bien moins sur l'incohérence de la pensée de Breton, en l'occurrence, que sur les difficultés qu'éprouve notre théoricien à justifier par un raisonnement dogmatique une insensibilité personnelle, et peut-être congénitale, à certaines formes d'expression artistique, dépourvues, à ses yeux, d'un vrai pouvoir d'émotion... Il est admirable comme, dans ses écrits sur la peinture, Breton accorde le meilleur de son attention à ce qui, en peinture, n'est pas de la peinture.[28]*

Le désir persistant chez Breton de dépasser toute considération picturale explique les positions qu'il adopte dans les débats esthétiques de l'époque, notamment dans le débat sur le réalisme, la lutte entre les tenants de l'art figuratif et l'art abstrait, ainsi que le débat opposant l'abstraction géométrique *froide* et l'abstraction lyrique *chaude*. Explorons donc plus en détail les positions prises dans ces débats, non seulement par Breton et ses contemporains, mais également par la jeune génération des surréalistes.

L'art « orthodoxe » surréaliste, basé sur le principe dominant d'avant-guerre de « la photographie de l'esprit », court un risque de réification sur la scène artistique contemporaine, où – on vient de le constater – il se trouve coincé malaisément entre le réalisme socialiste d'un Fougeron ou le réalisme existentiel (ou misérabilisme) d'un Bernard Buffet d'une part, et le retour à un art figuratif chez un peintre comme Matisse d'autre part. En 1947 le Parti Communiste Français était revenu à l'esthétique du réalisme socialiste : il a son artiste modèle (Fougeron) et son théoricien (Aragon) (voir chapitre V). En 1952 Breton identifie le réalisme socialiste comme un des ennemis du surréalisme (l'autre serait l'art « non figuratif » défendu par les Américains), qui seraient en train de comploter pour déprécier le mouvement :

---

27. Estienne, « Jeune Peinture française », *Style en France,* n°5, 1947, p. 51.
28. Léon Degand, « Surréalisme et plastique », *Les Lettres françaises*, juillet 1947.

> *Contre les possibilités d'expansion du surréalisme dans les arts plastiques,*
> *dans la même période, toutes sortes de machinations ont été ourdies. Il s'a-*
> *gissait, de la part des uns, conformément aux ordres de Moscou, d'en finir*
> *une fois pour toutes avec l'art d'imagination, de manière à lui substituer*
> *une peinture et une sculpture dite « réaliste socialiste » qui se borne à met-*
> *tre quelques rudiments d'école au service de la propagande et de l'agitation*
> *d'État.*[29]

José Pierre, quant à lui, rejette formellement le surréalisme figuratif, la représentation illusionniste des images de rêve, l'assimilant à l'art académique de droite ou de gauche :

> *Ce qui infirme certaine figuration froide, de Chirico à Dali, et la ruine de*
> *bonne heure, c'est, dirait-on, comme une anémie spéciale, qui précipite*
> *Magritte chez Renoir (transfusion de sang ?), les autres dans l'académis-*
> *me, Labisse vers Fougeron.*[30]

Le surréalisme d'après-guerre, qui se complaisait dans la figuration – on l'a constaté à propos de l'exposition surréaliste de 1947 – se trouvait toutefois dans une impasse, et pas seulement par rapport au réalisme socialiste. Pour un grand nombre de critiques de l'époque, le surréalisme avait été supplanté par une génération de jeunes artistes œuvrant dans l'abstraction. Charles Estienne, par exemple, critiquant la peinture surréaliste pour son attachement rétrograde au réalisme, « un réalisme photographique pour collégiens romantiques ou vicieux », a pour opinion que l'abstraction permettrait aux surréalistes d'échapper à l'impasse du réalisme[31]. Il classe les artistes surréalistes parmi les peintres réalistes de droite comme de gauche, affirmant que la figuration a été dépassée par de jeunes artistes tels que Hartung ou Deyrolle, qui se situent dans la lignée de Kandinsky, Magnelli et Arp[32]. Estienne compare l'effet émotionnel et de scandale de l'art abstrait « authentique » (entendons par là non-géométrique) d'Arp et de Kandinsky aux textes percutants de la « grande époque » du surréalisme, tels que *Le Revolver à cheveux blancs* ou *L'Immaculée conception*[33].

29. Breton, *Entretiens 1913-1952* (OCIII564).
30. Pierre, « Les Prunelles sont mûres », *Medium* ns, n° 4, janvier 1955, p. 57. En 1959 Pierre continue à opposer le réalisme au mouvement le plus « up to date » (sic) de l'abstraction lyrique. « Les Templiers de la barbouille ou la peinture au service du fascisme ». *Le Surréalisme même,* n° 5, printemps 1959, pp.63-4.
31. Estienne, « Bilan d'une année de peinture », *Terre des hommes,* n° 1, 29 septembre 1945.
32. Estienne, « Surréalisme et peinture », *Combat,* 1ᵉʳ avril 1946.
33. Estienne, « Défense de la peinture », *Combat,* 31 août 1946.

Breton et d'autres surréalistes ont effectivement cherché à abattre les frontières entre l'art figuratif et non-figuratif dans les années d'après-guerre, tout en retenant pour l'entreprise surréaliste une forme de figuration, prolongeant ainsi le débat, initié dans les milieux artistiques new-yorkais pendant les années 1940 et poursuivi à Paris, entre tenants de la peinture figurative et de la peinture abstraite. Nous avons déjà analysé, au chapitre I, les propos de Breton sur « les deux systèmes de figuration » (SP197), élaborés dans sa préface à l'exposition d'Enrico Donati de 1944, préface reprise pour les expositions Donati à Paris en 1946 (galerie Drouant-David) et en 1949 (galerie Weil). Ces reprises montraient elles-mêmes combien le débat demeurait d'actualité mais avançait peu[34]. Refusant de choisir entre les deux *systèmes*, Breton prend comme exemple la peinture de Donati dont le « message d'harmonie » serait une fusion des deux tendances[35]. Il continuera jusque dans les années 1950 à déclarer qu'il s'agit là d'un faux débat[36]. À partir de 1951 Charles Estienne – qui avait défendu les jeunes peintres d'après-guerre contre un surréalisme figé dans la figuration – se réjouit de l'ouverture du surréalisme aux développements récents de l'abstraction. Dans « Abstraction et figuration », il fait allusion à « l'étonnante position poétique de Arp, au confluent de presque toutes les formes d'expression écrites ou plastiques. Au confluent aussi, de l'‹ abstraction › et de la ‹ figuration › »[37]. Quant à Péret, il récuse la notion d'art abstrait (« os sans viande et sans moelle ») pour désigner le surréalisme, et qualifie au contraire l'art d'Arp et de Miró (« Miró, peintre abstrait ? Laissez-moi rire ») d'artistes *concrets*, dans la filiation de Kandinsky[38].

Tout comme Breton, Péret et Estienne, le jeune surréaliste José Pierre abattra résolument les frontières entre figuration et abstraction. Dans « Les Prunelles sont mûres », il dessine une « parabole de la pein-

34. De même Breton reprendra sa préface sur Matta (1944) pour l'exposition du peintre à la galerie René Drouin 1947. Breton a vraisemblablement voulu montrer ainsi la continuité de sa réflexion sur la peinture entre l'époque américaine et le Paris d'après-guerre.
35. Comme Duchamp et Matta, Donati était passionné d'alchimie ; il peint une série de tableaux non-figuratifs comme allégories des processus alchimiques. Martica Sawin, *Surrealism in Exile and the Beginning of the New York School*, p. 316.
36. Voir par exemple SP324 et 339.
37. Estienne, « Abstraction et figuration », *Arts*, n° 320, 20 juillet 1951, p. 5.
38. Péret, « La Soupe déshydratée », *Almanach surréaliste du demi-siècle*, *La Nef*, n° 63-64, mars 1950 ; *Oeuvres complètes* VI, p. 320.

ture surréaliste », dont les extrémités seraient occupées par « le sujet, déjà merveilleux et pourvu des qualités assez fascinantes de l'exactitude » (représenté par Gustave Moreau ou Magritte), et « le signe nerveux et magique où, les apparences renoncées, se manifeste une sympathie toute cosmique avec les éléments naturels » (Arp, Paalen, Hantaï), et entre les deux « les figures intermédiaires » (Dali, Chirico, Tanguy, Ernst, Matta, Miró)[39]. C'est la tache, affirme-t-il, qui permet de maintenir « le fil tendu entre figuration directe et indirecte, entre Chagall et Miró, entre Toyen et Matta ». Sa critique d'une exposition de Kandinsky à la galerie Maeght en 1954 conclut: « Non-figuration, ou figuration d'*autre chose*? Rien n'est dit, et rien n'est peint, et tout est à rêver »[40]. De même, dans « Kandinsky et Chirico », Pierre associe les deux artistes dans un chassé-croisé de citations afin d'établir des parallèles entre leurs positions esthétiques et « métaphysiques »[41]. Ainsi, à la sensation ressentie à Turin ou Milan par Chirico « d'une profondeur et d'une beauté terrible », fait écho la « nostalgie poignante et éternelle » éprouvée par Kandinsky devant un coucher de soleil sur le Kremlin. Les différences de style pictural sont occultées au profit des similitudes au niveau de l'expérience esthétique des deux peintres (qualifiée d'« aventure lyrique »), et de la révélation artistique qui s'impose à eux avec l'éclat de *l'éclair*.

La scène artistique de Paris à la fin des années 1940 et au début des années 1950 est dominée par diverses tendances de l'art abstrait, dont témoigne un véritable délire taxonomique: « art inobjectif », « art informel », « non-figuratisme », « abstractivisme », « abstraction lyrique », « tachisme », « tubisme », « nuagisme » et autres néologismes. Les nombreuses expositions de l'époque attestent de cette grande activité de renouvellement de la peinture: en 1947 Atlan, Hartung, Wols, « Automatismes », « Réalités Nouvelles », « L'Imaginaire »; en 1948 « H.W.P.S.M.T.B. »[42], « White and Black ». Cette pléthore d'expositions constitue une riposte française à l'expressionnisme abstrait américain, exporté en Europe comme symbole de liberté artistique et exploité

39. « Les Prunelles sont mûres ».
40. Pierre, « Diamant des apparitions » *Médium* ns, n° 2, février 1954, p. 12.
41. Pierre, « Kandinsky et Chirico », *Le Surréalisme même*, n° 2, printemps 1957, pp.35-40. Pour un résumé plein de fougue, mais totalement partisan, de la critique à la fin des années 1940 sur le débat figuration-abstraction, voir Georges Mathieu, *Au-delà du tachisme,* Julliard, 1963.
42. Il s'agit des peintres Hartung, Wols, Picabia, Stahly, Mathieu, Tapié et Bryen.s

comme arme idéologique par les autorités américaines pendant la guerre froide[43]. La dimension programmée et quasi-militariste de la confrontation est évidente dans le titre de l'exposition de 1951 à la galerie Nina Dausset qui aligna des œuvres des deux bords de l'Atlantique : « Véhémences confrontées »[44].

Au débat de l'époque entre figuration et abstraction s'ajoute une polarisation entre deux formes d'abstraction. On le constate dès l'exposition « L'Imaginaire » en décembre 1947, organisée par Mathieu et Bryen, qui rassemble à la galerie du Luxembourg un choix d'œuvres éclectiques, parmi lesquelles celles de Arp, Brauner, Hartung, Picasso et Riopelle. Dans sa préface à l'exposition, Jean-José Marchand distingue deux voies dans la peinture occidentale : d'un côté, « l'abstractivisme cézannien, constructiviste ou néoplasticien », qui mène du classicisme à l'abstraction géométrique ; de l'autre, « l'abstractivisme lyrique », qu'il retrace dans l'art baroque, de Van Gogh jusqu'aux peintres contemporains, parmi lesquels Mathieu, Hartung, Bryen et Wols, ainsi que les Automatistes canadiens Leduc et Riopelle. Cette opposition sera reprise par d'autres critiques de l'époque ainsi que par les surréalistes. Léon Legand l'intitule « la querelle du chaud et du froid »[45]. Pour ce qui est des surréalistes, ils y voient une lutte entre deux formes d'abstraction, l'abstraction « géométrique » et « lyrique », Dans les nombreuses préfaces d'exposition de cette époque écrites par Breton, il prend le parti des *lyriques* dans la polémique qui les oppose aux *abstractivistes* (OCIII1374). Alors que ces derniers pratiqueraient un formalisme géométrique qui ne donne aucune prise à l'activité de l'imagination du spectateur, les formes *lyriques*, soutient Breton, sont des manifestations de la liberté gestuelle et psychique de l'artiste et agissent au niveau du rêve et des désirs, ouvrant sur le *dépassement* qu'il admirait chez des peintres dits figuratifs tels un Brauner ou un Hérold. Dans « Lettre à une petite fille d'Amérique » il fait allusion à

---

43. Voir Serge Guilbaut, *Comment New York vola l'idée d'art moderne*, Nimes, J Chambon, 1989.
44. Le catalogue d'exposition comprend des textes de Picabia (« Explications anti-mystiques») et de Camille Bryen, autre jeune recrue du mouvement surréaliste d'après-guerre (« L'Oeil est en face »). Voir la critique de Michel Seuphor, *Art d'aujourd'hui,* vol 3, avril 1951, p. 29. Cette revue (1949-1954) défend les artistes abstraits, et notamment les jeunes artistes travaillant à Paris dans l'après-guerre, face aux critiques des tenants du réalisme socialiste et de la peinture académique.
45. Léon Legand, « La Querelle du chaud et du froid », Art d'aujourd'hui, vol. 4, no 1, 1952, pp. 1 et 4.

> *[...] l'abstrait (ce mot n'est pas pour vous faire peur: je ne doute*
> *pas qu'on en abuse à Washington). Vous découvrirez vous-même*
> *dans quelques années qu'il y a des artistes dits, surtout en*
> *Amérique, « abstraits » qui ont su garder le contact avec la nature*
> *et que ceux qui ont perdu ce contact, que ce soit dans le « figuratif »*
> *ou le « non-figuratif » ont tout perdu?* [46]

Les frontières restent pourtant fluctuantes, car le « pur abstractivis-te Mondrian » se rapproche du surréalisme avec son tableau *Boogie-Woogie*. De même, Charles Estienne critique les « tenants de l'Abstraction froide » comme une nouvelle forme d'académisme, « une sclérose, une solidification monstrueuse et *une nouvelle crise de l'Objet*. Le nouvel Objet, c'est lui: l'ennuyeux, le mortel décor abstrait qu'on veut codifier et imposer en guise d'art » [47]. Protestant contre leur absence de « lyrisme » et les assimilant aux pratiquants du réalisme socialiste, il leur lance: « Êtes-vous des artisans ou des peintres? » Contre l'abstraction froide – Estienne parle ailleurs des « fils avares de Kandinsky, Mondrian et Malevitch » [48] – il cite Kandinsky, qui aurait, lui, dépassé les limites de gauche (« réalisme pur ») et de droite (« abstraction pure »): « Entre l'un et l'autre, liberté illimitée, profondeur, largeur, inépuisables possibilités ». Estienne défend à cette occasion les nouvelles tendances du surréalisme, qui s'ouvre à l'abstraction, par opposition au surréalis-me d'avant-guerre qui aurait été cantonné dans le figuratif:

> *ceux qui furent naguère séparés par l'histoire – qui furent les tenants de*
> *deux mouvements historiques parallèles – l'un l'art abstrait et l'autre le*
> *surréalisme, ils en sont aujourd'hui, en vertu de la loi de la cause et des*
> *effets, et à ces deux effets on retrouve enfin une même cause – ils en sont*
> *au surréel.* [49]

Quant à José Pierre, il rejette, lui aussi, l'abstraction géométrique: « l'abstractivisme n'est trop souvent qu'algèbre gratuite où le signe ne signifie rien, mode de faux hermétisme et badigeon primaire », tout en se portant en faveur d'une forme artistique d'expression libre qu'il

---

46. Breton, « Lettres à une petite fille d'Amérique », *Arts*, n°346, 15 février 1952 (OCIII942).
47. Estienne, *L'Art abstrait est-il un académisme?* Éditions de Beaune, 1950, pp. 25 et 45.
48. Estienne, « Bâtissez sur le sable », *Médium,* n° 4, janvier 1955, p. 55.
49. Estienne, « La Peinture et le surréalisme sont aujourd'hui comme d'hier », *Combat-Art* , 15, n° 7, mars 1955.

identifie avec « la poésie la plus directe, la moins fugitive »[50].

En janvier 1952 s'ouvre, sous la direction de Breton, la galerie d'art L'Étoile scellée, au 11 rue du Pré-aux-Clercs. Tout comme « Le Surréalisme en 1947 », cette nouvelle aventure dans le domaine de l'art se fait sous le signe de l'alchimie. Le nom de la galerie viendrait de René Alleau, dont les ouvrages et les conférences sur l'alchimie dans les années 1950 ont exercé une grande influence sur Breton et ses amis surréalistes. Le texte publicitaire marquant l'ouverture de L'Étoile scellée présente celle-ci non pas comme une galerie exclusivement surréaliste, comme l'était la galerie Surréaliste (1926) ou la galerie Gradiva (1937), mais comme un lieu d'exposition ouvert à la fois aux peintres surréalistes et aux jeunes artistes, « de Balthus à Paalen en passant par Max Ernst, Brauner, Toyen, Trouille, Picabia, Man Ray, Giacometti, Miró, Arp, Fernandez »[51]. L'entreprise est considérée comme une gageure, exposée « tant au risque de régression ‹ réaliste › dans l'art qu'au danger de dissolution dans un ‹ abstrait › d'authenticité de moins en moins vérifiable ». Pour l'exposition d'inauguration les surréalistes de la première génération côtoient de jeunes artistes. Robert Lebel commente ainsi cet événement :

> *C'est avec la courtoisie parfaite d'un maître de maison qui pratique l'oubli des différends et même des injures qu'il y convie Chirico près d'Ernst, de Miró, de Tanguy, Brauner près de Troost et Duprey, Fernandez près de Toyen et Mirabelle d'Ors, Labisse près de Tanning et Adrien Dax, Matta près d'Andralis, Fred Deux, Gerzso, Bona près de Heisler, récemment disparu.*[52]

En collaboration avec Charles Estienne ou Benjamin Péret, Breton organise des expositions, rédige des préfaces. En février 1953, la deuxième exposition de groupe présente des œuvres de surréalistes – tableaux, dessins et objets de Giacometti, Ernst, Lam, Man Ray, Magritte, Oppenheim, Paalen, Tanguy, Toyen et d'autres. Mais c'est bien l'ouverture du surréalisme à l'abstraction qui donnera une nouvelle impulsion au mouvement à cette époque. Ce sont surtout les jeunes artistes de la mouvance de l'abstraction lyrique qui sont exposés à l'Étoile scellée. En mars 1953, une exposition regroupant les œuvres de

50. J[osé] P[ierre], « Passerelle de l'arc-en-ciel », *Médium*, ns, n° 1, novembre 1953, p. 4.
51. OCIII1081. Le texte, non signé, est vraisemblablement rédigé par Breton.
52. Robert Lebel, in *André Breton. La beauté convulsive*, p. 410.

Degottex, Duvillier, Loubchansky et Messagier – organisée par Estienne, qui en rédige la préface, « La Coupe et l'épée » – marque cette nouvelle voie où abstraction et surréalisme font cause commune[53]. Parmi les artistes exposés à L'Étoile scellée citons : Simon Hantaï (janvier 1953)[54], Slavko Kopac (avril 1953), l'artiste tchécoslovaque Toyen (mai 1953), Granell (juin 1954), Judith Reigl (novembre — décembre 1954), Degottex (mars 1955), Duvillier (juin 1955), et Marcelle Loubchansky (1956). Les œuvres de ces jeunes peintres, qui renouvellent la pratique de l'automatisme grâce à la liberté gestuelle et la figuration ouverte, sont reproduites dans les revues surréalistes *Médium* (1952-1955) et *Le Surréalisme même* (1956-1959). Dans « Abstraction ou surréalisme » (1953), Estienne considère que le lien entre surréalisme et abstraction produit « une nouvelle, étrange et passionnante figuration, une nouvelle réalité plus profonde et plus vraie que celle du simple réalisme, un ordre poétique enfin un peu plus passionnant et plus humain que le seul ordre plastique.[55] » C'est cette voie qui permet effectivement aux surréalistes de trouver un terrain qui n'empiète d'aucune façon ni sur l'individualisme de l'abstraction américaine ni sur le collectivisme du réalisme stalinien.

Rien d'étonnant au fait que c'est surtout la jeune génération des surréalistes et critiques d'art, tels que Pierre, Schuster et Estienne, qui construira un pont entre surréalisme et abstraction lyrique. En 1954, Charles Estienne et José Pierre mènent une enquête auprès de peintres et d'écrivains, « Situation de la peinture en 1954 »[56]. Dans un esprit polémique, ils refusent de « réduire cette peinture [surréaliste] à sa plus petite mesure, le réalisme insolite, le trompe-l'œil et son attirail hétéroclite », et entreprennent de déterminer moins *la situation* que *l'orientation* d'un surréalisme et d'une abstraction en mutation. La nouvelle voie se dessine dans un dépassement de la polarisation longtemps entretenue

53. Voir Estienne, « La peinture et le surréalisme sont d'aujourd'hui comme d'hier ». Il organise l'exposition « Alice », qui regroupe des surréalistes de la première et la deuxième génération, ainsi que les peintres abstraits Degottex, Duvillier, Loubchansky, Toyen, Paalen.

54. Simon Hantaï, jeune réfugié hongrois, avait laissé anonymement un de ses tableaux-objets devant la porte de Breton. Bédouin, *Vingt ans de surréalisme*, pp. 242-3.

55. Estienne, « Abstraction et surréalisme », *L'Observateur*, n° 142, 29 janvier 1953 ; « Surréalisme et peinture », *Combat*, 15 juillet 1954.

56. Estienne et Pierre, « Situation de la peinture en 1954 », *Médium*, ns, n° 4,

entre figuration et abstraction, et notamment dans une peinture qui évoquerait les éclosions et les métamorphoses du monde naturel ainsi que du monde psychique, comme l'atteste clairement la réponse de Wolfgang Paalen à l'enquête :

Exalter la joie du regard vierge.

Découvrir les prolongements potentiels des choses à travers la connaissance affective, ce que, par analogie, j'appelle leurs infra et ultraformes. Évoquer l'immanence avant et après l'éclosion phénoménale, telle que l'image du chêne incluse aussi incommensurable dans son gland que dans les cendres de sa dernière bûche.

La plupart des personnes interrogées s'accordent pour voir dans l'entreprise commune qui se positionne entre surréalisme et abstraction une nouvelle voie pour la peinture. De même, dans « Une Démolition au platane », Simon Hantaï et Jean Schuster, s'en prenant aux images oniriques comme étant « antipoétiques », réaffirment avec enthousiasme l'importance de l'automatisme comme principe essentiel du surréalisme :

Nous demandons la mise en circulation de textes et de tableaux automatiques, dans une indifférence superbe à l'égard de la critique, comme autant d'énigmes atterrantes tant pour nous que pour le public, de provocations à la voyance, d'incursions du futur métahumain dans le présent humain.[57]

Il est d'autant plus urgent pour les surréalistes d'affirmer la force et l'essor continu du mouvement en 1954 au moment précis où « les marchands de Venise » viennent de consacrer Max Ernst à la biennale de Venise. « Qu'ils sachent […] que leurs lauriers, en éteignant la révolte de cet homme, attisent d'autant plus la nôtre », affirment Hantaï et Pierre. Deux ans plus tard, dans un petit livre sur le surréalisme, Charles Estienne, proposant « une définition à jour du surréalisme », déclare que les formes libres de la jeune génération de peintres ont remplacé les téléphones-homards d'un Dali. Il voit dans le renouvellement du concept bretonien de l'automatisme psychique une ouverture sur une pratique picturale inédite[58]. Encore faut-il se demander si l'automatisme de ces jeunes artistes était de même nature que l'automatis-

57. Hantaï et Schuster, « Une Démolition au platane », *Medium* ns, n° 4, janvier 1955, p. 60.
58. Estienne, *Le Surréalisme*, Paris : Samogy, 1956, non paginé. Voir la critique par Estienne

me surréaliste des années 1930. S'agissait-il d'une notion assez flexible pour accueillir les nouvelles pratiques de l'abstraction lyrique ? Alors que les surréalistes d'avant-guerre expérimentaient des formes d'expression automatiques moins comme une fin en soi, que comme moyen de libération de l'esprit et de révélation des processus de l'inconscient, pour un certain nombre d'artistes « abstraits lyriques » il semblerait que l'automatisme fût bien une fin en soi. Jean-Louis Bédouin, qui adhère au groupe surréaliste en 1947, est hostile à toute appropriation hâtive des nouvelles pratiques, et à tout argument qui tenterait de faire de l'abstraction lyrique une partie intégrante du surréalisme :

> *Éblouis par le volcanisme des couleurs, ils se croiront parvenus de l'autre côté du miroir, alors qu'ils en auront seulement brouillé le tain [...] L'abstraction lyrique constitue en peinture un dérivé du surréalisme. Celui-ci peut y retrouver à perte de vue ses propres techniques, mais l'esprit qui l'anime en est absent.*[59]

Bédouin admet toutefois que la nouvelle voie prise par le surréalisme – nourrie non seulement par l'automatisme mais aussi par l'œuvre de Kandinsky et de Klee – mène à une grande liberté picturale, tout en évitant les embûches d'une non-figuration « systématique » ou d'une figuration « anecdotique ». Sa conclusion est un modèle de modération (à contre-courant d'Estienne et Pierre) : malgré ces nombreuses manifestations, écrit-il, « la jonction, qui aurait pu être féconde, entre abstraits lyriques et surréalistes, ne dépassera pas le stade des rapprochements épisodiques. »

À l'abstraction lyrique s'ajoute à l'époque le tachisme. Ce terme a d'emblée une connotation négative dans les textes du critique d'art Pierre Guéguen, hostile au mouvement de l'abstraction libre. Il attaque Estienne,

> *[l]e bonimenteur de l'académisme tachiste... le grand critique [qui] se drape modestement dans la peau du Surréalisme, du Séraphisme qu'il souille, de l'Art Brut, de l'Autrisme qu'il n'a pas évidemment*

de Dali : « Hélas, la beauté dalinienne n'est plus convulsive ni scandaleuse, elle est simplement mondaine, belle comme la rencontre, sur le parvis de Notre-Dame, d'un Suisse à moustaches et d'un chapelet béni ». « Surréalisme au Salvador (Dali) », *L'Observateur* n° 64, 17 janvier 1951.

59. *Vingt Ans de surréalisme*, p. 151.

inventés, mais dont il attire à lui, tout doux, les couvertures.[60]

Estienne et Breton s'approprient alors ce terme pour en faire un mode d'expression picturale synonyme de l'abstraction lyrique. En mars 1954, ils publient un manifeste double à la première page de *Combat-Art* [61]. José Pierre aborde aussi la question des taches dans « Les Prunelles sont mûres », où il compare les états successifs d'une image pariétale à l'élaboration inconsciente d'une image, depuis l'observation naturaliste jusqu'à l'« impression pure »[62]. Il établit ainsi un dénominateur commun entre les œuvres de Miró et de Chagall:

> *dans la somptueuse expansion lyrique que manifestaient l'un et l'autre... il y avait un point commun: le triomphe de la tache colorée, soleil, nuage, oiseau ou sein, et qui chez l'un comme chez l'autre ne s'affirmait à ce point que pour la première fois.*

Le « pouvoir sensible de la tache » relie la « figuration directe et indirecte », Chagall et Miró, Toyen et Matta. Et Pierre de conclure son plaidoyer avec panache: « Oui, des taches, mais des taches qui *font rêver* ».

S'agit-il ici véritablement d'une nouvelle direction pour le surréalisme? Ou assistons-nous à la récupération par les surréalistes des tout derniers mouvements artistiques, bien parisiens, qui s'affirmaient contre l'assaut politico-culturel des abstraits américains? L'esprit du surréalisme se dilue-t-il à trop vouloir embrasser les dernières modes dans le milieu artistique? Mathieu, pour qui le surréalisme était de toute façon un pas rétrograde dans l'évolution « absolument linéaire »[63] de la peinture moderne, depuis l'impressionnisme jusqu'à l'abstraction, est de l'avis que Breton fait sienne l'abstraction lyrique, « ayant révisé tout à coup, malheureusement avec trente ans de retard, ses positions de 1924 ». On ne peut nier que Breton a bien su suivre une tendance de mode en se faisant le défenseur de l'abstraction lyrique et du tachisme,

---

60. Pierre Guéguen, « Le Bonimenteur de l'académisme tachiste », *Art d'aujourd'hui*, vol 4, n° 7, octobre-novembre 1953.
61. Estienne, « Une révolution, le tachisme »; Breton, « Leçon d'octobre » (SP337-8).
62. « Les Prunelles sont mûres ».
63. Georges Mathieu, *La Réponse de l'abstraction lyrique*, La Table Ronde, 1975, p. 103. J'ai montré au chapitre I que, bien au contraire, l'intérêt de Breton pour la peinture non-figurative est évident dès 1920.

et en les annexant à une activité surréaliste que menaçait la sclérose[64]. Ses textes de la période d'après-guerre reprennent, comme nous l'avons montré, les débats contemporains sur l'art figuratif contre l'art abstrait, sur les abstractions *froides* et *chaudes*, avec l'enthousiasme inépuisable mais lassant d'un quinquagénaire encore juvénile. Mais force est de reconnaître qu'ils contribuent peu à la réflexion sur un renouvellement du surréalisme, malgré son intention déclarée d'établir un « mythe nouveau ». En revanche, quelques-uns de ses essais sur les jeunes artistes, malgré la structure souvent brouillonne de pièces ponctuelles, présentent des passages d'une écriture automatique tout aussi éblouissante que les textes des années 1920 et 30 et surtout que les grands textes en prose (voir la dernière partie de ce chapitre). Comme nous l'avons montré, c'est principalement la jeune génération de critiques et de surréalistes – Estienne, Lebel, Pierre, Schuster parmi d'autres – qui prendra la relève de la réflexion, ouvrant le surréalisme à de nouvelles pratiques picturales, affirmant ses positions avec une ferveur aucunement entravée par la difficile tâche que se donne alors Breton de chercher à renouveler le surréalisme tout en en affirmant la continuité avec le mouvement d'avant-guerre. À côté des essais de cette jeune génération, la pensée sur l'art de Breton semble bien s'essouffler à cette époque. En revanche, durant la période en question, bien que ses dégoûts n'aient pas changé (il continue inlassablement à revenir à la charge contre les réalismes), ses goûts artistiques sont éclectiques, ses engouements restent entiers. Parallèlement à son intérêt pour l'abstraction lyrique, au cours des mêmes années d'après-guerre il se fait le défenseur des artistes naïfs (« Hector Hippolyte » 1947), de l'art des aliénés (« L'art des fous, la clé des champs » 1948), d'artistes médiumniques (« Demonchy » 1949, « Miguel G. Vivancos » 1950, « Joseph Crépin » 1954). Il cultive aussi un intérêt pour un primitivisme à la mode de l'après-guerre, c'est-à-dire un primitivisme autochtone, d'où son enthousiasme pour l'art gaulois (« Triomphe de l'art gaulois » 1954,

64. C'est également la position de Michel Ragon qui, dans son résumé de la scène artistique parisienne des années 1950, note, sur un ton quelque peu condescendant, la nouvelle direction que prend le surréalisme: « André Breton s'est sans doute aperçu de ce phénomène nouveau, lorsque, au lieu de s'acharner comme il le fit pendant des années après la Libération, à vouloir imposer à l'art surréaliste une direction orthodoxe dans l'anecdotisme chromo, il se mit soudain à patronner le « tachisme » en 1954, tendance non-figurative à laquelle adhéra d'ailleurs Hantaï ». *La Peinture actuelle*, Librairie Arthème Fayard, 1959, p. 67.

« Présent des Gaules » 1955). D'autre part, il continue à défendre l'art figuratif, et notamment l'art érotique d'artistes figuratifs tels que Max Walter Svanberg (1955) et Pierre Molinier (1956). La grande exposition surréaliste de 1959, à la galerie Daniel Cordier, est placée sous le signe d'Eros, marquant ainsi un retour à la figuration. Finalement, même si la réflexion de Breton sur l'art ne se renouvelle pas, il reste réceptif aux œuvres de jeunes artistes, comme l'atteste une lettre datée du 5 juin 1954 à l'artiste Judith Reigl, pour la remercier du tableau *Ils ont soif insatiable de l'infini* qu'elle lui a offert :

> *Cette œuvre, du premier instant que je l'ai vue, j'ai su qu'elle participait du grand sacré et son entrée chez moi me fait l'effet d'un Signe solennel. Je n'aurais jamais cru que cette parole de Lautréamont pût trouver image à sa hauteur et j'ai été bouleversé de son adéquation totale à celle-ci, qui s'est jetée à ma tête quand j'entrais chez vous. Je craignais que vous ne m'en vouliez un peu de cette précipitation que j'avais mise à vouloir vous la faire montrer, elle et plusieurs autres mais ce n'était là, vous pensez bien, que l'excès du mouvement d'exaltation que j'avais éprouvé au fur et à mesure que vous me découvriez vos autres toiles. Je suis tel que je voudrais aussitôt que tous ceux qui en valent la peine passent par le même enthousiasme que moi.*[65]

Il est vrai que Breton évalue les tableaux de Reigl à l'aune de la littérature. Toutefois, son émotion reste entière, et cette lettre sert à contredire les critiques qui prétendaient qu'il était peu sensible à la peinture.

UNE POÉTIQUE DU DEVENIR

Néanmoins, dans les textes sur l'art de Breton, la polémique vigoureuse des années 1920 fait place, par endroits, à un ton eulogique enflé ou à des digressions qui font perdre le fil de l'argument. Krauss et Bois font une évaluation sévère de la critique d'art de l'époque :

> *La littérature de l'époque sur ce qu'on a appelé l'art informel est en général déplorable : des généralisations ampoulées, du bran métaphysique, de l'adjectif et de la métaphore à satiété, des flonflons rhétoriques, du vent (et surtout pas le moindre effort d'analyse historique).*[66]

65. Archives J. Reigl, cité dans *André Breton. La beauté convulsive*, p. 414.
66. Krauss et Bois *L'Informe. Mode d'emploi*, p. 130.

Un style excessif caractérise bien un certain discours critique sur l'art de l'époque, comme en témoigne la citation suivante, tirée de la critique par Jean Caillens d'une exposition des œuvres de Georges Mathieu en 1950 :

> *Une explosion ne lanterne pas, violence, fulgurance s'inscrivent dans l'instant. Sur les murs de René Drouin, Georges Mathieu est passé en coup de griffes [...] Le tir est parfait, mouche à tous les coups. Volée de flèches, verrière criblée d'éclats, le trait sifflant trace la courbe des obus. Un rouge hurle et se tortille. Feu d'artifice réel, la couleur monte et retombe en bavures noires, sur le monde, dos d'insecte cabré. Georges Mathieu se défend des théories et des formules. Il veut rester éveillé pour cette aventure virile où il est difficile de distinguer la cruauté d'avec l'amour.*[67]

Il est vrai que les tableaux de la mouvance informelle sont marqués par l'absence d'un sujet aisément nommable, et par conséquent donnent peu de prise à un discours descriptif, l'ambiguïté des signes picturaux risquant d'ouvrir les vannes à un flot d'élucubrations qui ont peu de rapports avec l'œuvre de départ. Heureusement, les écrits d'après-guerre des surréalistes et de leurs défenseurs, tout en étant tributaires d'excès rhétoriques et de digressions insolites, ne se prêtent pas trop souvent à de telles extravagances verbales. Écrivains surréalistes et critiques d'art continuent toutefois à pratiquer une critique poétique de l'art. Ils y font l'amalgame entre poésie et peinture, comme dans la critique d'art des années d'avant-guerre, tout en étant plus sensibles à la peinture en tant que pratique matérielle. Cette critique poétique est étroitement liée à la distinction établie entre abstractions géométrique et lyrique dont nous venons de parler, la dernière étant désignée telle parce qu'elle ouvre sur des résonances poétiques. Dans un article intitulé « Poésie des formes et des couleurs », Charles Estienne critique l'abstraction géométrique en tant que « surface colorée animée par une forme géométrique – un cercle noir par exemple », à cause de l'absence de toute référence au monde humain[68]. Le critique, lui, décèle ce qui va au-delà des rapports formels dans l'abstraction :

> *Mais quand on découvre dans ce tableau bien autre chose et plus que le très*

---

67. Cité par Mathieu, *Au-delà du tachisme*, p. 63.
68. Estienne, « Poésie des formes et des couleurs », *XXᵉ siècle*, n° 1, juin 1951, p. 38.

> *sommaire rapport cercle rectangle [...] on dévoile du même coup l'autre*
> *face du problème de l'abstraction plastique, et de la critique externe et*
> *« figurative » de l'œuvre [...] on est bien obligé, pour rendre compte de sa*
> *structure totale et de son contenu, d'en faire la critique poétique.*

Affirmant que le plastique est une branche de la poétique, Estienne désigne Miró comme « le poète des formes et des couleurs », se faisant ainsi l'écho de l'artiste lui-même qui déclare : « je ne fais aucune différence entre peinture et poésie ». Estienne élabore une critique poétique à propos d'un des grands tableaux de Miró : autour d'une grande figure, « un ballet de signes, un alphabet en délire hésitant entre le point-et-virgule, la marionnette barbare et l'idée d'un serpent ou d'une étoile ; bref, une danse, ou un pas – hésitation entre le signe abstrait et le signe magique ». Les formes en mouvement de Miró ont suscité chez le critique-devenu-poète une série d'analogies qui dénotent l'indécidabilité des signes picturaux[69]. Par ailleurs, dans la préface à une exposition des œuvres de Duvillier, Messagier, Degottex et Loubchansky, artistes de l'abstraction lyrique, Estienne affirme que la toile constitue un espace métaphorique :

> *[L]e lieu où se rencontrent ces quatre peintres, et encore plus le lieu où ils*
> *exposent n'est pas un lieu réel, mais le lieu d'une métaphore ; le lieu où la*
> *Coupe et l'Épée, soit « le murmure inépuisable et la pointe qui écrit », se*
> *rencontrent pour récupérer un quotient non négligeable des pouvoirs origi-*
> *nels de l'esprit.[70]*

Le poète réagit aux formes ambivalentes qui semblent sur le point de devenir des figures et qui résistent pourtant à la fixité, à l'instant où le trait produit le début d'un signe, une marque devient indice de signification. Estienne évoque cette figuration latente du tableau lorsqu'il cite un peintre de l'époque : « La Figuration ? Disons plutôt la « Préfiguration » : l'art nous donne dès aujourd'hui la figure de demain »[71].

---

69. Pour d'autres exemples de critique poétique voir Estienne, « L'Épée dans les nuages » (*L'Étoile Scellée*, 1955), « Hommage à Kandinsky », *Combat-Art*, n° 19-20, 11 juillet 1955.
70. « La Coupe et l'épée » (1953).
71. Estienne, « Bâtissez sur le sable ». Ce texte fait écho à la définition de la peinture surréaliste par Michel Carrouges : « la volonté de susciter visiblement devant nous la préfiguration et le prélude à la grande métamorphose de l'homme et de l'univers ». *André Breton et les données fondamentales du surréalisme*, pp. 215-6.

Quelles métaphores sont privilégiées dans les essais surréalistes de cette époque? Parcourant les textes sur l'art de Breton, le lecteur est assailli par un discours souvent surchargé de références apparemment hétéroclites – à Hegel, à la peinture zen du XIIᵉ siècle, aux occultistes, aux ovistes et aux spermatistes – dans une écriture qui charrie un bric-à-brac de citations recherchées et d'allusions souvent obscures, qui semblent avoir peu de rapport avec la toile qui les aurait suscitées. À titre d'exemple, dans la préface à une exposition des tableaux de Marcelle Loubchansky (galerie Kléber 1956), Breton passe du lancement du premier spoutnik aux théories de Kandinsky, à la « roue des naissances orphiques » d'Empédocle, et aux *Créations scissionnaires* de Fourier, pour finir sur une citation de la correspondance entre Hegel et Goethe (SP344-6). Au milieu de ces digressions, le texte nous donne quelques observations – assez obscures – sur Loubchansky, avant de repartir à la dérive. Étant donné le caractère non-figuratif des tableaux de Loubchansky, étant donné aussi l'hostilité de Breton à une critique des formes et son indifférence à l'égard d'une critique esthétique, comment rendre compte de l'œuvre? Restent les associations provoquées, références savantes ou allusions poétiques. Et lorsque la rencontre avec l'œuvre se fait – le plus souvent après un long préambule qui semble être parfois simple digression[72] – c'est pour susciter une écriture poétique qui semble aussitôt fuir la toile pour poursuivre sa propre trajectoire.

Parmi les nombreuses références dans les essais de cette époque – à la biologie, au cinéma, à la philosophie orientale et, encore et toujours, à la poésie du XIXᵉ siècle – la référence alchimique tient une place importante. La pensée ésotérique, nous l'avons constaté en début de chapitre, est considérée comme un modèle herméneutique et présentée comme grille de lecture – bien qu'elle fonctionne davantage comme source de mystification – pour l'exposition « Le Surréalisme en 1947 ». La référence à l'occultisme était apparue dès les années 1920 dans les textes des surréalistes, qui rapprochaient la recherche du surréel de celle de la transformation alchimique. Max Ernst interprète son tableau *Les Hommes n'en sauront rien* (1923) en fonction du symbolisme des sciences

---

72. Pour Adélaïde Russo, la digression est au cœur des écrits sur l'art de Breton, qu'elle qualifie de « discours qui établit la digression comme *modus faciendi* ». « André Breton et les dispositifs du jugement: spéculaire, spéculatif », *Lire le Regard. André Breton et la peinture*, p. 113.

occultes, allant jusqu'à inscrire son analyse sur le dos de la toile à l'intention de Breton. Dans le *Second Manifeste du surréalisme* (1929), Breton associe explicitement le « point de l'esprit » comme lieu de résolution des contraires, à la fois à la dialectique hégélienne, et à la recherche alchimique de la pierre philosophale. « Êtes-vous bien sûr vous-même que le ternaire dialectique ne soit pas un héritage initiatique ? », demandera Breton à Aimé Patri en 1951 (OCIII605). Alors que la référence alchimique autour des années 1930 désigne la fusion recherchée ou accomplie (par exemple la notion d'une culture universelle dans *Cahiers d'art*), dans les années 1950, au contraire, elle fournit une analogie aux procédés du peintre ou du poète, qui transforme la matière première – trait, tache, couleur – en lieu de figuration. Dans les deux cas la référence alchimique fonctionne comme une métaphore et nullement comme une clé herméneutique. Leiris remarque que le langage alchimique surgit chez lui avec une certaine facilité :

> *Je remarque que le vocabulaire de l'occultisme s'impose à moi, dès que je m'essaye à la critique. Est-ce à cause du goût profond que j'ai pour l'occultisme, ou simplement parce que ces termes restent obscurs et assez vagues et créent ainsi une illusion de profondeur ? Lorsque je dis d'une œuvre qu'elle a un caractère magique, n'est-ce pas seulement parce que j'ai du monde en général une conception magique ? [...] De toutes manières, il serait peut-être bon que je me débarrasse de cette manie.*[73]

Bien moins critiques dans leurs choix discursifs, d'autres surréalistes s'adonnent au langage alchimique avec délectation. Il faut en chercher la raison dans le fait que le discours alchimique étant lui-même déjà métaphorique – disant et montrant l'analogie et les correspondances universelles – il s'agit d'un intertexte qui se prête au compte-rendu des tableaux de l'abstraction lyrique, évoquant l'image dans son devenir – suspendue entre la matière et sa transmutation – plutôt que dans sa fixité[74]. L'intérêt pour l'ésotérisme serait venu aux surréalistes par l'intermédiaire des poètes du XIXᵉ siècle :

> *Quant à l'idée d'une clé « hiéroglyphique » du monde, elle préexiste*

---

73. *Journal*, pp. 161-2 (13 mai 1929).
74. Pour Riffaterre, l'alchimie constitue ainsi un métalangage, « un langage fait de métaphores dont la clef sémantique serait perdue ». « Ekphrasis lyrique », p. 42.

plus ou moins consciemment à toute haute poésie, que seule peut mouvoir le principe des analogies et correspondances. Des poètes comme Hugo, Nerval, Baudelaire, Rimbaud, des penseurs comme Fourrier, partagent cette idée avec les occultistes, et aussi vraisemblablement avec la plupart des inventeurs scientifiques. (OCIII613)

L'essai de José Pierre, « Diamant des apparitions », écrit à l'occasion de l'exposition Kandinsky à la galerie Maeght (1954), est paradigmatique du *topos* de l'alchimie qui informe et structure le texte. Celui-ci s'élabore à partir d'une « matrice », « l'alchimie du verbe » de Rimbaud, reprise d'abord dans la variante « l'alchimie visuelle », puis se déployant dans le texte par une série d'allusions à l'ésotérisme :

> *Kandinsky a-t-il emporté son secret avec lui ? Dans le château d'agate qu'il a dressé au-dessus du lac noir du sommeil, des portes hermétiques clôturent chaque domaine, exigeant à chaque pas en avant de nouvelles clés. [...] Les bouleversantes visions cosmiques, les splendides minéralisations oniriques hantent désormais le cerveau de Kandinsky [...] Tel tableau s'offre comme un message hiéroglyphique, tel autre comme une floraison baroque de courbes avec des teintes diaphanes, ailes de libellules, ou comme l'ébauche de quelque monstre oriental myriapode [...] Il nous apporte une nébuleuse inexplorée, un nouveau langage des émotions.*[75]

L'intertexte alchimique a fourni à Pierre un fil conducteur thématique et un modèle d'associations basées sur l'analogie universelle. Bien qu'il fasse allusion au « message hiéroglyphique » que contiendrait un tableau de Kandinsky, et aux « nouvelles clés » qui seraient nécessaires pour ouvrir les « portes hermétiques », la référence alchimique, loin de fournir une clé herméneutique au contenu du tableau, fonctionne davantage comme simple analogie poétique nimbée de mystère. Les portes du « château d'agate » restent (hermétiquement) fermées, et s'il se prolonge verbalement en « splendides minéralisations oniriques », il retient toujours son secret. La métaphore alchimique dit le mystère plus qu'elle ne l'éclaircit et, en le disant métaphoriquement, elle ne sert qu'à le prolonger poétiquement. Pierre finit son texte : « Non-figuration, ou

---

75. Pierre, « Diamant des apparitions ».

figuration d'autre chose? Rien n'est dit, et rien n'est peint, et tout est à rêver ».

La prédilection des surréalistes pour les *topoi* de la pensée ésotérique dans leurs textes sur l'abstraction lyrique s'explique par la similarité entre les deux systèmes de signes. Alchimie et abstraction lyrique sont toutes deux fondées sur la recherche d'un monde imaginaire au-delà des apparences, sur la transformation de la matière ou des formes, et sur le principe de l'analogie universelle ou de la figuration ouverte. Par ailleurs, la présence des images alchimiques révèle souvent une auto-référence aux procédés non seulement de l'artiste, mais également du poète. En premier lieu, le monde parallèle auquel donnent accès à la fois tableau et alchimie se trouve protégé du regard profane :

> *La tradition ésotérique nous avertit d'ailleurs qu'au seuil de ce monde, le vrai par opposition à celui qu'on nous donne pour tel, se tient, pour isoler de la cohue ceux qui en sont dignes, le taureau à tête humaine brandissant l'Épée Flamboyante.* (SP341)

Deuxièmement, les images de la germination et de la transmutation de la matière évoquent la transformation des éléments dans l'alchimie autant que la saisie des composantes de la toile dans leur inachèvement même[76]. Les textes de l'époque ont donc souvent recours à la métaphore alchimique pour évoquer le passage vers la figure, plutôt que la figuration achevée, comme on peut le constater dans un texte non signé sur Simon Hantaï : « À mi-chemin entre le fossile sort de sa gangue et l'oiseau de feu qu'il poursuit ». L'auteur évoque un espace de métamorphoses, par exemple le passage de la mort à la vie : « Un os devient une aile battante, un fragment de journal un œil qui interroge ou vous menace »[77]. Par ailleurs on trouve la métaphore de la germination dans les textes de Breton : « cet univers tout d'éclosion » chez Degottex (SP341), « une éclosion qui participerait de celle de la graine et de l'œuf » chez Donati (SP198), ou encore « ces boues douces-amères de creuset » dans les tableaux de Matta (SP190). De même, José

---

76. « Le discours poétique est ainsi ramené à sa fonction première, qui est de raconter des origines — théogonie, naissance d'un monde, création de merveilles». Riffaterre, « Ekphrasis lyrique», *Lire le regard. André Breton et la peinture*, p. 149.

77. *Médium* ns, n° 1, novembre 1953, p. 1. Des tableaux de Hantaï sont reproduits dans le même numéro (pp. 3-15).

Pierre imagine la création artistique en fonction du mythe de la naissance des formes :

> *Dans le coup de baguette qui déchaîne les forces de la couleur et de l'inconscient règne tout le possible, s'ébauchent toutes les chimères que le créateur pourra libérer ou qui resteront engluées dans l'argile de leur naissance. Le climat est celui même des origines de la vie, de la prolifération frénétique des cellules, du bourgeonnement embryonnaire.*[78]

On retrouve ici l'allégorie de la création que nous avons analysée dans les essais sur l'art des années 1930, allégorie qui rend compte non seulement de la démarche de l'artiste, mais aussi de celle du poète qui fait naître des figures poétiques à partir de la matière première que constitue la toile. Breton rend compte ainsi du pouvoir de suggestion d'une figuration en gestation, jamais achevée, dans sa remarque sur les toiles de Loubchansky, vraisemblablement suscitée par la toile *Le Feu des eaux*[79] :

> *Nul n'a su comme elle libérer et rendre tout essor à ces formes issues du sein de la Terre et « participant à la fois de l'humidité et de la flamme » qui attestent une nouvelle gestation.* (SP346)

Breton voit dans la démarche abstraite de l'art un potentiel, une expression en latence, « une échappée sur ce que l'homme d'aujourd'hui aspire plus ou moins confusément à faire naître » (SP324). Ces récits de la naissance de l'image picturale à partir de la matière picturale – pigment ou traits – confirment le rejet chez Breton de l'opposition entre art figuratif et art abstrait, puisque la matière picturale même est considérée comme lieu de germination de figures poétiques.

Troisième rapprochement entre démarches alchimique et picturale, le principe de l'analogie universelle qui régit la pensée ésotérique peut se rapprocher de la figuration ouverte des tableaux de l'abstraction lyrique. Ainsi Breton évoque l'univers pictural de Rufino Tamayo – fondé sur la pensée zapotèque – qui passe du cosmique au psychique :

> *Monde moins policé que le nôtre, et d'autant mieux pris dans l'engrenage lyrique, où tout trouve sa réponse de haut en bas de la création et où, comme Tamayo le montre aussi, les nerfs de l'homme, ten-*

---

78. Pierre, « L'Oiseau en proie aux miroirs », *Médium,* n° 3, mai 1954, p. 10.
79. Reproduit dans *Le Surréalisme même,* n°I, 1956, p. 129.

> *dus à se rompre, prêtent toute résonance aux cordes des constella-*
> *tions.* (SP234)

Quant au peintre Duvillier, il affirme les liens entre monde naturel et monde humain : « Il n'y a pas séparation, mais fusion des éléments de la nature, de l'homme, de l'animal et de tout ce qui vit[80] » Breton y fait écho dans un essai sur l'artiste de 1955 : « la houle cosmique qui saisit les vagues et les crêtes épouse les mouvements du cœur » (SP340)[81]. Le peintre Degottex utilise une métaphore similaire lorsqu'il évoque la dimension cosmique autant que subjective de l'étendue marine : « De la présence la plus intimement éprouvée de la mer et de l'idée la plus lointaine et la plus générale de la mer qui se poursuit en nous, naît une image de la mer, signe ou symbole involontaire qui tend à trouver le sens d'un langage fondamental »[82].

De même, dans un essai par Breton sur l'artiste Enrico Donati, le déferlement d'images évoque une figuration en devenir :

> *cette peinture dès le départ est* plein ciel, [...] *pour climat elle choisit de nous verser à pleines coupes l'ivresse des oiseaux. Elle fraye avec la nébuleuse qui tourne dans le duvet des nids, elle rêve de fréter tous les vaisseaux de l'araignée et de lutter en étincellements avec l'actinie, dont le peigne est en même temps le miroir.* (SP198)

Breton prolonge le mystère des formes de Donati en déployant une série d'images énigmatiques, dont il ne nous donne pas la clé, car c'est en tant que secret que les formes exercent leurs charmes. Breton évoque « ces choses amoureusement caressées, pressées de livrer le secret de leurs charmes comme au retour de la chasse la lueur qui voltige d'un cou de faisan à un débris de verre éclatant dans les sillons du soir ». Il ne s'agit pas ici d'interprétations des formes picturales de Donati comme des « faisans » ou des « sillons », mais de dérives métonymiques, mises en branle par l'effet énigmatique des tableaux, que Breton prolonge par des images verbales tout aussi énigmatiques. Il s'a-

---

80. « Situation de la peinture en 1954 », p. 50.
81. Breton crée des images semblables dans ses textes sur Svanberg : « Ici, portés par la houle cosmique, à nous de nous frayer notre propre chemin intérieur » (« Hommage a Max Walter Svanberg », *Médium,* n° 3, mai 1954, p. 2) ; « Devant l'œuvre de Max Walter Svanberg, comment ne pas songer à ces noces suprêmes auxquelles étaient conviés le feu et l'eau ? » (SP239).
82. « Situation de la peinture en 1954 », p. 50.

git d'un langage qui doit rester indéchiffrable pour entretenir le mystère de l'œuvre, disant ce mystère (le mimant) mais sans l'éclaircir. C'est ce qu'affirme Georges Mathieu, pour qui la toile est production du signe indéchiffrable, du signe énigme, interrogation, du signe qui « précède la signification »[83]. Car le sens ne se trouve pas en amont du signe mais en aval.

Il arrive à Breton de jouer sur la supposée scientificité de la référence ésotérique pour dérouter son lecteur. Ainsi, dans son essai « Présent des Gaules » (1955), il prend comme point de départ les médailles gauloises pour s'embarquer dans une dérive ducassienne :

> *Au filet étincelant, aimanté, qui serpente à travers ces médailles, de l'instant qu'on entre en contact direct avec elles, s'attache un presti-ge comparable à celui que les anciens alchimistes ont conféré au* nos-toc *(du grec* tokos *et* noos*), cette algue terrestre qui passe pour s'évaporer au rayon du soleil et qu'ils désignent, au même titre que l'émeraude des Sages, des noms de crachat de mai, archée du ciel, graisse de la rosée, purgatoire des étoiles, écume printanière. Rien de moins surprenant, si l'on songe que* nostoc *veut dire litté-ralement* enfantement, génération de l'esprit[*], *ce que sont par excellence les monnaies gauloises, tout en visant d'abord à être* rayonnement cosmique *à l'état sonnant et trébuchant. [...]*

(SP335)

[*] *Cf. Eugène Canseliet :* Préface à Aspects traditionnels de l'alchimie, *de René Alleau, Éditions de Minuit, MCMLIII.*

Dans ce texte (véritable pastiche de l'exégèse savante), Breton, dans un rapprochement insolite, associe deux réalités distantes : le filet argenté visible sur la face des médailles gauloises et le *nostoc* des alchimistes, sorte d'« algue terrestre ». Pourtant son texte a toute l'apparence de l'explication docte. Il décline l'étymologie grecque du mot savant, sans expliquer toutefois le sens de *tokos* ou *noos*. De plus, il en énumère des équivalents qui, loin de clarifier la notion de *nostoc*, constituent

83. Georges Mathieu, « Vers une Nouvelle Incarnation des signes », préface d'exposition (galerie Rive Droite 1956).

des métaphores hétéroclites qui ne font que dérouter davantage le lecteur. Il justifie cette énumération (« Rien de moins surprenant... ») en indiquant le sens littéral de *nostoc* comme « *génération de l'esprit* », ce qui nous éclaire moins sur les monnaies que sur le procédé poétique de Breton lui-même! Finalement les pièces sont évoquées dans une image de luminosité qui les dématérialise (« rayonnement cosmique à l'état sonnant et trébuchant ») dans une envolée rhétorique pleine d'humour qui rappelle la transmutation de l'empâtement picassien.

Un autre exemple de l'exploitation ludique du *topos* alchimique – signalée par l'excès – se trouve dans l'essai de Breton sur Marcelle Loubchansky. Cherchant à « ravir son secret », il propose de « chercher du côté de l'*aimant* », voire « du côté du *diamant* », ce dernier défini comme:

> *cette saillie anguleuse qui, dès avant sa naissance, surmonte le bec de l'oiseau et sans quoi il ne saurait briser la coquille de l'œuf (sur le plan de l'esprit, il va sans dire que seuls accèdent au jour véritable les rares êtres humains qui sont doués du substitut mental de cet organe).* (SP346)

Loin de nous révéler le secret de l'artiste, Breton s'embarque sur une dérive latérale tout à fait énigmatique. Bien que Breton accorde à la pensée ésotérique la fonction de modèle herméneutique, il exploite surtout sa dimension poétique, en l'occurrence sa capacité à pointer par le biais de la figure l'énigme et la latence du tableau. La *clé* n'ouvre aucune porte, la figure alchimique ne donne sur aucune signification. La pensée ésotérique, en tant que substrat de la pensée poétique, propose donc moins un déchiffrement qu'un stock de figures littéraires où puise le poète afin de désigner le tableau comme énigme.

Métamorphose de la matière, fils tendus entre corps humain et constellations, entre espace psychique et physique... Le *topos* alchimique dit le devenir des images plus que la fusion ou la transmutation effectuée. Il pointe leur hermétisme plutôt que de proposer une herméneutique. Tout comme les images exotiques chez Desnos ou Breton (chapitre III), les allusions à l'alchimie fonctionnent non seulement sur le plan de l'analogie – entre les mécanismes de la pensée poétique et pensée ésotérique, entre transmutation de la matière et devenir des signes picturaux, entre latences du tableau et du cosmos – mais, plus fondamentalement, elles disent le mystère du tableau par un langage ésotérique, énigmatique, qui double l'œuvre même en la prolongeant par d'autres moyens.

CONCLUSION :

« Y A-T-IL DES MOTS POUR LA PEINTURE ? »

Sous l'apparent éclectisme des analyses qui ont été élaborées dans cette étude, courent en filigrane trois fils d'investigation que l'on pourrait lier à la question que pose Francis Ponge, confronté aux *Otages* de Fautrier : « Y a-t-il des mots pour la peinture ?[84]»

En premier lieu, les surréalistes ont beau faire l'amalgame entre poésie et peinture – que ce soit en subordonnant l'une à l'autre ou en niant la spécificité matérielle de l'une et de l'autre – il n'en reste pas moins qu'il existe un décalage irréductible entre le texte sur la peinture et la peinture elle-même. Certes, poètes et peintres partagent des procédés – la métaphore, le collage, l'automatisme – et le poète mime la démarche de l'artiste, lorsqu'il se met, pour emprunter l'expression de Barthes, « dans les pas de la main », reprenant des gestes semblables à ceux du peintre[85]. Texte et œuvre cheminent sur des voies parallèles qui ne se rencontrent jamais. Le « jamais vu » de Rimbaud ne peut être assimilé au « jamais vu » d'un paysage de Tanguy ou d'un rêve de Max Ernst. Nous suivons Michel Foucault, pour qui le rapport entre le langage et la peinture est fondé sur la différence :

> *Mais le rapport du langage à la peinture est un rapport infini. Non pas que la parole soit imparfaite, et en face du visible dans un déficit qu'elle s'efforcerait en vain de rattraper. Ils sont irréductibles l'un à l'autre : on a beau dire ce qu'on voit, ce qu'on voit ne loge jamais dans ce qu'on dit, et on a beau faire voir, par des images, des métaphores, des comparaisons, ce qu'on est en train de dire, le lieu où elles resplendissent n'est pas celui que déploient les yeux, mais celui que définissent les successions de la syntaxe.[86]*

85. Barthes répond aux dessins de Cy Twombly en imitant les gestes graphiques du peintre. « Cy Twombly ou *Non multa sed multum* », p. 158.

86. Michel Foucault, *Les Mots et les choses. Une archéologie des sciences humaines*, p. 25. Voir Bernard Vouilloux : « il s'agit non pas de renvoyer face à face (ou dos à dos) le langage et la peinture, mais de les faire aborder de biais en disant la vue *avec* et *contre* les noms ». *Un Art de la figure. Francis Ponge dans l'atelier du peintre*, Villeneuve d'Ascq : Presses Universitaires du Septentrion, 1998, p. 46

En réalité les surréalistes ne colmatent pas, mais creusent cette différence (différance) même, en différant le sens du tableau tout en mimant ses procédés, en disant son effet afin d'en maintenir ouverte la figuration, d'en prolonger le désir par une écriture qui dit l'attente ou les latences du sens. Par conséquent, la lecture proposée dans cet ouvrage va à l'encontre d'une étude « orthodoxe » du surréalisme, telle que Breton l'a préconisée dans ses textes théoriques, et telle qu'un grand nombre de critiques l'ont pratiquée, étude basée sur une analogie ou une homologie interartistique englobant pratiques verbales et picturales dans une même entreprise unifiante. Si convergence il y a, c'est avec d'autres textes qui sous-tendent les écrits sur l'art, les paradigmes discursifs qui les informent et qui font qu'un texte est un réseau de textes multiples, que la « taie sur l'œil » est avant tout discursive. Dans cette optique, nous avons exploré non seulement le discours littéraire qui fournit un intertexte constant dans les écrits d'un Breton ou d'un Max Ernst, mais aussi le discours transgénérique, le paradigme ethnologique, le débat sur l'art figuratif et le réalisme socialiste ou sur l'abstraction et la figuration, pour montrer que si les textes surréalistes dialoguent, ils le font avant tout avec d'autres textes, plus qu'avec un tableau ou un dessin. Le rapport entre le texte et l'image étant posé comme essentiellement antinomique, la discussion sur leur interface s'est faite en termes de dialogue, de conflit, d'altérité :

> *La relation entre les récits et les tableaux ne sera guère d'harmonie préétablie. On serait tenté de dire que si l'on ne s'en tient pas à des considérations d'analogies stylistiques et de « vison du monde », récits et tableaux sont en conflits ouverts et se placer sur le plan du récit, c'est inventorier des modalités diverses de destruction de la peinture [...] Le récit serait menacé par la jouissance du tableau qui ne peut exister qu'en laissant le livre.*[87]

Notre étude a porté moins sur la destruction des tableaux – nous aimons trop l'art surréaliste en tant que pratique distincte pour le subordonner aux textes des surréalistes – que sur la jouissance des textes. Par conséquent, le second principe de nos analyses a été que ces dernières portent sur des pratiques discursives et non pas sur une *praxis* picturale. Dans cette perspective, l'objet de nos analyses ne concernait

87. Jean-Pierre Guillerm, *Récits/tableaux*, Presses Universitaires de Lille, Coll. « Travaux et Recherches », p. 14.

nullement la peinture de Miró, mais la fiction « Miró », nullement Ernst mais « Ernst ».

Étant donné la non-coïncidence du texte et de l'image, la non-coïncidence entre la « peinture » et la peinture, le rapport du texte et du tableau (il s'agit du troisième fil de lecture proposé) s'est révélé moins analogique qu'homologique, moins homologique que performatif. Le discours sur la peinture se fait dérive ou déplacement, mais rarement miroir ou dialogue, voire rencontre avec la peinture. Celle-ci, selon Breton, exigerait en effet la communication silencieuse :

> *Quiconque a vraiment pénétré dans le temple de la peinture sait que les initiés communiquent peu par les mots. Ils se montrent — très mystérieusement pour les profanes — tout au plus en le circonscrivant d'un angle de main, tel espace fragmentaire du tableau et échangent un regard entendu.*
> (SP170)

Le discours des surréalistes, si parfois il frôle effectivement le balbutiement, le « zut-zut-zut-zut » proustien de la carence verbale, se caractériserait — se gargariserait, se griserait — surtout par un trop-plein de paroles : paroles superlatives, hyperboliques, qui répondent à l'image picturale en la transgressant, en la médiatisant par une démarche poétique ou polémique qui, faisant fi du tableau, dérive. Cette étude repose sur le principe qu'écrire *sur* la peinture consiste, pour les surréalistes, à écrire *parallèlement* à la peinture, *contre* la peinture, voire *au-delà* de la peinture, à emprunter une trajectoire textuelle parfois détournée, souvent dévoyée, toujours dévergondée.

« On [...] a tout dit, on n'a rien dit, on ne dit rien, on a oublié l'essentiel, on a tout oublié », dit le poète.

BIBLIOGRAPHIE

ABASTADO, Claude, « Les Mots ont fini de jouer », *Les Pharaons,* n° 24, automne 1975, pp.17-25.

ADAMOWICZ, Elza: « André Breton et Max Ernst: entre la mise sous whisky marine et les marchands de Venise », *Lisible visible, Mélusine,* n° 12, 1991, pp.15-30.

—, « André Breton et la peinture: textes parallèles », *in* Philippe Delaveau, ed., *Écrire la peinture,* Éditions Universitaires, 1991, pp. 151-62.

—, « André Breton: des formes et des figures », *Neophilologus,* n° 79, 1995, pp. 573-85.

—, « Un Masque peut en masquer (ou démasquer) un autre. Le masque et le surréalisme », *in* Christopher W. Thompson, ed., *L'Autre et le sacré. Surréalisme, cinéma, ethnologie,* L'Harmattan, 1995, pp. 73-91.

—, *Surrealist Collage in Text and Image. Dissecting the Exquisite Corpse,* Cambridge University Press, 1998.

ADES, Dawn: « Morphologies of desire », *in* Michael Raeburn, ed., *Salvador Dali. The Early Years,* Londres, South Bank Centre, 1994, pp. 129-60.

—, « Surrealism: fetishism's job », Anthony Shelton, ed., *Fetishism. Visualising Power and Desire,* Londres, Lund Humphries, 1995.

—, « Salvador Dali. An Unpublished Scenario », *Studio International,* vol 195, n° 993-4, 1982, pp. 63-77.

ALBOUY, Pierre, « Signe et signal dans *Nadja* », *Europe,* n° 483-4, juillet-août 1969, pp. 234-39; *in* Marguerite Bonnet, ed., *Les Critiques de notre temps et Breton,* Garnier, 1974, pp. 124-8.

AMIDON, Catherine, « ‹ Indépendants › et ‹ Modernisme démodé ›. Les expositions à Paris en 1937 », *in* Andrzej Turowski, ed., *Arts et artistes autour de C. Zervos, Les Fragments… (1),* Dijon, Éditions Universitaires de Dijon 1997, pp. 99-119.

AMIOT, Anne-Marie, « Le Surréalisme et l'après-guerre: exécution partisane ou manifeste-prolégomène à une ‹ poésie dialectique › de l'avenir? » « Chassé-croisé Tzara Breton », *Mélusine,* n° 17, 1997, pp. 309-26.

André Breton. La Beauté convulsive, Centre Georges Pompidou, 1991.

ANGENOT, Marc, *La Parole pamphlétaire,* Payot, 1982.

ANTLE, Martine, *Cultures du surréalisme. Les représentations de l'autre,* Acoria, 2001.

—, *Les Appels de l'Orient, Les Cahiers du mois,* n° 9-10, mars 1925.

ARAGON, Louis, « Max Ernst, peintre des illusions » (1923), *Écrits sur l'art moderne,* pp. 12-16.

—, « Une Vague de rêves », *Commerce,* vol 2, automne 1924, pp. 89-122; *Une Vague de rêves* (1924), Seghers, 1990, pp. 23-5.

—, « Fragments d'une conférence », *La Révolution surréaliste,* n° 4, 15 juillet 1925, pp. 23-5.

—, André Breton, « Protestation », *La Révolution surréaliste,* n° 7, 15 juin 1926, p. 31.

—, *Traité du style* (1928), Gallimard, Coll. « L'Imaginaire », 1991.

—, « La Peinture au défi » (préface d'exposition, galerie Goemans, 1930), *Écrits sur l'art moderne*, pp. 27-47.

—, « John Heartfield et la beauté révolutionnaire », *Commune,* n° 21, 15 mai 1935, pp. 985-91 ; *Écrits sur l'art moderne*, pp. 48-54.

—, *Je n'ai jamais appris à écrire ou les incipits,* Genève, Skira, 1969.

—, *Les Collages* (1965), Hermann, Coll. « Savoir sur l'art », 1980.

—, *Écrits sur l'art moderne*, Flammarion, 1981.

ARTAUD, Antonin, « Texte surréaliste », *La Révolution surréaliste,* n° 2, 15 janvier 1925, pp. 6-7.

—, *Cahiers de Rodez, avril – 25 mai 1946, Oeuvres complètes* XXI, Gallimard, 1985.

Art et idéologies. L'art en occident 1945-49, Université de St Étienne : C.I.E.R.E.C. Travaux XX, 1976,

L'Aventure de Pierre Loeb. La galerie Pierre Paris 1924-1964, Musée d'Art Moderne de la Ville de Paris et Musée d'Ixelles, 1979.

AZIZ Daki, Mohamed, « André Breton et la valeur marchande des œuvres plastiques », *Réalisme-surréalisme, Mélusine,* n° 21, 2001, pp. 235-4.

BACHELARD, Gaston, « La Peinture et ses témoins » (II), *Arts,* n° 330, 26 octobre 1951.

BAKHTINE, Mikhaïl, *L'Oeuvre de François Rabelais et la culture populaire au Moyen Âge et sous la Renaissance,* Gallimard, 1970.

Bal, Mieke, *Reading Rembrandt. Beyond the Word-Image Opposition*, Cambridge University Press, 1992.

BANDIER, Norbert, « Les Mots gagnent. À l'origine de l'art surréaliste était l'écrit », *in L'Écrit et l'art II,* Villeurbanne : Le Nouveau Musée/Institut d'art contemporain, 1996, pp. 15-41.

—, *Sociologie du surréalisme 1924-1919,* La Dispute, 1999.

BANN, Stephen, « Language in and about the Work of Art », *Studio International,* vol 183, n° 942, mars 1972, pp. 106-11.

BARCK, Karlheinz, « Motifs d'une polémique en palimpseste contre le surréalisme : Carl Einstein », *Mélusine,* n° 7, 1985, pp. 183-204.

—, « Décolonisation de l'esprit occidental. L'apport de Breton et de Tzara », « Chassé-croisé Breton-Tzara », *Mélusine,* n° 17, 1997, pp. 241-52.

BARON, Jacques, « Flammes », *Documents,* vol 2, n° 3, 1930, pp. 168-9.

BAROTTA, René « L'Exposition Surréaliste. Trop ‹ d'attractions ›, pas assez d'œuvres », *Libération,* 11 juillet 1947.

BARRON, Marie-Louise, « Le Surréalisme en 1947, en retard d'une guerre, comme l'État-major », *Les Lettres françaises*, 25 juillet 1947.

BARRY, Viviane, « Le Mythe oriental dans l'antinationalisme des surréalistes », *History of European Ideas,* vol 16, n° 4-6, janvier 1993, pp. 393-9.

BARRY-COUILLARD, Viviane, « L'Image de l'Orient, antidote de l'image de l'Europe », *L'Europe surréaliste, Mélusine,* n° 14, 1994, pp. 63-72.

BARTHES, Roland, « Cy Twombly ou *Non multa sed multum* », *L'Obvie et l'obtus, Essais critiques* III, Seuil, 1982.

BASSY, Alain-Marie, « Iconographie et littérature. Essai de réflexion critique et méthodologique », *Revue française d'histoire du livre,* vol 3, n°5, 1973, pp. 3-33.

BATACHE, Eddie, *Surréalisme et tradition. La pensée d'André Breton jugée selon l'œuvre de René Guénon,* Éditions Traditionnelles, 1978.

BATAILLE, Georges, « Apocalypse de Saint-Sever », *Documents,* vol 1, n° 2, mai 1929, pp. 74-84.

—, « Le Langage des fleurs », *Documents,* vol 1, n° 4, juin 1929, pp. 160-164.

—, « Matérialisme », *Documents,* vol 1, n° 4, juin 1929, p. 170.

—, « Œil », *Documents,* vol 1, n° 4, septembre 1929, pp. 215-6.

—, « Figure humaine », *Documents,* vol 1, n°5, septembre 1929, pp. 194-200.

—, « Dali hurle avec Sade » (1929), *Oeuvres complètes* II, Gallimard, 1970, pp. 113-5.

—, « Le ‹Jeu lugubre› », *Documents,* vol 1, n° 7, décembre 1929, pp. 369-72.

—, « Le Lion châtré », *Un Cadavre* (tract 1929) ; *Oeuvres complètes* I, pp. 218-9.

—, « Soleil pourri », *Documents,* vol 2, n° 3, 1930, pp. 173-4.

—, « L'Art primitif », *Documents,* vol 2, n° 7, 1930, pp. 389-97.

—, « Joan Miró : peintures récentes », *Documents,* vol 2, n° 7, 1930.

—, « L'Esprit moderne et le jeu des transpositions », *Documents,* vol 2, n° 8, 1930, pp. 49-52.

—, « La Mutilation sacrificielle et l'oreille coupée de Vincent Van Gogh », *Documents,* vol 2, n° 8, 1930, pp. 451-60.

—, « Minotaure », *Critique sociale,* n°9, septembre 1933, p. 149.

—, *Oeuvres complètes* I, Gallimard, 1970.

BEAUJOUR, Michel, *Terreur et rhétorique. Breton, Bataille, Leiris, Paulhan, Barthes & cie autour du surréalisme,* Jean-Michel Place, 1999.

BEAUMELLE, Agnès de la, « Le Grand Atelier », *in André Breton. La Beauté convulsive,* Centre Georges Pompidou, 1991, pp. 48-63.

BÉDOUIN, Jean-Louis, *Vingt Ans de surréalisme 1939-1959,* Denoël, 1961.

BÉHAR, Henri, *André Breton. Le grand indésirable,* Calmann-Lévy, 1990.

—, « Le Merveilleux dans le discours surréaliste, essai de terminologie », *Mélusine,* n°20, 2000, pp. 15-29.

—, *Le Surréalisme dans la presse de gauche,* Paris Méditerranée, 2002.

Belton, Robert J., *The Beribboned Bomb. The Image of Woman in Male Surrealist Art,* University of Calgary Press, 1995.

BERGER, John, *Success and Failure of Picasso,* Londres : Writers and Readers, 1965.

BERNADAC, Marie-Laure et J.-F. Chévrier, *Picasso vu par Brassaï,* Musée Picasso, 1987.

BERRANGER, Marie-Paule, « Épiphanie de l'image surréaliste », *Lire le Regard. André Breton et la peinture, Pleine Marge,* n° 1, juin 1991, pp. 99-109.

BETTELHEIM, Bruno, *The Uses of Enchantment. The Meaning and Importance of Fairy*

Tales, Londres, Thames and Hudson, 1976.

BIRO, Adam, et René Passeron, eds., *Dictionnaire général du surréalisme*, Presses Universitaires de France, 1982.

BLACHÈRE, Jean-Claude, *Le Modèle nègre. Aspects littéraires du mythe primitiviste au XX⁰ siècle. Apollinaire, Cendrars, Tzara*, Dakar, Nouvelles Éditions Africaines, 1981.

—, « L'Écriture mimétique : essais de simulation de la mentalité primitive chez André Breton », *Primitivisme et surréalisme, Les Mots la vie,* n° 8, 1994.

—, *Les Totems d'André Breton. Surréalisme et primitivisme littéraire*, L'Harmattan, Coll. « Critiques littéraires », 1996.

BLANCHE, Jacques-Émile, « Préface du professeur André Breton à la *Mise sous whisky marin* du Dr Max Ernst », *Comœdia*, vol 15, 11 mai 1921, p. 2.

BOHN, Willard, « Semiosis and intertextuality » in Breton's ‹ Femme et oiseau › », *Romanic Review,* vol 71, n° 4, 1986, pp. 415-29.

BOIS, Yves-Alain et Rosalind Krauss, *L'Informe. Mode d'emploi*, Centre Georges Pompidou, 1996.

BONNEFOI, Geneviève, *Les Années fertiles 1940-1960*, Mouvements Éditions, 1988.

BONNEFOY, Yves, *Breton à l'avant de soi*, Tours, Éditions Léo Sheer, 2000.

BONNET, Marguerite, ed., *Les Critiques de notre temps et Breton*, Garnier, 1974.

—, *André Breton et la naissance de l'aventure surréaliste*, Corti, 1975.

—, « L'Orient dans le surréalisme : mythe et réel », *Revue de littérature comparée,* vol 54, n° 4, octobre-décembre 1980, pp. 411-24.

—, *Vers l'Action politique, juillet 1925-avril 1926, Archives du surréalisme*, n° 2, Gallimard, 1988.

—, « Le Regard et l'écriture », *in André Breton. La Beauté convulsive*, Centre Georges Pompidou, 1991, pp. 32-47.

BOUGNOUX, Daniel, « Aragon/peinture : les miroirs croisés », *Lisible-visible, Mélusine,* n°12, 1991, pp. 165-8.

BOULESTREAU, Nicole, « L'Amour la peinture la poésie », *Les Mots la vie,* hors série, 1984, pp. 73-90.

« Le Photopoème Facile : un nouveau livre, dans les années 30 », *Mélusine,* n° 4, 1984, pp. 163-77.

BOURDIEU, Pierre et Alain Darbel, *L'Amour de l'art. Les musées européens et leur public*, Minuit, Coll. « Le sens commun », 1966.

BOURET, Jean, « Vieille Grenade désamorcée : le ‹ Surréalisme › jette ses derniers feux dans la grandiose mise en scène de son exposition », *Ce Soir*, 9 juillet 1947.

BRASSAÏ, « Du Mur des cavernes au mur d'usine », *Minotaure* n° 3-4, 1933, pp. 6-7.

—, *Conversations avec Picasso* (1964), Gallimard, 1997.

BRAUNER, Victor, « Dessins à la bougie », *Cahiers d'art,* vol 19-20, 1945-6, pp. 314-5.

BRETON, André, « Le Surréalisme et la peinture », *La Révolution surréaliste* n° 4, juillet 1925, pp. 26-30 ; n°6, mars 1926, pp. 30-2 ; n° 7, juin 1926, pp. 3-6 ; n°9-10, octobre 1927, pp. 36-43 ; *Le Surréalisme et la peinture*, Gallimard, 1965, pp. 1-48.

—, *Yves Tanguy*, New York, Pierre Matisse Édition, 1946.

—, et Marcel Duchamp, *Le Surréalisme en 1947*, Pierre à Feu, Maeght, juin 1947.

—, *L'Art Magique*, Club Français du Livre, 1957.

—, et Joan Miró, *Constellations,* New York, Pierre Matisse, 1959.

—, *Le Surréalisme et la peinture*, Gallimard, 1965.

—, *Signe ascendant*, Gallimard, Coll. NRF « Poésie », 1968.

—, *Perspective cavalière*, Gallimard, 1970.

—, *Oeuvres complètes*, Gallimard, Bibliothèque de la Pléiade, vol I, 1988; vol II, 1992; vol III, 1999.

BRIDEL, Yves, *Miroirs du surréalisme. Essai sur la réception du surréalisme en France et en Suisse française*, Lausanne, L'Age d'Homme, 1998.

BRYSON, Norman, « Intertextuality and Visual Poetics », *Critical Texts,* vol 4, n° 2, 1987, pp. 1-6.

BUOT, François, « Crevel et la peinture », *Europe*, vol 63, n°679-680, novembre-décembre 1985, pp. 66-71.

—, *René Crevel. Biographie*, Grasset, 1991.

BUSSY, Christian, *Anthologie du surréalisme en Belgique,* Gallimard, 1972.

CALAS, Nicolas, « Introduction à la critique d'art », *Cahiers d'art,* vol 20-1, 1945-46, pp. 316-22.

CAMFIELD, William A., *Francis Picabia. His Art, Life and Times*, Princeton, New Jersey: Princeton University Press, 1979.

CARDINAL, Roger, « Les Arts marginaux et l'esthétique surréaliste », *in* C.W. Thompson, ed., *L'Autre et le sacré. Surréalisme, cinéma, ethnologie,* L'Harmattan, 1995, pp. 51-71.

CARROUGES, Michel, *André Breton et les données fondamentales du surréalisme*, Gallimard, 1950.

CAWS, Mary Ann, « The great reception: Surrealism and Kandinsky's « inner eye », *The Art of Interference. Stressed Readings in Verbal and Visual Texts*, Princeton University Press, 1989, pp. 145-56.

—, « Regardez-les regarder, Breton-Tzara », *Chassé-croisé Tzara-Breton, Mélusine,* n° 17, 1997, pp. 179-91.

—, « Le Regard de Robert Desnos », *in* Katharine Conley et Marie-Claire Dumas, eds., *Robert Desnos pour l'an 2000*, Gallimard, 2000, pp. 145-53.

CHAPON, François, *Mystères et splendeurs de Jacques Doucet*, Lattès, 1984.

CHAR, René, *Oeuvres complètes* I, Gallimard, la Pléiade, 1983.

CHARBONNIER, Georges, « Entretien avec André Masson », *Le Monologue du peintre. Entretiens*, Neuilly, Guy Durier, 1980, pp. 195-205.

Chassé-croisé Tzara Breton, Mélusine, n° 17, 1997.

CHÉNIEUX-GENDRON, Jacqueline, *Le Surréalisme*, PUF, 1984.

—, et Marie-Claire Dumas, eds., *L'Objet au défi*, PUF, 1987.

—, « De la Sauvagerie comme non-savoir à la convulsion comme savoir absolu »,

« Lire le Regard. André Breton et la peinture », *Pleine Marge,* n°13, juin 1991, pp. 5-22.

CHEVALIER, Denys « Exposition internationale du surréalisme », *Arts,* n°123, 11 juillet 1947, p. 1 et 5.

CHÈVREFILS DESBIOLLES, Yves, *Les Revues d'art à Paris 1905-1940, Ent'revues,* 1993.

CLAUDEL, Paul, « Préface », *Rimbaud,* NRF, 1912 ; *Oeuvres en prose,* Gallimard, Bibliotèque de la Pléiade, 1965, pp.514-21.

CLIFFORD, James, « On Ethnographic Surrealism », *Comparative Studies in History,* vol 23, n° 4, 1981, pp. 534-64 ; *The Predicament of Culture : Twentieth-Century Ethnography, Literature and Art,* Cambridge, MA, Harvard University Press, 1988, pp. 117-48 ; trad. « Du Surréalisme ethnographique », *Malaise dans la culture. L'ethnographie, la littérature et l'art au XXe siècle,* École Nationale Supérieure des Beaux-Arts, Coll. « Espaces de l'art », 1996, pp. 121-52.

—, et G.E. Marcus, eds., *Writing Culture. The Poetics of Ethnography,* University of California Press, 1986.

COMPAGNON, Antoine, *La Seconde Main ou le travail de la citation,* Seuil, 1979.

CONE, Michèle, « Desnos, Picasso, Girodias, trois comparses de fortune », *Robert Desnos, Herne,* 1987, pp. 205-11.

CORTI, José, *Rêves d'encre,* éd. Corti, 1945.

COURTOT, Michel, *Introduction à la lecture de Benjamin Péret,* Le Terrain Vague, 1965.

COWLING, Elizabeth, « ‹ Proudly we claim him as one of us ›: Breton, Picasso, and the Surrealist Movement », *Art History,* vol 8, n° 1, mars 1985, pp. 82-104.

CREVEL, René, « De l'Ouest ou de l'est », *Les Cahiers du mois, Les Appels de l'Orient,* n°9-10, mars 1925, pp. 80-3.

—, *Dali ou l'antiobscurantisme,* Éditions Surréalistes, 1930 ; *L'Esprit contre la raison,* Tchou, Coll. « Le Prix des Mots », 1969, pp. 51-78.

—, « Critique d'art », *Le Surréalisme au service de la révolution,* n° 1, 1931, p. 12.

—, « Max Ernst », préface d'exposition, galerie Georges Bernheim, décembre 1928.

Dada and Surrealism Reviewed, Londres, Arts Council of Great Britain, 1978.

DAIX, Pierre, *Aragon. Une vie à changer,* Flammarion, 1994.

DALI, Salvador, « Nouvelles Limites de la peinture », *L'Amic de les arts,* n°22, 29 février 1928, pp. 167-9, n°24, 30 avril 1928, pp.185-6, n°25, 31 mai 1928, pp. 195-6.

—, « Joan Miró », *L'Amic de les arts,* n°26, 1928, p. 202.

—, « Documentaire – Paris 1929 », *La Publicitat,* avril – juin 1929 ; *Oui 1.*

—, « Les Pantoufles de Picasso », *Documents 34,* vol 1, n° 7-10, 1935, pp. 208-12.

—, « L'Ane pourri », *Le Surréalisme au service de la révolution* n° 1, juillet 1930, pp. 9-12 ; *in La Femme visible,* Éditions Surréalistes, 1930.

—, « Derniers Modes d'excitation intellectuelle pour l'été 1934 », *Documents,* n° *34,* n° 1, 1934, pp. 33-5.

—, *La Vie secrète de Salvador Dali* (1952), Gallimard, Coll. « Idées », 1979.

—, *Oui 1. La révolution paranoïaque-critique*, Denoël-Gonthier, « Bibliothèque Médiations », 1971.

—, *Oui 2. L'archangélisme scientifique*, Denoël-Gonthier, « Bibliothèque Médiations », 1971,

—, *Comment on devient Dali. Les aveux inavouables de Salvador Dali*, Laffont, 1973.

DAMISCH, Hubert, *Fenêtre jaune cadmium ou les dessous de la peinture*, Seuil, 1984.

DASPRE, André, « Éluard et *L'Anthologie des écrits sur l'art* », *Éluard a cent ans, Les Mots la vie,* n° 10, 1998, pp. 219-34.

DE CHIRICO, Giorgio, *L'Art métaphysique*, textes réunis et présentés par Giovanni Listi, L'Échoppe, 1994.

DEGAND, Léon, « Surréalisme et plastique », *Les Lettres françaises*, juillet 1947.

DELAVEAU, Philippe, ed., *Écrire la peinture*, Éditions Universitaires, 1991.

DELISS, Clémentine, « Notes pour *Documents.* Quelques réflexions sur l'exotisme et l'érotisme en France pendant les années 30 », *Gradhiva,* n° 2, 1987, pp. 68-73.

DELEUZE, Gilles, *Francis Bacon. Logique de la sensation*, Éditions de la Différence, Coll. « la Vue le Texte », 1984.

DESNOS, Robert, « Pamphlet contre Jérusalem », *La Révolution surréaliste,* n° 3, 15 avril 1925, p. 8.

—, « Description d'une révolte prochaine », *La Révolution surréaliste,* n° 3, 15 avril, 1925, pp. 25-7.

—, « Surréalisme », *Cahiers d'art*, vol 1, n° 8, 1926, pp. 210-13.

—, « Miró », *Cahiers de Belgique,* vol 2, n°6, juin 1929, p. 206 ; *Écrits sur les peintres*, p. 106.

—, « Bonjour Monsieur Picasso », *Documents,* vol 2, n° 3, 1930, pp. 113-18.

—, « La Femme 100 têtes de Max Ernst », *Documents,* vol 2, n° 4, 1930.

—, « Picabia », préface d'exposition, galerie Bernheim 1931.

—, « Joan Miró », *Cahiers d'art*, vol 9, n° 1-4, 1934, pp. 25-6.

—, *Écrits sur les peintres*, Flammarion, Coll. « Textes », 1984.

—, *Oeuvres*, Gallimard, Coll. « Quarto », 1999.

DEVAL, Pierre, « Au-delà de la peinture », *Promenoir,* n° 3, mai 1921.

DIDI-HUBERMAN, Georges, *La Ressemblance informe ou le gai savoir visuel selon Georges Bataille*, Macula, 1995.

—, *L'Étoilement. Conversations avec Hantaï,* Minuit, 1998.*Documents,* 1929-30 ; reprint Jean-Michel Place, 1991.

DUITS, Charles, André Breton a-t-il dit passe, Denoël, 1969.

Dr O., « Art primitif et psychanalyse d'après Eckart von Sydow », *Cahiers d'art,* vol 4, n° 2-3, 1929, pp. 65-72.

DUCHAMP, Marcel, (signé Rrose Sélavy), « 80 Picabias », catalogue de vente de l'Hôtel Druot (8 mars 1926) ; *Duchamp du signe*, Flammarion, 1975, p. 245.

DUFFY, Jean H., « Claude Simon, Miró et l'inter-image », *in* Éric Le Calvez et Marie-Claude Canova-Green, eds., *Texte(s) et intertexte(s),* Amsterdam, Rodopi, 1997, pp. 113-39.

DUMAS, Marie-Claire, *Robert Desnos ou l'exploration des limites*, Klincksieck, Coll. « Bibliothèque du XXe siècle », 1980.

—, « Notes sur André Breton et la pensée traditionnelle », *André Breton, Herne*, 1998, pp. 119-29.

DUPIN, Jacques, *Miró*, Flammarion, 1993.

DUPONT, Valérie, « Cosmogonie de l'art. Prélude a une théorie ébauchée », *in* Andrzej Turowski, ed., *Arts et artistes autour de C. Zervos, Les Fragments... (1)*, Dijon, Éditions Universitaires de Dijon, 1997, pp. 75-97.

DUTHUIT, Charles, « Où allez-vous Miró? » (entretien avec Miró), *Cahiers d'art*, vol 11, n° 8-10, 1936, pp. 261-4.

EBERZ, Ingrid, « Kandinsky, Breton et le modèle purement intérieur », *Pleine marge* n° 1, mai 1985, pp. 69-80.

ECO, Umberto, *L'Oeuvre ouverte* (1962), Seuil, Coll. « Points Essais », 1965.

EINSTEIN, Carl, « Pablo Picasso. Quelques tableaux de 1928 », *Documents,* vol 1, n° 1, 1929, pp. 35-8.

—, « André Masson, étude ethnologique », *Documents,* vol 1, n° 2, 1929, pp. 93-102.

—, « Joan Miró (Papiers collés à la galerie Pierre) », *Documents,* vol 2, n° 4, 1930, pp. 241-3.

—, « L'enfance néolithique », *Documents,* vol 2, n° 8, 1930, pp. 475-83.

ÉLUARD, Paul, « Physique de la poésie », *Minotaure*, n°6, hiver 1935, pp.6-12.

—, « Je parle de ce qui est bien », *Cahiers d'art,* vol 10, n° 7-10, 1935.

—, « Naissances de Miró », *Cahiers d'art*, vol 12, n° 1-3, 1937, p. 80.

—, *Oeuvres complètes* I, Gallimard, Bibliothèque la Pléiade, 1968.

ERNST, Max, « Comment on force l'inspiration », *Le Surréalisme au service de la révolution,* n°6, 1933, pp.43-5.

—, « Au-delà de la peinture », *Cahiers d'art,* vol 11, n°6-7, pp. 149-83.

—, « Les Mystères de la forêt », *Minotaure,* n°5, 1934.

—, *Écritures*, Gallimard, 1970.

ESTIENNE, Charles, « Bilan d'une année de peinture », *Terre des hommes,* n° 1, 29 septembre 1945.

—, « Surréalisme et peinture », *Combat*, 1er avril 1946.

—, « Défense de la peinture », *Combat*, 31 août 1946.

—, « Jeune Peinture française », *Style en France,* n°5, 1947, pp. 50-5.

—, « Surréalisme et peinture: parfois poètes, souvent illustrateurs, les surréalistes ne sont pas toujours peintres », *Combat*, 16 juillet 1947.

—, *L'Art abstrait est-il un académisme?* Éditions de Beaune, 1950.

—, « Surréalisme au Salvador (Dali) », *L'Observateur*, n°64, 17 janvier 1951.

—, « Poésie des formes et des couleurs », *XXe siècle*, n° 1, juin 1951, pp. 31-8.

—, « Abstraction et figuration », *Arts,* n°320, 20 juillet 1951, p. 5.

—, « Abstraction et surréalisme », *L'Observateur*, n°142, 29 janvier 1953.

—, « Une Révolution, le tachisme », *Combat-Art,* 1er mars 1954, p. 1.

—, « Surréalisme et peinture », *Combat*, 15 juillet 1954.

—, et José Pierre, « Situation de la peinture en 1954 », *Médium* ns, n° 4, janvier 1955, pp.43-54.

—, « Bâtissez sur le sable », *Médium*, n° 4, janvier 1955, pp.55-6.

—, « La Peinture et le surréalisme sont aujourd'hui comme d'hier », *Combat-Art*, 7 mars 1955.

—, « Hommage à Kandinksy », *Combat-Art*, 11 juillet 1955.

—, « L'Épée dans les nuages », préface d'exposition, galerie L'Étoile Scellée, 1955.

—, *Le Surréalisme*, Samogy, 1956.

FAUCHEREAU, Serge, *La Querelle du réalisme*, Cercle d'Art, Coll. « Diagonales », 1987.

FER, Briony, « ‹ Poussière/peinture ›. Bataille on Painting », *in* Carolyn Bailey Gill, ed., *Bataille. Writing the Sacred*, Londres : Routledge, 1995, pp.154-71.

FINEBERG, Jonathan, ed., *Discovering Child Art. Essays on Childhood, Primitivism and Modernism*, Princeton University Press, 1998.

—, « Joan Miró's rhymes of childhood », *in The Innocent Eye. Children's Art and the Modern Artist*, Princeton University Press, 1997, pp.135-51.

FINKELSTEIN, Haim, *Salvador Dali's Art and Writing, 1927-1942. The Metamorphoses of Narcissus*, Cambridge University Press, 1996.

« Flouquet », « Salvador Dali », *Monde*, 30 novembre 1929.

FOSTER, Hal, *Compulsive Beauty*, Cambridge, MA et Londres, MIT Press, Coll. « October Books », 1993.

FOUCAULT, Michel, *Les Mots et les choses. Une archéologie des sciences humaines*, Gallimard, 1966.

FOUCHET, Max-Pol, *Wifredo Lam*, Éditions du Cercle d'Art, 1976.

FOURNY, Jean-François, « À Propos de la querelle Breton-Bataille », *Revue d'histoire littéraire de la France,* vol 84, n° 3, mai-juin 1984, pp.432-8.

FREUD, Sigmund, *Totem et tabou* (1913), Petite Bibliothèque Payot, 1965.

GAFFÉ, René, [Joan Miró], *Cahiers d'art*, vol 9, n° 1-4, 1934, p. 33.

GATEAU, Jean-Charles, « Les Mots et la peinture, Dali peint par Éluard », *Les Mots la vie*, n° 2, 1984, pp.57-73.

—, *Paul Éluard et la peinture surréaliste, 1910-1939,* Genève, Droz, Coll. « Histoire des idées et critique littéraire », 1982.

GENETTE, Gérard, *Palimpsestes. La littérature au second degré*, Seuil, 1982.

GIBSON, Ian, *The Shameful Life of Salvador Dali*, Londres, Faber and Faber, 1997.

GIMFERRER, Pere, *Miró, Catalan universel*, Éditions Hier et Demain, 1978

GOLAN, Romy, « Matta, Duchamp et le mythe : un nouveau paradigme pour la dernière phase du surréalisme », *in Matta*, Musée National d'Art Moderne, 1985, pp. 37-51.

—, *Modernity and Nostalgia. Art and Politics in France Between the Wars*, New Haven et Londres, Yale University Press, 1995.

GONZALEZ-SALVADOR, Ana, « La ‹ chose à dire › : pièces à l'appui. À propos des

Collages d'Aragon, 1965 », *in* Jean Arrouye, ed., *Écrire et voir: Aragon, Elsa Triolet et les arts visuels*, Aix-en-Provence: Publications de l'Université de Provence, 1991, pp. 139-53.

GOODMAN, Cynthia, « The Art of Revolutionary Display Techniques », *in Frederick Kiesler*, New York: Whitney Museum of American Art, 1989.

GRACQ, Julien, *En lisant, en écrivant*, Librairie José Corti, 1980.

GREEN, Christopher, *Cubism and its Enemies*, Yale University Press, 1987.

—, « The infant in the adult. Joan Miro and the infantile image », *in* Jonathan Fineberg, ed., *Discovering Child Art. Essays on Childhood, Primitivism and Modernism*, Princeton University Press, 1998, pp. 210-234.

GROUPE MU, *Traité du signe visuel. Pour une rhétorique de l'image*, Seuil, Coll. « La couleur des idées », 1992.

GUÉGUEN, Pierrre, « Picasso et le métapicassisme », *Cahiers d'art,* vol 6, n° 7-8, 1931, pp. 326-8.

—, « Picasso primitif cérébral », *Cahiers d'art,* vol 7, n° 3-5, 1933, p. 108.

—, « Le Bonimenteur de l'académisme tachiste », *Art d'aujourd'hui,* vol 4, n° 7, 1953, pp.29-30.

GUÉNON, René, *Orient et Occident*, Véga, 1924.

—, « Le Roi du monde », *Les Appels de l'Orient, Les Cahiers du mois,* n°9-10, mars 1925, pp. 206-15.

GUERRE, Pierre, « L'Exposition internationale du surréalisme », *Cahiers du sud,* vol 26, n° 284, 1947, pp. 677-681; *in André Breton, Herne,* 1998, pp. 91-5.

GUILBAUT, Serge, *Comment New York vola l'idée d'art moderne*, Nîmes, J. Chambon, 1989.

GUIOL-BENASSAYA, Elyette, *La Presse face au surréalisme de 1925 à 1938*, Éditions du CNRS, 1982.

GUILLERM, Jean-Pierre, ed., *Récits/tableaux*, Presses Universitaires de Lille, Coll. « Travaux et Recherches », 1994.

HAMON, Philippe, *La Description littéraire*, Macula, 1991.

Hantaï, Simon et Jean Schuster, « Une Démolition au platane », *Medium* ns, n° 4, janvier 1955, pp.58-62.

HARRIS SMITH, Susan, « The Surrealists'Window », *Dada/Surrealism,* n°13, 1984, pp.48-69.

HENRY, Maurice, « Joan Miró », *Cahiers d'art,* vol 10, n°5-6, 1935, p. 115.

HÉROLD, Jacques, « Points-feu », *in Le Surréalisme encore et toujours, Cahiers de poésie,* n° 4-5, 1943; *Maltraité de peinture*, Falaise, 1957.

HINTON, Geoffrey, « Max Ernst: *Les Hommes n'en sauront rien* », *Burlington Magazine,* n°118, mai 1975, pp. 292-9.

HOLLIER, Denis, « La Valeur d'usage de l'impossible », préface à *Documents, 1929-30*, Jean-Michel Place, 1991, pp. VII-XXIII.

« Hommage à Pablo Picasso » (collectif), *Le Journal littéraire,* n°9, 21 juin 1924, p. 11.

Hommage à Picasso, Documents, vol 2, n° 3, 1930.

HUBERT, Renée Riese, « The Artbook as Poetic Code : André Breton's ‹ Yves Tanguy › », *L'Esprit créateur,* vol 22, n° 4, 1982, pp. 56-66.

—, « La Critique d'art surréaliste : création et tradition », *La Critique d'art au XIXe et au XXe siècle, Cahiers de l'Association internationale des études françaises,* n°37, mai 1985, pp. 213-27.

—, *Surrealism and the Book,* Los Angeles et Londres, University of California Press, 1988.

HUGNET, Georges, « Joan Miró ou l'enfance de l'art », *Cahiers d'art,* vol 6, n° 7-8, 1931, pp.335-40.

—, « L'Homme de face », *Cahiers d'art,* vol 6, n°9-10, 1931, p. 432.

—, « Picasso ou la peinture au XXe siecle », *Cahiers d'art,* vol.7, 3-4, 1932, pp.120-1.

—, « L'Iconoclaste », *Cahiers d'art,* vol 10, n° 7-10, 1935, pp. 218-20.

—, « L'Exposition Surréaliste Internationale de 1938 », *Preuves,* n°91, septembre 1958.

—, *Pleins et déliés. Souvenirs et témoignages 1926-1972*, La Chapelle sur Loire, Guy Authier, 1972.

HULTEN, Pontus, *The Surrealists Look at Art,* Lapis Press, 1990.

HUTCHEON, Linda, *A Theory of Parody. The Teachings of Twentieth-Century Art Forms,* London, Methuen, 1985.

JAMIN, Jean, « L'Ethnologie mode d'inemploi. De quelques rapports de l'ethnologie avec le malaise dans la civilisation », *in* Jacques Hainard et Roland Kaehr, eds., *Le Mal et la douleur,* Neuchâtel, Musée d'Ethnographie, 1986, pp.45-79.

—, et Sally Price, « Entretien avec Michel Leiris », *Gradhiva,* n° 4, 1988, pp.29-56.

JANIS, Sidney, *Abstract and Surrealist Art in America,* New York, Reynal and Hitchcock, 1944.

JAY, Martin, *Downcast Eyes. The Denigration of Vision in Twentieth-Century French Thought,* Berkeley & Los Angeles, University of California Press, 1993.

Joan Miró, Cahiers d'art, vol 9, n° 1-4, 1934.

JONES, Alan, « Enrico Donati. A Painter and his Surrealist Entitlements », *Arts Magazine,* vol 65, n° 8, april 1991, pp.17-18.

JOSÉ Pierre, « Passerelle de l'arc-en-ciel », *Médium* ns, n° 1, novembre1953, p. 4.

KACHUR, Lewis, *Displaying the Marvelous. Marcel Duchamp, Salvador Dali and Surrealist Exhibition Installations,* Cambridge MA et Londres : MIT Press, 2001.

KHANNA, Ramjana, « Latent Ghosts and the Manifesto : Baya, Breton and Reading for the Future », *Art History,* vol 26, n° 2, avril 2003, pp. 238-79.

KIBÉDI VARGA, Aron, « Le Métadiscours indirect : le discours poétique sur la peinture », *in* Leo H. Hoek, ed., *La Littérature et ses doubles, Crin* (Groningen) n°13, 1985, pp. 19-34.

—, « Le Visuel et le verbal : le cas du surréalisme », *in* Michel Collot et Jean-Claude Mathieu, eds., *Espace et poésie,* Presses de l'École Normale Supérieure, 1987, pp. 159-70.

KOBER, Jacques, « Le Surréalisme en 1947. Retour d'André Breton à Paris », « André Breton », *Cahiers de l'Herne*, 1998, pp. 77-87.

KRAUSS, Rosalind, « Magnetic fields : the structure », *in Joan Miró. Magnetic Fields*, New York : Solomon R. Guggenheim Foundation, 1972, pp. 11-38.

—, « No more play », *The Originality of the Avant-Garde and Other Modernist Myths*, Cambridge, Mass. et Londres, MIT Press, 1986, pp. 43-85 ; trad. « On ne joue plus (Giacometti) », *L'Originalité de l'avant-garde et autres mythes modernistes*, Macula, Coll. « Vues », 1993, pp. 213-62.

—, *The Optical Unconscious*, Cambridge, Mass. et Londres, MIT Press, 1993.

—, « Michel, Bataille et moi », *October,* n°68, printemps 1994, pp. 3-20.

LAFOUNTAIN, Marc J., *Dali and Postmodernism. This is not an Essence*, State University of New York Press, 1997.

LALLA, Marie-Christine, « Bataille et Breton : le malentendu considérable », *in Surréalisme et philosophie*, Centre Georges Pompidou, 1992, pp. 49-61.

LAMAC, Miroslav, « L'Univers collé de Jiri Kolar », *Opus International* n°9, 1968.

LANCHNER, Caroline, « *Peinture-poésie*, its logic and logistics », *Joan Miró*, New York, Museum of Modern Art, 1993, pp. 15-82.

LASCAULT, Gilbert, *Sur la planète Max Ernst*, Maeght, Coll. « Chroniques ana-chroniques », 1991.

LASSAIGNE, Jacques, « Les Adieux du surréalisme », *La Revue hebdomadaire*, 26 février 1938, pp. 489-90.

LAUDE, Jean, « L'Esthétique de Carl Einstein », *Médiations*, n° 3, 1961, pp. 83-91.

—, « Problèmes de la peinture en Europe et aux États-Unis, 1944-1951 », *in Art et idéologies. L'art en occident 1945-49*, Université de St Étienne, C.I.E.R.E.C. Travaux XX, 1976, pp. 9-87.

LEBEL, Robert, « André Breton initiateur de la peinture surréaliste », *L'Œil*, n°143, novembre 1966, pp. 11-19.

—, « Surréalisme, années américaines », *Opus International,* n°19-20, octobre 1970.

LE CALVEZ, Éric, et Marie-Claude Canova-Green, eds., *Textes(s) et intertexte(s)*, Amsterdam, Rodopi, 1997.

LECOQ RAMOND, Sylvie, « Max Ernst (1891-1976), *Rêves et hallucinations*, 1926. Une acquisition du Musée d'Unterlinden à Colmar », *Revue du Louvre et des musées de France,* vol 41, n°5-6, décembre 1991, pp. 88-90.

LECUYER, Raymond, « ‹ Des Tendances les plus récentes du surréalisme ›. Le surréalisme en floraison – ‹ une charge d'atelier › », *Figaro Littéraire*, 22 janvier 1938, p. 7.

LEENHARDT, Jacques, « Préface », *in* Aragon, *Écrits sur l'art moderne*, Flammarion, 1981, pp. III-XV.

« L'Énigme de l'objet. Propos sur la ‹ métaphysique › chez Giorgio de Chirico et la ‹ mythologie › chez Aragon », *in* Jacqueline Chénieux-Gendron et Marie-Claire Dumas, eds., *L'Objet au défi*, PUF, 1987, pp. 9-20.

LEGAND, Léon, « La Querelle du chaud et du froid », *Art d'aujourd'hui,* vol 4, n° 1, 1952, pp. 1 et 4.

LEIRIS, Michel, « Joan Miró » [trad. Malcolm Cowley], *Little Review,* vol 12, n° 1, 1926, p. 8-9.

—, « À Propos du musée des sorciers », *Documents,* vol 1, n° 2, 1929.

—, « Alberto Giacometti », *Documents,* vol 1, n° 4, 1929, pp. 209-10.

—, « Toiles récentes de Picasso », *Documents,* vol 2, n° 2, 1930, pp. 57-70; *Un Génie sans piédestal et autres écrits sur Picasso,* Fourbis, 1992, pp. 23-31.

—, *Marrons sculptés pour Miró, in Mots sans mémoire,* Gallimard, 1988, pp. 133-52.

—, « Joan Miró », *Documents,* vol 1, n°5, 1929, pp. 263-6.

—, « Picasso », *Documents,* vol 2, n° 3, 1930, pp. 129-30.

—, et Georges Limbour, *André Masson et son univers,* Trois Collines, 1947.

—, « L'Ethnographe devant le colonialisme » (1951), *Brisées,* Gallimard, Coll. « Folio Essais », 1992, pp. 141-64.

—, « De Bataille l'impossible à l'impossible *Documents* », *Critique,* vol 15, n°195-6, 1963.

—, *Brisées* (1966), Gallimard, Coll. « Folio Essais », 1992.

—, *C'est-à-dire,* Jean-Michel Place, 1992.

—, *Journal 1922-1989,* Gallimard, 1992.

LESSING, Théodore, « L'Europe et l'Asie », *La Révolution surréaliste,* n° 3, 15 avril 1925, pp. 20-1.

LÉVINE, Jacques, « Surréalisme pictural et littéraire, deux approches complémentaires du merveilleux », *Mélusine,* n°20, 2000, pp. 93-100.

LÉVI-STRAUSS, Claude, *La Pensée sauvage,* Plon, Coll. « Presses Pocket », 1990.

LEVY, Julien, *Surrealism,* Black Sun Press, 1936.

—, *Memoir of an Art Gallery,* New York, G.P. Putnam, 1977.

LIMBOUR, Georges, « André Masson, le dépeceur universel », *Documents,* vol 2, n°5, 1930, pp. 286-7.

—, « Miró », *Derrière le miroir* n° 14-15, 1948.

«Lire Dali », *Revue des sciences humaines,* n°262, 2001.

«Lire le regard. André Breton et la peinture », *Pleine Marge,* n°13, juin 1991.

«Lisible visible », *Mélusine,* n°12, 1991.

LISTA, Giovanni, *De Chirico et l'avant-garde,* Lausanne, L'Age d'homme, 1983.

LOMAS, David, « The Metamorphosis of Narcissus: Dali's self-analysis », *in* Dawn Ades and Fiona Bradley, eds., *Salvador Dali: A Mythology,* London, Tate Gallery Publishing, 1998, pp. 78-100.

LOUBET, Christine, « *Cannibalisme d'automne*: réflexions sur un fantasme primaire », « Primitivisme et surréalisme », *Les Mots la vie,* n° 8, 1994, pp. 125-35.

LUQUET, G.H., *Le Dessin enfantin,* Librairie Félix Alcan, 1927.

—, *L'Art primitif,* Gaston Doin, « Bibliothèque d'anthropologie », 1930.

LYOTARD, Jean-François, *Discours, figure,* Klincksieck, 1971.

—, « La Peinture comme dispositif libidinal », *Des Dispositifs pulsionnels,*

Paris : UGE, Coll. « 10/18 », 1973.

MABILLE, Pierre, « Jacques Hérold », *Cahiers d'art,* vol 20-1, 1945-6, pp. 410-12.

MAGRITTE, René, « Les Mots et les images », *La Révolution surréaliste,* n°12, décembre 1929, pp. 32-3.

—, *Dix tableaux de Magritte*, Bruxelles, Le Miroir infidèle, 1946 ; *in* Marcel Mariën, *L'Activité surréaliste en Belgique (1924-1950)*, Bruxelles, La Lettre volée, Coll. « Le Fil Rouge », 1979, p. 379-81.

—, *Les Mots et les images. Choix d'écrits*, Bruxelles : Labor, 1994.

MAJASTRE, Jean-Olivier, ed., *Le Texte, l'œuvre, l'émotion*, Bruxelles, La Lettre volée, 1994.

MALESPINE, Emile, « La Peinture intégrale », *Cahiers d'art,* vol 22, 1947, pp. 288-92.

Mansour, Joyce, « Matta ou celui qui raz-de-marée », *XXᵉ siècle,* n°43, décembre 1974, pp. 124-9.

MARIËN, Marcel, *L'Activité surréaliste en Belgique (1924-1950)*, Bruxelles, Lebeer Hossmann, Coll. « Le Fil Rouge », 1979.

—, *Apologies de Magritte*, Bruxelles, Didier Devillez, 1994.

MASSIS, Henri, « Mises au point »,, *Les Cahiers du mois,* n°9-10, mars 1925, « Les Appels de l'Orient », pp. 30-40.

—, *Défense de l'Occident*, Plon, 1927

MASSON, André, *Le Rebelle du surréalisme. Écrits*, Hermann, Coll. « Savoirs », 1976.

MATHEWS, Tim, « Surfaces violentes, surfaces immanentes, collage, photographie, texte », *in* Jacqueline J. Chénieux-Gendron et T. Mathews, eds., *Violence, théorie, texte*, Lachenal & Ritter, 1994, pp. 13-33.

MATHIEU, Georges, « Vers une Nouvelle Incarnation des signes », préface d'exposition, galerie Rive Droite 1956.

—, *La Réponse de l'abstraction lyrique*, La Table Ronde, 1975.

—, *Au-delà du tachisme*, Julliard, 1963.

MATTA, Robert, *Entretiens morphologiques. Notebook n° 1, 1936-44*, Londres, Sistan, 1987.

Matta, Musée National d'Art Moderne, 1985.

MATTHEWS, J.H., « André Breton and Joan Miró : *Constellations* », *Symposium*, vol 34, n° 4, 1980-1981, pp. 353-76.

—, « André Breton and Painting. The Case of Arshile Gorky », *Dada/Surrealism* n° 17, 1988, pp. 36-45.

MAUBON, Catherine, « Michel Leiris à *Documents* », *Rivista di Letterature moderne e comparate,* vol 38, n° 3, 1985, pp. 283-98.

—, « *Documents* : une expérience hérétique », *Pleine Marge,* n° 4, décembre 1986, pp. 55-67.

—, « ‹ Au pied du mur de notre réalité ›. Leiris et la peinture », *Littérature,* n°79, octobre 1990, pp. 87-102.

—, *Michel Leiris en marge de l'autobiographie*, José Corti, 1994.

—, « Michel Leiris : des notions de ‹ crise › et de ‹ rupture › au ‹ sacré dans la vie quotidienne › », *in* C.W. Thompson, ed., *L'Autre et le sacré. Surréalisme, cinéma, ethnologie,* L'Harmattan, 1995, pp. 161-84.

MERCIER, André, « André Breton et l'ordre figuratif dans les années vingt », *in Le Retour à l'ordre dans les arts plastiques et l'architecture, 1919-1925,* St Étienne, C.I.E.R.E.C., Travaux VIII, 1975, pp. 277-316.

—, « Aragon et Breton au ‹ Sans Pareil › », *in* Jean Arrouye, ed., *Écrire et voir: Aragon, Elsa Triolet et les arts visuels,* Aix-en-Provence, Publications de l'Université de Provence, 1991, pp. 181-90.

MEUNIER, Jacques, « Les Pois sauteurs du Mexique », *in* Dominique Lecoq et Jean-Luc Lory, eds., *Écrits d'ailleurs. Georges Bataille et les ethnologues,* Éditions de la Maison des Sciences de l'Homme, 1987.

MIRÓ, Joan, « Je rêve d'un grand atelier », *XXe siècle,* vol 1, n° 2, mai 1938, pp. 25-26.

—, « L'écheveau de fil… », *Verve,* n° 4, 1939, p. 85.

—, « Je travaille comme un jardinier », entretien avec Yvon Taillandier, *XXe Siècle* n° 1, février 1959, pp. 4-6.

—, et Georges Raillard, *Ceci est la Couleur de mes rêves,* Seuil, 1977.

—, *Écrits et entretiens,* présentés par Margit Rowell, Daniel Lelong, 1995.

MITCHELL, W.J.T., *Iconology. Image, Text, Ideology,* University of Chicago Press, 1986.

« Le Monde au temps des surréalistes », *Surréalisme, Variétés* (Bruxelles), 1929, pp. 26-7.

MONOD-FONTAINE, Isabelle, « Le Tour des objets », *in André Breton. La beauté convulsive,* Centre Georges Pompidou, 1991, pp. 64-8.

MONTANDON, Alain, « Les *Constellations*: Breton/Miró », *in Iconotextes,* Ophrys, 1990, pp. 79-89.

MONNEROT, Jules, *La Poésie moderne et le sacré,* Gallimard, 1945.

MOREL et Jean Bazeine, « Faillite du surréalisme », *Temps présent,* n° 2, 28 janvier 1938, p. 4.

MORISE, Max, « Les Yeux enchantés », *La Révolution surréaliste,* n° 1, avril 1924, pp. 26-7.

—, « À Propos de l'Exposition Chirico », *La Révolution surréaliste,* n° 4, juillet 1925, p. 31.

MOTHERWELL, Robert, « The Significance of Miró », *Art News,* vol 58, n° 3, mai 1959, pp. 32-3 et 65-7; *in* Stephanie Terenzio, ed., *The Collected Writings of Robert Motherwell,* Oxford University Press, 1992, pp. 114-20.

MOURIER-CASILE, Pascaline, « Histoire de l'art surréaliste ou histoire surréaliste de l'art? », *Mélusine,* n° 1, 1979, pp. 231-55.

—, « Pour une Érotique de l'image. Le surréaliste et la peinture », *in* René Démoris, ed., *Les Fins de la peinture,* Éditions Desjonquères, 1990, pp. 245-56.

—, « Miró/Breton, *Constellations*: cas de figure », *L'Image génératrice du texte de fiction, La Licorne,* n°35, 1995, pp. 191-209.

—, « Chiasme optique : Tzara/Breton et (quelques-uns de) leurs peintres », *Chassé-croisé Tzara-Breton, Mélusine,* n° 17, 1997, pp. 201-17.

MUNDY, Jennifer V., « Surrealism and Painting : Describing the Imaginary », *Art History* vol 10, n° 4, décembre 1987, pp. 492-508.

NADEAU, Maurice, *Histoire du surréalisme*, Seuil, Coll. « Points », 1964.

NAVILLE, Pierre, « Beaux-arts », *La Révolution surréaliste,* n° 3, 15 avril 1925, p. 27.

—, *Le Temps du surréel,* vol 1 *L'Espérance mathématique*, Éditions Galilée, Coll. « écritures/figures », 1977.

NOËL, Bernard, *Magritte*, Flammarion, Coll. « Les maîtres de la peinture moderne », 1976.

NOUGÉ, Paul, « Les Images défendues », *Le Surréalisme au service de la révolution,* n°5, 1933, pp. 24-8.

—, « Les Points sur les signes », préface à l'exposition Magritte, Bruxelles, galerie Dietrich, janvier 1948 ; *in* Christian Bussy, *Anthologie du surréalisme en Belgique*, Gallimard, 1972.

—, *Histoire de ne pas rire*, Lausanne, L'Age d'Homme, Coll. « Cistre », 1980.

—, *René Magritte (in extenso)*, Bruxelles, Didier Devillez, 1997.

ONSLOW FORD, Gordon, « Matta Echaurren and Esteban Frances », *London Bulletin,* n°18-20, juin 1940.

—, « Notes sur Matta et la peinture (1937-1941) », *in Matta*, Centre Georges Pompidou, 1985, pp. 27-36.

—, « Recréez le monde », *Pleine Marge,* n°12, décembre 1990.

PAALEN, Wolfgang, « Paysage totémique », *Dyn,* n° 1, avril-mai 1942, pp. 46-50.

PACHNICKE, Peter et Klaus Honnef, *John Heartfield*, New York, Harry N. Abrams, 1992.

PALLE, Albert, « L'Exposition internationale surréaliste », *Le Figaro*, 9 juillet 1947. *Paris-Paris 1937-1957*, Centre Georges Pompidou, 1981.

PASSERON, René, *Histoire de la peinture surréaliste*, Livre de Poche, 1968.

—, « Le Surréalisme des peintres », *in* Ferdinand Alquié, ed., *Entretiens sur le surréalisme*, Paris et La Haye, Mouton, 1968, pp. 246-70.

PAULHAN, Jean, *L'Art informel (éloge),* Gallimard, 1962.

PÉRET, Benjamin, « Les Cheveux dans les yeux », préface à l'exposition Joan Miró, galerie Pierre 1925 ; *Cahiers d'art,* vol 9, n° 1-4, 1934, p. 26.

—, « Petit Panorama de la peinture moderne », *Diário de São Paolo*, 27 mars 1929.

—, « La Soupe déshydratée », *Almanach surréaliste du demi-siècle, La Nef,* n°63-64, mars 1950.

—, *Oeuvres complètes* VI, Corti, 1992.

PIAGET, Jean, *Le Langage et la pensée chez l'enfant*, Éditions Delachaux et Niestlé, 1923.

—, *La Représentation du monde chez l'enfant*, Félix Alcan, 1926.

PIBAROT, Annie, « Le Pari de *Documents* », *Critique,* n° 547, décembre 1992, pp. 933-54.

Picasso, *Cahiers d'art,* vol 7, n° 3-5, 1932.

PIERRE, José, « Diamant des apparitions », *Médium*, ns, n° 2, février 1954, p. 12.

—, « L'Oiseau en proie aux miroirs », *Médium*, ns, n° 3, mai 1954, p. 10.

—, et Charles Estienne, « Situation de la peinture en 1954 », *Médium* ns, n° 4, janvier 1955, pp. 43-54.

—, « Les Prunelles sont mûres », *Médium* ns, n° 4, janvier 1955, pp. 56-7.

—, « Kandinsky et Chirico », *Le Surréalisme même,* n° 2, printemps 1957, pp. 35-40.

—, « Les Templiers de la barbouille ou la peinture au service du fascisme », *Le Surréalisme même,* n°5, printemps 1959, pp. 63-4.

—, « Breton et Dali », *Salvador Dali. Rétrospective*, Centre Georges Pompidou et Musée d'Art Moderne, 1979, pp. 131-140.

—, *Tracts surréalistes et déclarations collectives* I, Le Terrain Vague, 1980.

—, « La Seconde Guerre mondiale et le deuxième souffle du surréalisme », *in Paris-Paris 1937-1957*, Centre Georges Pompidou, 1981, pp. 136-41.

—, « Péret et la peinture », *in* Jean-Michel Goutier, *Benjamin Péret*, Henri Veyrier, 1982, pp. 108-118.

—, *André Breton et la peinture*, Lausanne, L'Age d'homme, Coll. « Cahiers des avant-gardes », 1987.

—, « Breton et Dali, à la lumière d'une correspondance inédite », *in André Breton. La beauté convulsive*, Centre Georges Pompidou, 1991, pp. 196-202.

—, « Arshile Gorky: *Le foie est la crête du coq* », *in André Breton. La beauté convulsive*, Centre Georges Pompidou, 1991, pp. 366-8.

PIERROT, Jean, « Éluard illustrateur de Man Ray: *Les mains libres* », *in* Alain Niderst, ed., *Iconographie et littérature. D'un art à l'autre*, Presses Universitaires de France, 1983, pp. 183-99.

PLEYNET, Marcelin, *Art et littérature*, Seuil, 1977.

—, *Situation de l'art moderne. Paris et New York*, Éditions du Chêne, 1977.

PLOUVIER, Paule, « Utopie de la réalité, réalité de l'utopie », *Mélusine,* n° 7, 1985, pp. 87-99.

—, « D'un Seul et Même Paysage passionné », *Primitivisme et surréalisme, Les Mots la vie,* n° 8, 1994, pp. 97-108.

PRÉVERT, Jacques, « Hommage-hommage », *Documents,* vol 2, n° 3, 1930, pp. 147-51.

—, et Georges Ribemont-Dessaignes, *Joan Miró*, Maeght 1956.

—, *Oeuvres complètes* II, Gallimard, Bibliothèque de la Pléiade, 1996.

PRICE, Sally, « Arts *primitifs*, arts *civilisés* », *Gradhiva* n° 4, 1988, pp. 19-27.

PY, Françoise, « Les Pigments et les mots », *in* Marc Saporta et Henri Béhar, eds., *André Breton ou le surréalisme, même*, Lausanne, L'Age d'Homme, « Bibliothèque Mélusine », 1988, pp. 99-105.

QUENEAU, Raymond, « À Propos de l'exposition Giorgio de Chirico à la Galerie Surréaliste (15 février-1er mars 1928) », *La Révolution surréaliste,* n° 11, mars 1928, p. 42.

—, « Joan Miró ou le poète préhistorique » (1949), *Bâtons, chiffres et lettres*, Gallimard, Coll. « Idées », 1965, pp. 305-16.

RAGON, Michel, *La Peinture actuelle*, Libraire Arthème Fayard, 1959.

RAILLARD, Georges, « Breton en regard de Miró : *Constellations* », *Littérature*, n° 17, février 1975, pp. 3-13.

—, « Comment Breton s'approprie les *Constellations* de Miró », *Cahiers de Varsovie*, n°5, 1978, pp. 171-80.

—, « Les *Constellations*, un objet philosophique », *in Surréalisme et philosophie*, Centre Georges Pompidou, 1992.

RAYNAL, Maurice, « Joan Miró », *Cahiers d'art*, vol 9, n° 1, 1934, pp. 22-4.

—, *Anthologie de la peinture en France de 1906 à nos jours*, Éditions Montaigne, 1927.

READ, Herbert, « Foreword », *Surrealist Objects and Poems*, Londres : London Gallery, 1937.

Regards sur Minotaure la revue à tête de bête, Genève, Musée d'Art et d'Histoire, 1987.

La Révolution surréaliste, n° 1-12 (1924-9) ; reprint Jean-Michel Place, 1975.

REYMOND, Nathalie, « Charles Estienne, critique d'art », *in Geste, image, parole*, Université de Saint-Étienne, C.I.E.R.E.C., Travaux XIV, 1976, pp. 39-50.

—, « L'Art à Paris entre 1945 et 1950 à travers les articles de Charles Estienne, dans *Combat* », *in Art et idéologies. L'art en occident 1945-1949*, Université de St Étienne, C.I.E.R.E.C. Travaux XX, 1976, pp. 173-94.

RIBEMONT-DESSAIGNES, Georges, « Picasso météore », *Documents,* vol 2, n° 3, 1930, pp. 141-3.

—, « Giorgio de Chirico », *Documents,* vol 2, n°6, 1930, pp. 337-45.

—, et Jacques Prévert, *Joan Miró*, Maeght, 1956.

RIFFATERRE, Michael, *La Production du texte*, Seuil, 1979.

—, *Sémiotique de la poésie*, Seuil, 1983.

—, « Ekphrasis lyrique », *Lire le Regard. André Breton et la peinture*, *Pleine Marge*, n°13, juin 1991, pp. 133-49.

—, « L'Illusion d'ekphrasis », *in* Gisele Mathieu-Castellini, ed., *La Pensée de l'image. Signification et figuration dans le texte et dans la peinture*, Presses Universitaires de Vincennes, 1994, pp. 211-29.

RIMBAUD, Arthur, *Oeuvres complètes*, Gallimard, la Pléiade, 1972.

RIVIÈRE, Georges Henri, « Archéologismes », *Cahiers d'art,* vol 1, n° 7, 1926, p. 177.

Robert Desnos, Cahiers de l'Herne, 1987.

RORSCHACH, Hermann, *Psychodiagnostic*, PUF, 1947.

ROTHWELL, Andrew, « *Le Surréalisme et la peinture* : Breton's Spatial Hermeneutics », *in* Ramona Fotiade, ed., *André Breton – The Power of Language*, Exeter, Elm Bank Publications, 2000, pp. 97-109.

ROWELL, Margit, « Magnetic Fields : the poetics », *Joan Miró. Magnetic Fields*, New York, Solomon R. Guggenheim Foundation, 1972, pp. 39-69.

—, « André Breton et Joan Miró », *in André Breton. La Beauté convulsive*,

Centre Georges Pompidou, 1991, pp. 179-82.

RUBIN, William S., *Dada and Surrealist Art*, New York, Harry N. Abrams, 1968.

RUSSO, Adélaïde, « André Breton et les dispositifs du jugement: spéculaire, spéculatif », *Lire le Regard. André Breton et la peinture, Pleine Marge*, n°13, juin 1991, pp. 111-32.

SABRI, Nadia, « La Forêt dans l'œuvre de Max Ernst », *Mélusine*, n° 21, 2001, pp. 245-59.

Salvador Dali. Rétrospective, Centre Georges Pompidou et Musée d'Art Moderne, 1979.

SANTAMARIA, Vicenç, « Salvador Dalí: de la peinture à la littérature (notes sur les premiers poèmes daliniens) », *in Peinture et écriture*, Éditions de la Différence, Collection « Traverses », 1996, pp. 117-28.

SAPORTA, Marc, et Henri Béhar, eds., *André Breton ou le surréalisme, même*, Lausanne, L'Age d'Homme, « Bibliothèque Mélusine », 1988.

SARTRE, Jean-Paul, « Situation de l'écrivain en 1947 », *Temps modernes*, février-juillet 1947; repris sous le titre « Qu'est-ce que la littérature? » *Situations* II, Gallimard, 1948, pp. 202-29.

SAWIN, Martica, « Spiritual and Electric Surrealism: The Art of Enrico Donati », *Arts Magazine*, vol 61, n°6, février 1987, pp. 26-9.

—, *Surrealism in Exile and the Beginning of the New York School*, Cambridge MA, Londres, MIT Press, 1995.

SCHNEIDER-BERRY, Danièle, « *Minotaure*: une revue surréaliste? », *Mélusine*, n° 10, 1988, pp. 27-37.

SCHOR, Naomi, « Dali's Freud », *Dada/Surrealism*, n°6, 1976, pp. 10-17.

SCHUSTER, Jean, et Simon Hantaï, « Une Démolition au platane », *Médium* ns, n° 4, janvier 1955, pp. 58-62.

—, « 1946-1966, les années maudites », *in André Breton. La Beauté convulsive*, Centre Georges Pompidou, 1991, pp. 398-400.

SCOPELLITI, Paolo, « Tzara et Breton collectionneurs », *Chassé-Croisé. Tzara-Breton, Mélusine*, n° 17, 1997, pp. 219-32.

SEGALEN, Victor, *Essai sur l'exotisme*, Montpellier, Fata Morgana, 1978.

SÉGUIN, Marc, « Présence du surréalisme », *Arts*, n°124, 18 juillet 1947, pp. 1-2.

SERMET, Joëlle de, *Michel Leiris poète surréaliste*, PUF, France, 1997.

SIEPE, Hans T., *Der Leser des Surrealismus. Untersuchungen zur Kommunikationsästhetik*, Stuttgart, Klett-Cotta, 1977.

[Simon Hantaï], *Médium* ns, n° 1, novembre 1953.

SILVER, Kenneth E., *Esprit de corps. The Art of the Parisian Avant-Garde and the First World War 1914-1925*, Londres, Thames and Hudson, 1989; trad. *Vers le Retour à l'ordre. L'avant-garde parisienne et la première guerre mondiale, 1914-1925*, Flammarion, 1991.

SOUPAULT, Philippe, « Vanité de l'Europe », *Les Cahiers du mois, Les Appels de l'Orient*, n°9-10, mars 1925, pp. 64-68.

—, « Surréalisme, écriture et peinture » (1973), *Écrits sur la peinture*, Lachenal et Ritter, 1980, pp. 273-85.

SPECTOR, Jack, *Surrealist Art and Writing 1919-1939. The Gold of Time*, Cambridge University Press, 1997.

SPIES, Werner, *Max Ernst. Les collages. Inventaire et contradictions*, Gallimard, 1974.

STAMELMAN, Richard, « ‹ La courbe sans fin du désir ›. Les *Constellations* de Joan Miró et André Breton », *André Breton, Herne*, 1998, pp. 313-27.

STICH, Sidra, *Anxious Visions: Surrealist Art*, Berkeley, University Art Museum et New York, Abbeville Press, 1990.

Le Surréalisme au service de la révolution, n° 1-6, 1930-5 ; reprint Jean-Michel Place, 1975.

SWEENEY, James Johnson, « Joan Miró », *Cahiers d'art*, vol 9, n° 1, 1934, pp. 46-9.

—, « Joan Miró: Comment and Interview », *Partisan Review,* vol 5, n° 2, février 1948.

SYLVESTER, David, *Magritte*, Flammarion, 1992.

TAILLANDIER, Yvon, « Miró: maintenant je travaille par terre… », *XXᵉ siècle*, n°43, mai 1974, pp. 15-19 ; *in* Joan Miro, *Écrits et entretiens*, présentés par Margit Rowell, Daniel Lelong, 1995, pp. 300-5.

TANGUY, Yves, « Poids et couleurs », *Le Surréalisme au service de la révolution* n° 3, 1931, p. 27.

TEIXEIRA, Vincent, *Georges Bataille, la part de l'art. La peinture du non-savoir*, L'Harmattan, Coll. « L'ouverture philosophique », 1996.

TÉRIADE, Édouard, « Max Ernst *Histoire naturelle* », *Cahiers d'art,* vol 1, n° 3, 1926, p. 80.

—, « Dali (galerie Goemans, 49 rue de Seine) », *L'Intransigeant*, 25 novembre 1929.

—, « La Peinture surréaliste », *Minotaure*, n° 8, 15 juin 1936, p. 5.

—, *Écrits sur l'art*, Adam Biro, 1996.

THOMPSON, Christopher W., ed., *L'Autre et le sacré. Surréalisme, cinéma, ethnologie*, L'Harmattan, 1995.

TZARA, Tristan, « Max Ernst et les images réversibles », *Cahiers d'art,* vol 9, n°5-8, 1934, pp. 165-71.

—, « À Propos de Joan Miró », *Cahiers d'art,* vol 15, n° 1-2, 1940, p. 37-9.

—, *Le Surréalisme et l'après-guerre*, Éditions. Nagel, 1948. —, *Oeuvres complètes* V, Flammarion, 1982.

VAILLAND, Roger, *Les Surréalistes contre la révolution* (1947), Éditions Sociales, 1948.

VALLIER, Dora, « Miro and children's drawings », *in* Jonathan Fineberg, ed., *Discovering Child Art: Essays on Childhood, Primitivism and Modernism*, Princeton University Press, 1998, pp. 201-9.

La Vie publique de Salvador Dali, Centre Georges Pompidou, 1979.

VITRAC, Roger, « Georges de Chirico » (1927), *Georges de Chirico*, Mercure de France, Coll. « Le petit mercure », 1999.

—, « Humorage à Picasso », *Documents,* vol 2, n° 3, 1930, pp. 127-8.

—, « André Masson », *Cahiers d'art,* vol 5, n° 10, 1930, pp. 525-30.

—, *L'Enlèvement des Sabines*, Deyrolles Éditeur, 1990.

VOUILLOUX, Bernard, *L'Interstice figural. Discours, histoire, peinture*, Sainte-Foy (Québec) et Grenoble, Le Griffon d'argile et Presses Universitaires de Grenoble, 1994.

—, *La Peinture dans le texte. XVIIIe-XXe siècles*, CNRS Éditions, 1994.

—, *Un Art de la figure. Francis Ponge dans l'atelier du peintre*, Villeneuve d'Ascq, Presses du Septentrion, Coll. « Peintures », 1998.

—, « Manifester la peinture », *André Breton*, Herne, 1998, pp. 185-202.

WILSON, Sarah, « Paris post war: *in* search of the absolute », *in* Frances Morris, ed., *Paris post war. Art and existentialism 1945-55*, London, Tate Gallery, 1993, pp. 25-52.

WITTMANN, Jean-François, « L'Art moderne et le principe de plaisir », *Minotaure*, n° 3-4, 1933, pp. 79-80.

WOLFF, Theodore, *Enrico Donati. Surrealism and beyond*, New York, Hudson Hills Press, 1996.

ZEKI, Semir, *Inner Vision. An Exploration of Art and the Brain*, Oxford University Press, 1999.

ZERVOS, Christian, « Peintures d'enfants », *Cahiers d'art*, vol 1, n° 7, septembre 1926, pp. 175-6.

—, « Max Ernst », *Cahiers d'art,* vol 3, n° 2, 1928, p. 69.

—, « Picasso. Oeuvres inédites anciennes », *Cahiers d'art,* vol 3, n°5-6, 1928, pp.206.

—, « Préface » à Hans Mühlestein, « Des Origines de l'art et de la culture », *Cahiers d'art,* vol 5, n° 11, 1930, pp. 57-8.

—, *Histoire de l'art contemporain*, Éditions des Cahiers d'Art, 1938.

ZUERN, John, « The Communicating Labyrinth: Breton's ‹ La Maison d'Yves › as a Micro-Manifeste », *Dada/Surrealism,* n° 17, 1988, pp. 111-20.

INDEX DES NOMS CITÉS

TABLE DES MATIÈRES

Achevé d'imprimer en juin 2004
sur les presses de la Nouvelle Imprimerie Laballery
58500 Clamecy

Dépôt légal : juin 2004
Numéro d'impression : 405145

Imprimé en France